Мост через вечность

Ричард Бах

Мост через вечность

«СОФИЯ»
ИД «ГЕЛИОС»
2001

УДК 820(73)–31/32
ББК 84.7СП06-44
Б30

Б30 Ричард Бах. Мост через вечность
Перев. с англ. — К.: «София», 2001, М.: ИД «Гелиос», 2001, — 368 с.

ISBN 5-220-00150-7 («София»)
ISBN 5-344-00119-3 (ИД «Гелиос»)

В этом томе избранных сочинений Ричарда Баха «София» предлагает вниманию читателей удивительную книгу «Мост через вечность», тесно связанную сюжетом с «Единственной».

Эта книга о поиске Великой Любви и смысла жизни и встречи с Единственной.

ББК 84.7СП06-44

Originally published by arrangement with Alternate Futures Inc., c/o Richard Bach and Leslie Parrish–Bach, William Morrow and Co., 1350 Avenue of the Americas, New York, NY10019 USA

ISBN 5-220-00150-7
ISBN 5-344-00119-3

СОДЕРЖАНИЕ

— как же мы счастливы:
ты и я,
чей дом лежит вне времени;
мы, спустившиеся с благоухающих гор вечного сейчас,
чтобы поиграть в рождение и смерть день-другой
(а может быть и меньше).

э. э. каммингс

Лесли, научившей меня летать

Порой нам кажется, что не осталось на земле ни одного дракона. Ни одного храброго рыцаря, ни единой принцессы, пробирающейся тайными лесными тропами, очаровывая своей улыбкой бабочек и оленей.

Нам кажется, что наш век отделяет от тех сказочных времен какая-то граница и в нем нет места приключениям. Судьба... эта дорога, простирающаяся за горизонт... призраки пронеслись по ней в далеком прошлом и скрылись из вида...

Как замечательно, что это не так! Принцессы, рыцари, драконы, очарованность, тайны и приключения... они не просто рядом с нами, здесь и сейчас, — ничего другого и не было никогда на земле!

В наше время их облик, конечно, изменился. Драконы носят сегодня официальные костюмы, прячутся за масками инспекций и служб. Демоны общества с пронзительным криком бросаются на нас, стоит лишь нам поднять глаза от земли, стоит повернуть направо там, где нам было сказано идти налево. Внешний вид нынче стал так обманчив, что рыцарям и принцессам трудно узнать друг друга, трудно узнать даже самих себя.

Но в наших снах мы все еще встречаемся с Мастерами Реальности. Они напоминают нам, что мы никогда не теряли защиты против драконов, что синее пламя струится в нас, позволяя изменять наш мир, как мы захотим. Интуиция нашептывает истину: мы не пыль, мы — волшебство!

Это повесть о рыцаре, который умирал, и о принцессе, спасшей ему жизнь. Это история о красавице и чудовищах, о волшебных заклинаниях и крепостных стенах, о силах смерти, которые нам только кажутся, и силах жизни, которые есть. Это рассказ об одном приключении, которое, я уверен, является самым важным в любом возрасте.

Фактически, в жизни все было почти так, как здесь описано. В нескольких местах я вольно обошелся с хронологией, некоторые персонажи составлены из ряда реальных людей, большинство имен выдуманы. Остальное я бы не смог придумать, даже если бы постарался, — реальность была настолько невероятной, что не укладывалась в рамки никакой выдумки.

Вы, как читатели, конечно, увидите, заглянув за писательскую маску, что заставило меня поместить эти слова на бумагу.

Но иногда, когда свет лучится точно как сейчас, писатель тоже может заглянуть за маску читателя. Может быть, в лучах этого света мы с вами встретимся где-нибудь на страницах этой книги, — я и моя любовь, вы — и ваша.

ОДИН

Сегодня она будет здесь.

Я глянул из кабины вниз — сквозь ветер и мерцание пропеллера, сквозь полмили осеннего дня, — вниз на арендованное мною поле, на кубик сахара — вывеску «Полеты за три доллара», которую я привязал к открытым воротам.

Рядом со знаком дорога с обеих сторон была сплошь заставлена машинами. Их собралось штук, пожалуй, под шестьдесят. И, соответственно, толпа народу, прикатившего поглазеть на полеты. Она вполне могла уже быть там, подъехав несколько мгновений назад. Я улыбнулся. Вполне возможно!

Я переключил двигатель на холостой ход, поддернул нос Флита немного вверх, чтобы сопротивление крыльев заставило его потерять скорость.

Затем до отказа вывел руль поворота влево и выжал ручку на себя до упора.

Зеленая земля, созревшие хлеба и соя, фермы, луга, застывшие в полуденном безмолвии, — все вдруг перевернулось, слившись в размытый эффектным штопором вихрь. С земли это должно было выглядеть так, словно старая этажерка вдруг вышла из повиновения.

Нос самолета рванулся вниз, цветные штрихи смерча, в который вдруг превратился мир, все быстрее и быстрее вертелись вокруг моих летных очков.

Как долго тебя не было рядом со мной, мой дорогой друг — родная душа, моя милая, мудрая и таинственная прекрасная леди? — думал я. — Сегодня наконец-то обстоятельства сложатся так, что заставят тебя оказаться в городке Рассел, штат Айова, и, взяв за руку, приведут сюда, на стелющееся внизу поле скошенной люцерны. Ты подойдешь к краю толпы, не вполне осознавая зачем, с любопытством созерцая живой, ярко раскрашенный кусок истории, вертящийся в воздухе.

Взбрыкивая и глухо подвывая, биплан несся вниз. С каждой секундой вихрь становился круче, плотнее и громче. Вращение... а теперь... стоп.

Ручка — вперед, жестким нажатием на правую педаль перебрасываем руль слева направо. Размытые очертания делаются четче, скорость растет, один, два оборота, после чего вращение прекращается, и мы мчимся прямо вниз с максимально возможной скоростью.

Сегодня она должна здесь появиться, — думал я, — ведь она тоже одинока. Потому что она уже знает все, что хотела узнать самостоятельно. Потому что в мире есть лишь один-единственный человек, к встрече с которым ведет ее судьба, и этот человек в данный момент управляет этим вот самым аэропланом.

Крутой выход, газ до нуля, выключаем двигатель, пропеллер застыл... Планируем вниз, беззвучно скользя к земле, приземляемся с таким расчетом, чтобы замереть прямо напротив толпы.

Я узнаю ее, едва лишь увижу, — подумал я, — такой яркий образ, — сразу же узнаю.

Вокруг аэроплана теснились люди: мужчины, женщины, семьи с корзинами для пикника, дети на велосипедах. Разглядывают. Рядом с детьми — две собаки.

Отжавшись на руках, я выбрался из кабины и взглянул на людей. Они мне понравились. В следующий момент я с занятной отрешенностью уже как бы со стороны слушал свой собственный голос и в то же время взглядом пытался отыскать ее в толпе.

— *Рассел с высоты птичьего полета, люди! Уникальный шанс воспарить над полями Айовы! Последняя возможность перед тем, как выпадет снег! Вперед — туда, где обитают лишь птицы да ангелы...*

Кое-кто засмеялся и зааплодировал — кому-нибудь другому, кто решится попробовать первым. Лица — некоторые с выражением глубокого недоверия и вопроса, некоторые — полные устремления и жажды приключений, были и хорошенькие — веселые и заинтересованные. Но того лица, которое я искал, не было нигде.

— А вы уверены, что это безопасно? — поинтересовалась женщина. — Судя по тому, что я видела, вы — не слишком осторожный пилот!

Покрытая загаром кожа, ясные карие глаза. Ей так хотелось, чтобы ее предположение оказалось справедливым.

— Безопаснее не бывает, мэм! Легкость пушинки! *Флит* в воздухе с двадцать четвертого декабря тысяча девятьсот двадцать восьмого года — еще на один полет его, пожалуй, хватит, прежде чем он разлетится на куски...

Она изумленно моргнула.

— Шучу, — сказал я. — Он будет летать даже спустя годы после того, как нас с вами не станет, уверяю вас!

— Кажется, я ждала достаточно долго, — сказала она, — мне всю жизнь хотелось покататься на одном из этих...

— Тогда вам должно понравиться.

Я толкнул пропеллер, чтобы запустить двигатель, помог ей забраться в переднюю кабину и застегнуть ремень безопасности.

Невозможно, — думал я. — Она не здесь. Не здесь — не может быть!

Каждый день — уверенность, что сегодня — тот-самый-день, и каждый день — ошибка!

После первого полета было еще тридцать — до самого захода солнца. Я летал и болтал без устали, пока все не разошлись по домам, чтобы вместе поужинать и провести ночь. Я же остался один. Один.

Неужели она — плод моей фантазии? Молчание.

За минуту до того, как вода закипела, я вытащил котелок из огня, вытряхнул в него растворимый какао и размешал сухим стебельком. Нахмурившись, произнес, обращаясь к самому себе:

— Дурость какая — искать ее здесь.

Недельной давности булочку с корицей я наколол на хворостинку и поджарил над языками пламени. Да, странствующий пилот на старом биплане — полет сквозь семидесятые годы двадцатого века. Вроде бы приключение. Раньше оно было приправлено множеством вопросительных знаков. Теперь же все стало таким же знакомым и безопасным, как фотографии в семейном альбоме. После сотого урагана я мог делать их с закрытыми глазами. А после того, как я в тысячный раз обшарил глазами толпу, у меня возникают сомнения: может ли родная душа явиться мне среди скошенных полей.

Денег достаточно. Катая пассажиров, мне вряд ли когда-нибудь придется голодать. Но я не узнаю ничего нового, я просто болтаюсь без толку.

В последний раз я по-настоящему учился два лета тому назад. Тогда я увидел сверху бело-золотистый биплан «Тревл Эйр», припаркованный среди полей. Приземлившись, я познакомился с его пилотом — Дональдом Шимодой, Мессией в отставке, экс-Спасителем Мира. Мы подружились, и в те последние месяцы его жизни он передал мне некоторые секреты своего странного призвания.

Дневник, который я тогда вел, превратился в книгу, я отослал ее издателю. Не так давно она вышла из печати. Большинство его уроков я усвоил хорошо, так что новые испытания попадались действительно крайне редко. Но вот решить проблему с родной душой не удавалось никак.

Где-то возле хвоста Флита послышался тихий шорох — крадущиеся шаги по сухой траве. Я повернул голову, прислушиваясь к этому звуку. Шорох стих. Потом появился опять, как если бы кто-то стал медленно подкрадываться ко мне.

Я напряженно вглядывался в темноту:

— Кто там?

Пантера? Леопард? Только не в Айове, их в Айове не встречали уже...

Еще один осторожный шаг по ночной траве. Как бы это ни был... *Лесной волк!*

Я бросился к ящику с инструментом, судорожно пытаясь ухватить нож, большой гаечный ключ, но было уже слишком поздно. В это мгновение возле колеса самолета возникла черно-белая бандитская маска, изучающий взгляд ярко блестевших глазок, нос, с сопением принюхивающийся к запаху коробки с продуктами.

Не лесной волк.

— Эй... Привет, эй ты там... — сказал я. Я рассмеялся: так сильно колотилось сердце. Я сделал вид, что убираю ключ прочь.

Осиротевших крошек-енотов на Среднем Западе часто берут в дом и выращивают в домашних условиях. Когда им исполняется год, их отпускают на волю, но они на всю жизнь остаются домашними.

А что тут плохого? Разве нельзя шуршать себе по полю, в темноте на огонек заглянуть — а вдруг у того, кто разложил костер, найдется что-нибудь вкусненькое — погрызть, коротая ночь?

— Нормально... Давай, иди-ка сюда, приятель! Проголодался?

Хорошо бы чего-нибудь сладенького — кусочек шоколадки... можно зефира немного — все сойдет. Енот постоял немного на задних лапках, морща носик и изучая воздух в поисках запаха съестного. *Остатки зефира — если, конечно, ты сам на них не претендуешь — вполне сойдет.*

Я вытащил кулек из ящика и высыпал кучку мягких шариков в сахарной пудре на подстилку.

— Вот так... иди сюда...

Мини-мишка шумно взялся за десерт. Отдавая должное зефиру, он с довольным чавканьем набил им полный рот.

От лепешки моего изготовления он отказался, едва надкусив ее, прикончил зефир, умял почти весь мой запас медовой воздушной пшеницы и вылакал мисочку воды, которую я ему налил. Немного посидел, глядя на огонь, фыркнул: пора двигаться дальше.

— Спасибо за то, что зашел в гости, — сказал я.

Исполненный важности взгляд черных бусин.

Благодарю за угощение. А ты вполне приличное человеческое существо. Ну, ладно, до завтра, вечером увидимся. Лепешки у тебя — отвратительные.

И пушистое создание двинулось прочь. Полосатый хвост растворился в тенях, шорох шагов в траве слышен все слабее и слабее. И я остался наедине со своими мыслями и мечтой обрести даму сердца.

Каждый раз все неизменно возвращается к ней. Она не относится к сфере невозможного, — размышлял я, — и надежда на встречу с ней отнюдь не является чем-то чрезмерным!

Интересно, что сказал бы Дональд Шимода, сидя здесь, под крылом, сегодня, если бы узнал, что я до сих пор так и не нашел ее?

Что-нибудь само собой разумеющееся, это уж точно. Странное свойство всех его секретов — они были предельно просты.

А если бы я сообщил ему, что потерпел фиаско в поисках ее? Для вдохновения он покрутил бы в руках свою булочку с корицей, внимательно ее изучая, потом запустил бы пальцы в черную шевелюру и сказал:

— Послушай, Ричард, а тебе не приходило в голову, что летать с ветром от одного города к другому — верный способ не отыскать ее, но утратить?

Все так просто. А после бы он молча ждал моего ответа. Я ответил бы на это, если бы он был здесь, я бы сказал:

— О'кей. Полет за горизонт — не то. Я брошу это. Однако скажи, как мне ее найти?

Он бы прищурился, несколько расстроившись оттого, что я задал этот вопрос ему, а не самому себе:

— А ты счастлив? В данный конкретный миг — занимаешься ли ты тем, чем хотел бы заняться больше всего на свете?

Привычка заставила бы меня ответить, что да, разумеется, я распоряжаюсь своей жизнью в точности так, как мне нравится.

Холод нынешней ночи, и вопрос — тот же самый — с его стороны, и что-то изменилось. Занимаюсь ли я тем, чем больше всего хотел бы заняться?

— *Нет!*

— Вот это новость! — произнес бы Шимода. — Как по-твоему, что бы это могло означать?

Я моргнул, прекратил воображать и вслух заговорил с собой:

— Ага, это значит, что амплуа странствующего пилота себя исчерпало! И в данный момент я смотрю на огонь своего последнего костра, а тот парнишка из Рассела, с которым мы поднимались в воздух в сумерках, был последним моим пассажиром.

Я попытался еще раз вслух сформулировать:

— Со странствующим пилотом покончено.

Заторможенность безмолвного шока. И шквал вопросов. Новое качество неведения — некоторое время я пытался распробовать его, оценить неведомый привкус. Что делать? И что со мной будет?

После основательной определенности ремесла бродячего пилота меня захлестнуло удивительное наслаждение новизны, подобное прохладному буруну, вспенившемуся из неизведанных глубин. Я понятия не имел, что буду делать!

Говорят, что когда закрывается одна дверь, другая — отворяется. Я ясно вижу захлопнувшуюся за мной дверь с надписью «ЖИЗНЬ СТРАНСТВУЮЩЕГО ПИЛОТА». За ней остались ящики и корзины, полные приключений — тех, которые превратили меня из того, кем я был, в того, кто я есть. А теперь пришло время двигаться дальше. Ну и где же эта самая только что распахнувшаяся дверь?

Если бы я был просветленной душой, — подумал я, — что бы я сказал сейчас самому себе? Не Шимода, но просветленный я сам?

Прошло мгновение, и я уже знал, что было бы сказано: — Посмотри-ка на то, что окружает тебя в данный момент, Ричард. *Что в этой картине не так?*

Я огляделся во тьме. С небом все было в порядке. Что может быть не так в небе, испещренном сверканием взрывающихся алмазами удаленных на тысячи световых лет звезд? А во мне — разглядывающем этот фейерверк из вполне безопасного места? А самолет — надежный и верный Флит, готовый нести меня, куда бы я ни пожелал? Что не так в нем? Все так, все правильно.

А неправильно вот что: здесь нет ее! И я должен изменить ситуацию. И начну прямо сейчас!

Не торопись, Ричард, — подумал я. — И на этот раз измени своим правилам. Пожалуйста, не спеши! Пожалуйста, подумай сначала. Хорошенько подумай.

Продумать все до конца. Ибо во тьме скрыт еще один вопрос — вопрос, которого я никогда не задавал Дональду Шимоде и на который он не отвечал.

Почему обязательно случается так, что самые продвинутые из людей, те, чьи учения живут веками, пусть в несколько извращенной форме религий, почему эти люди непременно должны оставаться одинокими?

Почему мы никогда не встречаем лучащихся светом жен или мужей или чудесных людей, которые на равных делят с ними их приключения и их любовь? Те немногие, кем мы так восхищаемся, неизменно окружены учениками и любопытными, на них давят те, кто приходит за исцелением и светом. Но как часто мы встречаем рядом с кем-нибудь из них родственную душу, человека сильного, в славе своей равного им и разделяющего их любовь? Иногда? Изредка?

Я невольно сглотнул — в горле пересохло. Никогда.

Самые продвинутые из людей, — подумал я, — оказываются самыми одинокими!

Может быть, у совершенных нет родных душ потому, что они переросли все человеческие потребности?

Никакого ответа от голубой Веги, мерцающей в своей арфе из звезд.

Достижение совершенства в течение всего множества жизней — это не моя задача. Но эти люди — ведь им, вроде бы, предначертано указывать нам путь. Утверждал ли кто-либо из них: «Забудьте о родственных душах, родственных душ не существует?»

Неторопливо стрекочут сверчки: «Может быть, может быть».

Это стало каменной стеной, о которую разбились последние мгновения вечера.

— Если они это утверждают, — проворчал я, обращаясь к себе, — они заблуждаются.

Мне было интересно, согласится ли она со мной, где бы она ни была. Заблуждаются ли они, моя милая незнакомка? Она не ответила из своего неизвестно-где... К тому времени, когда наутро крылья оттаяли от инея, чехол мотора, ящик с инструментом, коробка с продуктами и таганок были уже аккуратно уложены на переднем сиденье, запакованы и как следует закреплены. Остатки завтрака я оставил еноту.

Во сне ответ нашелся сам собой: Те просветленные и совершенные — они могут предполагать что угодно, но решения принимаю я сам. А я решил, что не собираюсь прожить жизнь в одиночестве.

Я натянул перчатки, толкнул пропеллер, в последний раз запустил двигатель и устроился в кабине.

Что бы я сделал, если бы увидел ее сейчас идущей по скошенной траве? Дурацкий импульс, странный холодок в затылке, я осмотрелся. Поле было пустым.

Флит взревел на подъеме, повернул на восток и приземлился в аэропорту Кэнкэки, штат Иллинойс. В тот же день я продал аэроплан за одиннадцать тысяч долларов наличными и упаковал деньги в свой сверток с постельными принадлежностями.

Последние долгие минуты наедине с моим бипланом. Я поблагодарил и попрощался, дотронулся до пропеллера и, не оборачиваясь, быстро покинул ангар.

Приземлился, богатый и бездомный. Я ступил на улицы планеты, обитаемой четырьмя миллиардами пятьюста миллионами душ, и с этого момента с головой погрузился в поиски той единственной женщины, которая, согласно мнению лучших из когдалибо живших людей, не могла существовать в природе.

ДВА

То, что очаровывает нас, также ведет и защищает. Страстная одержимость чем-нибудь, что мы любим — парусами, самолетами, идеями, — и неудержимый магический поток прокладывает нам путь вперед, низводя до нуля значительность правил, здравый смысл и разногласия, перенося нас через глубочайшие ущелья различий во мнениях. Без силы этой любви...

— Что это вы пишете? — Она смотрела на меня с таким изумлением, словно никогда не видела, чтобы кто-то писал в блокноте ручкой по дороге на юг в автобусе, направляющемся во Флориду.

Когда кто-либо врывается в мое уединение, разрушая его своими вопросами, я имею обыкновение иногда отвечать без объяснений, чтобы напугать человека и заставить его помолчать.

— Пишу письмо самому себе — тому, кем я был двадцать лет назад. Называется «Жаль, Что Я Этого Не Знал, Когда Был Тобой».

Несмотря на мое раздражение, ее глаза — весьма приятно было это видеть — загорелись любопытством и храбрым намерением это любопытство удовлетворить. Глубина карих глаз, темный водопад гладко зачесанных волос.

— Почитайте его мне, — ничуть не испугавшись, попросила она.

Я прочел — последний абзац до того места, на котором она меня прервала.

— Это правда?

— Назовите что-нибудь одно, что вы любили, — предложил я. — Привязанность не считается. Только то, что внушало вам всепобеждающую неуправляемую страсть...

— Лошади, — мгновенно отозвалась она. — Я любила лошадей.

— Когда вы были с вашими лошадьми, мир приобретал иную расцветку, чем имел все остальное время. Да?

Она улыбнулась:

— Точно. Я была королевой Огайо. Маме приходилось вылавливать меня с помощью лассо, чтобы выдернуть из седла и заставить идти домой. Бояться? Только не я! Я скакала на большом жеребце — его звали Сэнди — и он был моим *другом,* и пока я была с ним, никому бы и в голову не пришло меня обидеть. Я любила Сэнди.

Мне показалось, что она высказалась до конца. Но она добавила:

— А сейчас нет ничего, к чему я относилась бы таким же образом.

Я промолчал. Она погрузилась в свои собственные воспоминания, в те времена, когда Сэнди был с ней. Я вернулся к письму.

Без силы этой любви мы становимся лодками, увязшими в штиле на море беспросветной скуки, а это смертельно...

— А как вы собираетесь отсылать письмо туда — в то время, которое прошло двадцать лет назад? — поинтересовалась она.

— Не знаю, — ответил я, заканчивая последнее на странице предложение. — Но разве не будет ужасно, если в тот день, когда я узнаю, как отправлять послания в прошлое, мне нечего будет послать? Так что, пожалуй, прежде всего следует приготовить пакет. А потом уже подумать о пересылке.

Сколько раз я говорил себе о чем-то: «Как плохо, что я этого не знал, когда мне было десять; если бы я понял это в двенадцать; сколько времени ушло попусту, пока я понял; я опоздал на двадцать лет!»

— А куда вы направляетесь?

— Географически?

— Да.

— Подальше от зимы, — ответил я. — На Юг. В самую середину Флориды.

— Куда именно во Флориде?

— Трудно сказать. Я собираюсь встретиться со своей подругой, но где она — я в общем-то не знаю.

Похоже, она наилучшим образом поняла, что скрывалось за этой моей фразой.

— Вы отыщете ее.

Я замялся в ответ и взглянул на нее:

— Вы понимаете, что вы только что сказали? «Вы отыщете ее»?

— Понимаю.

— Будьте добры, объясните.

— Нет, — сказала она, загадочно улыбаясь. Ее глаза мерцали темным сиянием, отчего казались почти черными. Гладкая кожа, покрытая ореховым загаром, ни единой складки или морщинки, ничего, что указывало бы на то, кто она такая. Настолько молода, что лицо выглядит неоформившимся.

— «Нет». То-то и оно, — сказал я, улыбаясь в ответ. Автобус с гудением мчался по магистральному шоссе, мимо проносились фермы, дорожные знаки цвета осенней листвы вдоль обочины. Биплан мог бы приземлиться на это поле. Правда, столбы по краю дороги высоковаты, но Флит вполне прошел бы под проводами...

Кто эта незнакомка, сидящая рядом? Улыбка космоса по поводу моих страхов? Стечение обстоятельств, посланное мне, дабы развеять сомнения? Возможно. Все может быть. Может быть — Шимода в маске.

— А вы летаете на самолетах? — как бы между прочим поинтересовался я.

— Сидела бы я тогда в этом автобусе?! От одной только мысли об этом у меня сдают нервы, — сказала она. — На самолетах!

Она передернула плечами и тряхнула головой:

— Ненавижу летать.

Она открыла сумочку и начала что-то в ней искать.

— Я закурю, не возражаете?

Я отпрянул, рефлекторно съежившись.

— Не возражаю?! Сигарета?! Мадам, пожалуйста!.. — я попытался было объясниться, не задев ее самолюбия. — Вы не... вы намереваетесь напустить *дыму* в крохотный объем воздуха между нами? Что дурного я вам сделал? За что же тогда вы хотите заставить меня *дышать дымом?*

Если бы она была Шимодой, она мгновенно вычислила бы, что я думаю по поводу сигарет. От моих слов она застыла.

— Ладно, извините, я *сожалею*, — произнесла она наконец и, взяв с собой сумочку, пересела на сиденье подальше от меня. Она сожалела, и была задета, и разозлилась. Плохо, очень плохо. Такие темные глаза. Я снова взялся за ручку — писать письмо мальчишке из прошлого. Что рассказать ему о поисках родной души? Ручка в ожидании застыла над бумагой.

Я вырос в доме, окруженном изгородью. В изгороди была белая калитка из гладкого дерева. В нижней части калитки — две круглые дырочки, чтобы собаке было видно, что делается снаружи. Однажды я возвращался домой со школьного вечера очень поздно. Высоко в небе висела луна. Помню, я остановился, рука на калитке, и заговорил, обращаясь к себе и к женщине, которую полюблю, так тихо, что даже собаке не было слышно.

— Не знаю, где ты, но где-то ты живешь сейчас на этой земле, и однажды мы вместе — ты и я — дотронемся до этой калитки там, где касаюсь ее сейчас я. Твоя рука коснется вот этого самого дерева *вот здесь!* Затем мы войдем, и будущее и прошлое будут переполнять нас, и мы будем значить друг для друга так много, как еще никто никогда ни для кого не значил. Встретиться сейчас мы не можем, я не знаю почему. Однако придет день, и наши вопросы станут ответами, и мы окажемся в чем-то таком светлом... и каждый мой шаг — это шаг к тебе по мосту, который нам предстоит перейти, чтобы встретиться. Но ведь прежде, чем ожидание станет слишком долгим? Пожалуйста, а?

Я столько всего забыл из своего детства, но этот момент возле калитки и все сказанное тогда — слово в слово — осталось в памяти.

Что я могу рассказать ему о ней? Дорогой Дик, знаешь, прошло двадцать лет, а я все так же одинок. Я опустил блокнот и невидящим взглядом посмотрел в окно. Несомненно, к настоящему моменту мое неутомимое подсознание уже нашло ответы для него. Для меня.

Но то, что в нем есть, — это всего лишь оправдания. Трудно найти ту самую женщину, Ричард! Ты уже не столь податлив, как раньше, — ты уже прошел фазу открытости ума. Почему так —

то, во что ты веришь, за что готов умереть, большинство людей находит смехотворным, а то и попросту безумным.

А та единственная моя женщина, — думал я, — она должна сама прийти к тем же ответам, к которым пришел я: мир этот в действительности даже отдаленно не напоминает то, чем он кажется, все, скрытое в наших мыслях, осуществляется в нашей жизни, чудеса на самом деле вовсе не чудо. Она и я — мы никогда не сможем быть вместе, если... Я моргнул. Она должна *быть в точности такой же, как я!*

Конечно, физически намного красивее меня. Ведь я так люблю красоту. Но все мои предубеждения она должна разделять, как и все мои страсти. И я не могу представить себя, влипшего в жизнь с женщиной, за которой повсюду тянется след из дыма и пепла. Если для счастья ей нужны вечеринки и коктейли или наркотики, если она боится самолетов, если она вообще чего-то боится, или если она не абсолютно самодостаточна и не обладает тягой к приключениям, если она не смеется над глупостями, которые я называю юмором, — ничего не получится. Если она не захочет делиться деньгами, когда они у нас будут, и фантазиями, когда денег не будет, если ей не нравятся еноты... ох, Ричард, это так непросто. Без всего, что уже перечислено, и многого другого, — тебе лучше оставаться в одиночестве!

На оборотной стороне блокнота я принялся составлять список под названием *Совершенная женщина.* На исходе сил автобус утомленно катился по трехсотмильному участку магистрали номер 65 между Луисвиллем и Бирмингемом. К девятой странице своего списка я почувствовал, что несколько обескуражен. Каждая из написанных мною строк была очень важна. Ни без одной нельзя было обойтись. Но этих требований не мог удовлетворить никто... им не соответствовал даже я сам! Вспышка объективного отношения — жестокое конфетти, роящееся вокруг головы: я несостоятелен в качестве партии для продвинутой души, причем чем она более продвинута, тем хуже обстоят дела.

Чем более просветленными становимся мы, тем менее возможно для нас жить в согласии с кем-либо где бы то ни было. Чем больше мы узнаем, тем лучше для нас жить самим по себе.

Я написал это так быстро, как только мог. На свободном месте в нижней части страницы я, сам почти того не замечая, приписал: *Даже для меня.*

Видоизменить список? Могу ли я сказать, что список неверен? Нормально, если она курит, или ненавидит самолеты, или не может удержаться от того, чтобы время от времени не тяпнуть склянку кокаину? Нет — это ненормально.

С той стороны автобуса, где я сидел, зашло солнце. В темноте за окнами, я знал это, были маленькие фермы с треугольными крышами, крохотные поля, на которых даже Флит не смог бы приземлиться.

Ни одно желание не дается тебе отдельно от силы, позволяющей его осуществить.

А-а, *Справочник Мессии*, — подумал я, — где, интересно, он теперь?

Вероятнее всего, где-нибудь в земле среди трав, случайно зарытый плугом на том самом месте, где я выбросил его в день смерти Шимоды. Страницы его открывались всегда на том месте, которое было более всего необходимо читавшему. Однажды я назвал справочник волшебной книгой, и это не понравилось Шимоде. Он недовольно сказал тогда:

— Ты можешь найти ответ где угодно, даже на страницах прошлогодней газеты. Закрой глаза, немного подумай о вопросе и дотронься до любого текста. И там ты найдешь ответ.

Ближе всего под рукой в этом автобусе у меня был печатный текст моего собственного потрепанного сигнального экземпляра той книги, которую я написал о нем, — своего рода последний шанс, который издатель дает автору на то, чтобы тот вспомнил, что в слове «дизель» после «з» пишется «е» а не «э». Я был уверен, что это — единственная в англоязычной литературе книга, в конце которой я хотел бы увидеть не точку, а запятую.

Я положил книгу на колени, закрыл глаза и сформулировал вопрос:

— Как мне найти самую дорогую, самую совершенную, самую подходящую для меня женщину?

Не давая яркости формулировки померкнуть, я открыл книгу, коснулся страницы пальцем и закрыл глаза.

Страница 114. Мой палец остановился на слове «привлечь»: *Чтобы привлечь что-либо в свою жизнь, представь, будто оно уже там есть.*

Ледяной холод прокатился вниз по спине. Я так давно не прибегал к этому методу, я забыл, как хорошо он работает.

Я взглянул в окно и повернул отражатель светильника над сиденьем, пытаясь рассмотреть в нем ее отражение — такой, какой она могла бы быть. Стекло оставалось пустым. Я не увидел родной души. Я не мог вообразить себе, как ее вообразить. Должна ли это быть физическая картина, которую нужно мысленно создать, как будто она — некая вещь? Роста примерно вот такого — довольно высокая, да? Длинные волосы, темные, глаза — цвета морской волны с очарованием небесной синевы, неуловимая, ежечасно изменяющаяся прелесть?

Или качества — представлять себе их? Радужное воображение, интуиция сотни прошлых жизней, которые она помнит, кристальная честность и абсолютное бесстрашие? Как все это вообразить наглядно?

Это очень просто сегодня, но было очень непросто тогда. Образы мерцали и таяли, несмотря на то что я знал: образы воплотятся в действительность, лишь если я смогу придать им ясность и устойчивость.

Я пытался увидеть ее еще раз и еще раз, но результатом были только тени, призраки, безостановочно проносившиеся по «зебре», проложенной поперек проезжей части моего мышления. Я — тот, кто мог визуализировать в мельчайших подробностях все, на что способно воображение, — не мог даже смутно изобразить в сознании ту, которая должна была стать самым важным человеком в моей жизни. Я попытался еще раз. Представить. Вообразить. Увидеть.

Ничего. Только блики, отраженные от разбитого стекла светильника, мятущиеся тени. Ничего.

Я не вижу, кто она!

Через некоторое время я оставил эту затею.

Да, психические силы — можно держать пари, — когда в них возникает наибольшая потребность, они непременно куда-нибудь отлучаются, скажем пообедать.

Едва я, до смерти устав от поездки и от изнурительных попыток что-либо увидеть, заснул, как меня разбудил внутренний голос. Он встряхнул меня так, что я испугался, и сказал:

— ЭЙ! РИЧАРД! Послушай, если тебе станет от этого легче! Эта твоя единственная в мире женщина? Родная душа? *Ты ее уже знаешь!*

ТРИ

В 8:40 утра я сошел с автобуса в самой середине Флориды. Я был голоден.

Деньги — не проблема, особенно для того, у кого завернуто в скатку столько наличных, сколько было у меня. Проблема была в другом: что теперь? Вот она — теплая Флорида. На автостанции меня не ждет никто — не то, что родная душа, но никто вообще — ни друг, ни дом, ни даже ничто.

Вывеска кафе, куда я зашел, гласила, что администрация имеет право по собственному усмотрению отказывать клиенту в обслуживании.

Каждый имеет право делать по собственному усмотрению то, что хочет, — подумал я. — Зачем об этом писать на стенах? Похоже, вы чего-то боитесь. Чего вы боитесь? Сюда что, приходят хулиганы и устраивают погромы? Или организованные преступники? В это маленькое кафе?

Официант оглядел меня и свернутую подстилку. Моя синяя джинсовая куртка была слегка порвана в одном месте на рукаве, там, где нитка выбилась из-под латки, на свертке — несколько небольших пятен солидола и чистого масла от двигателя Флита. Я понял, что он задался вопросом: а не настал ли тот самый миг, когда следует отказать в обслуживании. Я приветливо улыбнулся.

— Привет, ну как тут у вас? — сказал я.

— Да нормально.

В кафе было пусто. Он решил, что я для обслуживания сойду: — Кофе?

Кофе на завтрак? Фу... Эта горькая труха, наверняка из какой-нибудь дряни типа хинной коры.

— Нет, благодарю вас, — ответил я. — Наверное, лучше кусок лимонного пирога — подогрейте с полминуты в микроволнушке, а? И стакан молока.

— Ясненько, — сказал он.

Раньше я заказал бы в этом случае ветчину или сосиску. Но не в последнее время. Чем больше я верил в неразрушимость жизни, тем меньше мне хотелось хоть как-то участвовать даже в иллюзорном убийстве. И если хоть у одной свиньи из миллиона благодаря этому появится шанс провести жизнь в созерцании вместо того, чтобы быть заколотой мне на завтрак, то я готов напрочь отказаться от мяса. Подогретый лимонный пирог. В любой день. Я наслаждался пирогом и через окно смотрел на городок. Похоже ли на то, что я встречу свою любовь здесь? Не похоже. И нигде не похоже. Пара шансов на миллиард. И как это может быть — «я уже ее знаю»? Ну, если верить мудрейшим, мы знаем всех всегда и повсюду — не встречаясь лично — не слишком удобно, когда намереваешься ограничить поле поиска.

— Эй, мисс, привет? Помнишь меня? Сознание не ограничено пространством и временем, ты несомненно вспомнишь, что мы — старые друзья...

Не то, неправильное вступление, — подумал я. — Большинство мисс отдают себе отчет в том, что в мире есть некоторое количество парней, с которыми следует держать ухо востро. А такое вступление определенно выдаст парня со странностями.

Я попытался вспомнить всех женщин, с которыми встречался за многие годы. Они были замужем за карьерами, мужчинами или образцами мышления, отличными от моего.

Впрочем, замужние женщины иногда разводятся, люди меняются. Можно созвониться со всеми знакомыми женщинами...

— Алло? — скажет она.

— Алло.

— Кто говорит?

— Ричард Бах.

— Кто?

— Мы познакомились в супермаркете. Помните? Вы читали книгу, а я сказал, что это — ужасная книга, а вы спросили, откуда я знаю, а я ответил, что сам ее написал?

— А-а-а, привет!

— Привет. Вы по-прежнему замужем?

— Да.

— Было приятно с вами побеседовать. Желаю вам удачного дня, о'кей?

— Э-э-э... да, конечно...

— Пока.

Но есть более удачный вариант — должен быть, — чем такой вот телефонный разговор с каждой женщиной. Просто когда наступит нужный момент, я ее найду. Но ни секундой раньше.

Завтрак обошелся мне в семьдесят пять центов. Я заплатил и вышел на солнышко. День обещал быть жарким. А вечером, вероятно, будут тучи комаров. Но какое мне дело? Ведь сегодня я буду ночевать в помещении!

И тут я вспомнил, что забыл сверток с постелью и своими деньгами на стуле возле стойки в ресторане.

А здесь, на земле, совсем другая жизнь. Не то что просто поутру собирать пожитки, увязывая их в узел на сиденье переднего кокпита и отправляться в дневной полет. Здесь вещи носят в руках или находят себе крышу и остаются под ней. Без Флита, без моего Альфальфа Хилтона, мне больше нечего делать в скошенных полях.

В кафе был новый клиент — женщина. Она расположилась у стойки, там, где недавно сидел я. Когда я подошел, она слегка испугалась.

— Прошу прощения, — сказал я, взяв сверток, лежавший на соседнем месте. — Я пару минут назад был здесь. Я бы и душу собственную мог где-нибудь позабыть, если бы она не была привязана ко мне веревочкой.

Она усмехнулась и снова углубилась в изучение меню.

— Поосторожнее с лимонным пирогом, — добавил я. — Но, если, конечно, вам по вкусу лимонный пирог, в котором лимоны отнюдь не в избытке, то он вам определенно понравится.

Я вышел обратно на солнышко, помахивая свертком, который нес в руке, и тут вспомнил, что в ВВС Соединенных Штатов меня учили: размахивать рукой, в которой что-либо несешь, не положено. На военной службе руками не размахивают, даже если в руках всего лишь десятицентовик.

Телефон в стеклянной будочке. Автоматически возникло решение позвонить по делу кое-кому, с кем я уже довольно давно не общался. Компания, занимавшаяся изданием моей книги, находится в Нью-Йорке. Но мне-то какое дело до того, что это — дальний междугородний разговор? Позвоню, а оплату переведу на них. В каждом деле есть свои преимущества. Бродячий пилот получает плату за полеты вместо того, чтобы за них платить, писатель звонит издателю за счет вызываемого абонента, то есть издателя.

Я позвонил.

— Элеонора? Привет!

— Ричард! — воскликнула она. — Ты где был?

— Надо подумать — сказал я. — С тех пор, как мы говорили в последний раз? Висконсин, Айова, Небраска, Канзас, Миссури, потом через Индиану и Огайо обратно в Айову и Иллинойс. Я продал биплан. А теперь вот во Флориде. Давай я попробую угадать, какая у вас там погода, значит, так: стратус — это облака — тонкий слой, рваные, высота шесть тысяч футов, над ними — плотная облачность, видимость — три мили в неплотном смоге.

— Мы тут на уши встали, чтобы тебя разыскать. Ты знаешь, что тут творится?

— *Две* мили в смоге?

— Книга! Твоя книга, — сказала она, — ее покупают! Ее раскупают! Ее расхватывают!

— Я понимаю, что это кажется придурью — сказал я, — но меня заклинило. Ты можешь посмотреть в окно?

— Могу, Ричард, могу. Разумеется, я могу посмотреть в окно.

— И далеко видно?

— Смог. Кварталов десять-пятнадцать. Послушай, до тебя дошло, что я говорю? Твоя книга стала бестселлером! Телевидение за тобой охотится, чтобы ты у них выступил. Из газет звонят — жаждут интервью, с радио — тоже. Владельцы магазинов хотят, чтобы ты приходил и давал автографы. Мы продаем сотни тысяч экземпляров! По всему миру! Заключены контракты в Японии, Англии, Германии, Франции. С правом издания в мягком переплете. А сегодня — контракт с испанцами...

Что обычно говорят, когда слышат такое по телефону?

— Прекрасные новости, поздравляю!

— Да это я тебя поздравляю! — сказала она. — Ты что, до сих пор ничего не слыхал? Я знаю, ты там где-то в лесах обитаешь, однако теперь твое имя — во всех списках бестселлеров. В еженедельниках, в *Нью-Йорк Таймс,* везде. Все твои чеки мы отсылаем в твой банк. Ты проверял свой счет?

— Нет.

— Проверь обязательно. Плохо слышно, как будто ты очень далеко, ты меня хорошо слышишь?

— Хорошо. Здесь вовсе не леса. Отнюдь не все, что находится на западе от Манхэттена, поросло лесами.

— Из столовой для служащих мне видна река и Нью-Джерси за ней. И, как мне кажется, там одни сплошные леса.

Столовая для служащих. Она живет совсем на другой земле!

— Продал биплан? — вдруг спросила она, словно только что об этом услыхала. — Но ты же не собираешься бросить летать?

— Нет, конечно, нет, — согласился я.

— Хорошо. А то я и представить тебя не могу без чего-нибудь летающего.

Какая жуткая мысль: никогда больше не летать!

— Ладно, — сказала она, возвращаясь к делу. — Так когда ты сможешь заняться телевидением?

— Трудно сказать, — ответил я. — Не уверен, что мне хочется этим заниматься.

— Ты подумай, Ричард. Книге это пойдет на пользу, у тебя будет возможность рассказать обо всем довольно многим, рассказать историю книги.

Телецентры находятся в больших городах. Что же касается городов, по крайней мере большинства, то я предпочитаю держаться от них подальше.

— Мне нужно подумать, я позвоню.

— Пожалуйста, позвони. Говорят, что ты — явление, и все хотят на тебя взглянуть. Будь паинькой и сообщи мне о своем решении как можно скорее.

— О'кей.

— Мои поздравления, Ричард!

— Спасибо.

— Ты что, не рад?

— Рад! Просто не знаю, что сказать.

— Подумай насчет телевидения. Я надеюсь, ты согласишься выступить хотя бы в некоторых программах. Основных.

— О'кей. Я позвоню.

Я повесил трубку и сквозь стекло телефонной будки посмотрел на улицу. Как будто тот же городок, что и раньше, но как все изменилось.

Ты только погляди, — думал я, — дневник, просто листки, отправленные в Нью-Йорк почти из прихоти, и вот на тебе — бестселлер! Ура!

Города, однако? Интервью? Телевидение? Не знаю, не знаю...

Я чувствовал себя бабочкой в люстре, среди множества свечей. В одно мгновение передо мной открылось столько замечательных возможностей выбора, но я не мог решить, куда лететь.

Автоматически я снял трубку и принялся усердно пробиваться сквозь массу кодов и номеров, пока, наконец, не достиг своего банка в Нью-Йорке и не убедил служащую, что звоню именно я и что мне необходимо справиться о балансе моего банковского счета.

— Минутку, — сказала она, — мне нужно найти его в компьютере.

Интересно, сколько там? Двадцать тысяч, пятьдесят тысяч долларов? Сто тысяч долларов? Если там их двадцать тысяч, да плюс еще одиннадцать в моей «постели» — я могу чувствовать себя богачом!

— Мистер Бах? — голос служащей банка.

— Да, мэм.

— Баланс этого счета составляет один миллион триста девяносто семь тысяч триста пятьдесят пять долларов шестьдесят восемь центов.

Долгая пауза.

— Вы уверены? — переспросил я.

— Да, сэр.

Еще одна пауза, теперь уже короткая.

— Это все, сэр?

— М-м-м... — сказал я, — ой, да, спасибо...

В кино, когда звонят и на том конце вешают трубку, слышны сигналы «занято». Но в жизни, когда на том конце вешают трубку, телефон просто хранит тишину. Жуткую тишину. Мы стоим там и слушаем ее долгое время.

ЧЕТЫРЕ

Немного постояв, я повесил трубку, взял свой сверток и куда-то пошел.

Приходилось ли вам когда-либо, выйдя из кино после какого-нибудь поразительного фильма, прекрасно снятого по прекрасному сценарию с прекрасной парой замечательных актеров, ощутить радость от того, что вы — человек, и сказать самому себе: надеюсь, этот фильм принесет его создателям уйму денег, надеюсь, актеры, режиссер заработают миллион долларов за то, что они сделали, за то, что они дали мне сегодня? И вы возвращаетесь и смотрите фильм еще раз, и вы счастливы быть крохотной частичкой системы, которая каждым билетом вознаграждает этих людей... актерам, которых я видел на экране, достанется двадцать центов из *вот этого самого доллара,* который я сейчас плачу за билет! Только за те деньги, которые им достанутся от меня, они смогут купить себе порцию мороженого с каким угодно десертом!

Славные мгновения в искусстве, в литературе, кино и балете — они восхитительны тем, что мы видим самих себя в зеркале славы. Покупка книг, покупка билетов — это все способы аплодировать, благодарить за хорошую работу. И нам радостно, когда любимый фильм или книга попадает в список бестселлеров.

Но миллион долларов мне лично? И тут я вдруг понял, что это — обратная сторона дара, полученного мною от многих и многих писателей, книги которых я прочел с того дня, когда произнес: *«Фе-ликс Сол-тен. Бэмби».*

Я ощущал себя подобно спортсмену на доске для серфинга. Неподвижность и вдруг — чудовищная энергия вспучивает поверхность моря, подхватывает, не спрашивая готов ли ты, и брызги рассыпаются от носа доски, от краев, за кормой, — человек во власти могучей глубинной силы, и только поток встречного ветра растягивает в улыбку уголки его рта.

Это здорово, когда твою книгу читает множество людей. Однако иногда, мчась вниз по склону гигантской волны со скоростью мили в минуту, случается позабыть, что при отсутствии высочайшего мастерства вслед за этим возможен сюрприз, о котором иногда говорят: *смыло волной.*

Пять

Я перешел улицу и в аптеке узнал, как пройти в место, где может быть то, что мне необходимо. Следом за забегаловкой типа «не-проходи-мимо» — на улице Лэйк-Робертс-роуд, под ветвями, заросшими испанским мхом, — библиотека имени Глэдис Хатчинсон.

В книгах можно отыскать все, что нас интересует, — почитай, тщательно изучи, немного практики — и вот мы уже мастерски метаем ножи, выполняем капитальный ремонт двигателей, говорим на эсперанто как на родном.

Взять хотя бы книги Нэвила Шута — закодированные голограммы порядочного человека. *Опекун из мастерской, Радуга и роза.* Писатель впечатывает личность, которой он является, в каждую страницу каждой своей книги, и в тиши библиотек мы можем вычитать его в свою собственную жизнь, если захотим.

Прохладный шорох большой комнаты, книги, обреченные жить на полках, я ощущаю, как они дрожат, предвкушая возможность чему-нибудь меня научить. Я с нетерпением ожидаю момента, когда с головой окунусь в книгу *Итак, вы получили миллион долларов!*

Как это ни странно, в каталоге такое не значилось. Я просмотрел карточки на *Итак*, на *Миллион*. Ничего. На тот случай, если название звучит иначе, скажем, *Что делать, если вы внезапно стали богатым*, я посмотрел также *Что, Богатый* и *Внезапно*.

Я попытался действовать иначе. И каталог *«В печати»* разъяснил мне, что моя проблема состоит не в том, что интересующей меня книги нет в данной библиотеке, а в том, что она вообще никогда не издавалась.

Невозможно, — подумал я.

Я разбогател. Это происходило и со многими другими. Должен же был один из них написать книгу. Не по поводу бирж, вкладов и банков — меня интересовало не это, — но о том, на что это может быть похоже, какие возможности открываются, какие мелкие напасти рычат, норовя ухватить вас за икры, какие крупные неприятности могут, подобно хищным птицам, свалиться на меня с неба в этот момент. Пожалуйста, хоть кто-нибудь, научите меня, как быть.

В библиотечном каталоге — никакого ответа.

— Простите, мэм, — сказал я.

— Да, сэр?

С улыбкой я обратился к ней за помощью. С четвертого класса мне не приходилось видеть штампик с датой, прикрепленный к деревянному карандашу, и вот теперь в ее руках я вижу его с сегодняшней датой на нем.

— Мне нужна книга о том, как быть богатым. Не о том, как добывать деньги. А что делать, если получил кучу денег. Вы бы не могли порекомендовать...

Было ясно, что к странным просьбам ей не привыкать. Да моя просьба и не была, наверное, странной... Флорида кишит цитрусовыми королями, земельными баронессами, внезапно возникшими миллионерами.

Высокие скулы, каштановые глаза, волосы до плеч волнами цвета темного шоколада. Деловая и сдержанная с теми, кого не знает как следует.

Она смотрела на меня, когда я задавал свой вопрос. Потом отвела глаза влево-вверх — направление, в котором мы обычно смотрим, когда стараемся вспомнить что-то, что знали раньше. Вправо-вверх (я где-то читал) — туда мы бросаем взгляд, когда подыскиваем что-нибудь новое.

— Что-то не припомню... — произнесла она. — Как насчет биографии богатых людей? У нас масса книг о Кеннеди, книга о Рокфеллере, я знаю. Еще у нас есть *Богатые и сверхбогатые*.

— Не совсем то. Не думаю. Мне бы что-нибудь типа *Как справиться со внезапно возникшим богатством*.

Она покачала головой, с серьезным видом, задумчиво. Интересно, все задумчивые люди красивы?

Она нажала кнопку селектора на столе и мягко проговорила в микрофон:

— Сара-Джин? *Как справиться со внезапно возникшим богатством.* У нас есть экземпляр?

— Никогда о таком не слышала. Есть *Как я сделал миллионы на торговле недвижимостью,* три экземпляра...

Неудача.

— Я посижу здесь у вас немного, подумаю. Трудно поверить. Должна же где-то быть такая книга.

Она взглянула на мой сверток, на который в этот миг падал грязновато-пятнистый свет, потом опять — на меня.

— Если вы не возражаете, — спокойно сказала она, — вы могли бы положить вашу бельевую сумку* на пол. У нас, знаете, везде новые чехлы на стульях и креслах...

— Да, мэм.

Наверняка, — думал я, — здесь, на заставленных книгами полках должно быть что-то, где написано то, что мне, вероятно, следовало бы теперь знать. Дураки очень быстро расстаются со своими деньгами. Это было единственным, что я знал доподлинно без каких бы то ни было книг.

Мало кто способен посадить Флита на скошенном поле так, как это делаю я. Но в тот миг в библиотеке имени Глэдис Хатчинсон я подумал, что с точки зрения обуздания фортуны я, возможно, — единственный в своем роде несравненный заведомый неудачник. Бумажная работа всегда была для моего ума неподъемным грузом, и у меня были весьма серьезные сомнения относительно того, что все произойдет гладко, когда нужно будет распорядиться деньгами.

Ладно, — подумал я, — я себя знаю, и мне известно в точности — мои слабые места и сильные стороны останутся при мне неизменно. И такая мелочь, как счет в банке, вряд ли способна переделать меня из обычного простого летчика, каким мне всегда нравилось быть, во что-нибудь иное.

Еще минут десять я изучал каталог, в итоге меня привлекли карточки, обозначенные словами *Везение* и *Невезение.* Потом я

---

* Laundry-bag — сумка, в которой американцы носят вещи в laundry-nat — автоматические прачечные самообслуживания. — *Прим. пер.*

оставил *эту* затею. Невероятно! Такой книги, как та, которая была мне нужна, не существовало!

В растерянности и сомнении я вышел на солнышко, ощутив фотоны, бета-частицы и космические лучи, которые роились и отскакивали от всего, в тишине со скоростью света вжикая сквозь утро и сквозь меня.

Я уже почти дошел до той части городка, где находилось мое утреннее кафе, когда обнаружил исчезновение своего злополучного свертка. Вздохнув, я развернулся и отправился обратно в библиотеку по солнышку, ставшему еще теплее, за своей постелью, оставшейся лежать возле шкафа с каталогами.

— Простите, — еще раз извинился я перед библиотекаршей.

Сколько у нас книг, и сколь многим еще предстоит быть написанными! Как свежие темные сливы на самой верхушке. Не слишком большое удовольствие — карабкаться по хлипкой лесенке, извиваться среди ветвей, превосходя самого себя в попытках до них дотянуться. Но сколь восхитительны они, когда работа закончена!

А телевидение, это — восхитительно?! Или работа по рекламе моей книги усилит мою боязнь толпы? Как мне удастся ускользнуть, если у меня не будет биплана, в который можно вскочить и улететь на нем над деревьями прочь?

Я направился в аэропорт — единственное место в любом незнакомом городе, где летчик чувствует себя в своей тарелке. Я определил, где он находится, по посадочной сетке — незаметным следам, которые большие самолеты оставляют, заходя на посадку. Я находился практически под участком между третьим и четвертым поворотами перед посадкой, так что до аэропорта было совсем недалеко.

Деньги — это одно, а вот толпы, и когда тебя узнают, а ты хочешь тишины и одиночества, — это совсем другое. Честь и слава? В малых дозах — может быть, даже приятно, ну а если ты уже не в состоянии все это пресечь? Если после всех этих телевизионных штучек повсюду, куда только ни пойдешь, кто-нибудь обязательно говорит: «Я знаю вас! Ничего не говорите... а-а, вы тот самый парень, который написал эту книгу!»

Мимо в предполуденном свете, не глядя, проезжали и проходили люди. Я был практически невидим. Они не знали меня, я был всего лишь прохожим, направляющимся в сторону аэропорта с аккуратно свернутой подстилкой в руках, некто, имеющий право свободно ходить по улицам, не привлекая к себе всеобщего внимания.

Приняв решение сделаться знаменитостью, мы лишаемся этой привилегии. Но писателю это вовсе не обязательно. Писатель может оставаться неузнаваемым где угодно, даже когда множество людей читает его книги и знает его имя. Актеры так не могут. И ведущие телепередач не могут. А писатели — могут!

Если мне предстоит стать Личностью — буду ли я об этом сожалеть? Я всегда знал — *да.* Вероятно, в каком-то прошлом воплощении я старался приобрести известность. *Это — не захватывающе, не привлекательно,* — предупреждало то воплощение, — *иди на телевидение — и ты об этом пожалеешь.*

Маячок. Мигалка с зелено-белым вращающимся стеклянным колпаком — ночная отметка аэропорта. Задрав нос, на посадку заходил «Аэронка-Чемпион» — двухместный тренировочный самолет с тканево-лаковой обшивкой и задним колесом под килем вместо носового спереди. Мне заочно понравился аэропорт — только по «Чемпиону», заходящему на посадку.

А как некоторая известность отразится на моем поиске любви? Первый ответ возник мгновенно, без малейшей тени колебания: это смертельно! Ты никогда не узнаешь, Ричард, любит она тебя или твои деньги. Послушай, если ты вообще намерен ее отыскать, — ни в коем случае никогда не становись знаменитостью. Ни в каком виде.

Все это — на одном дыхании. И тут же забылось.

Второй ответ был настолько толковым, что стал единственным, к которому я прислушался. Родная душа — светлая и милая — она ведь не путешествует из города в город в поисках некоего парня, который катает пассажиров над пастбищами. И не повысятся ли мои шансы с ней встретиться, когда она узнает, что я существую? Редкая возможность, специальное стечение обстоятельств в тот самый момент, когда мне так необходимо ее встретить!

И, несомненно, стечение обстоятельств приведет мою подругу прямо к телевизору как раз во время демонстрации нужной программы и подскажет, как нам встретиться. А публичное признание постепенно рассеется. Спрячусь на недельку в Ред Оук, штат Айова, или в Эстрелла Сэйлпорте, в пустыне к югу от Феникса*, и таким образом верну себе уединение, но найду ее! Разве это так уж плохо?

Я открыл дверь конторы аэропорта.

— Привет, — сказала она, — чем могу быть вам полезна?

Она заполняла бланки счетов за конторкой, и улыбка ее была ослепительна.

Мой «привет» увяз где-то между ее улыбкой и вопросом. Я не знал, что сказать.

Как ей объяснить, что я — свой, что аэропорт, и маячок, и ангар, и «Аэроника», и даже традиция дружески говорить «привет» тому, кто приземлился, — это все часть моей жизни, что все это было моим так долго, а теперь вот ускользает и меняется из-за того, что я сделал, и что я вовсе не уверен, что хочу перемен, так как знаю: все это — мой единственный дом на земле?

И что могла сделать она? Напомнить мне, что дом — это все известное нам и нами любимое и что домом становится все, что мы выбираем в качестве дома? Сказать мне, что она знает ту, которую я ищу? Или что парень на бело-золотистом «Тревл Эйр» приземлялся час назад и оставил для меня записку с именем женщины и адресом? Или предложить план, сообразно которому я мог бы мудро распорядиться миллионом четырьмястами тысячами долларов? Чем она могла быть мне полезна?

— Да я, в общем-то, не знаю, чем вы можете быть мне полезны, — сказал я. — Я в некоторой растерянности, похоже. А у вас в ангаре есть старые аэропланы?

---

* Штат Аризона — пустыня у границы с мексиканским штатом Сонора. — *Прим. пер.*

— «Потерфилд» — довольно старый — он принадлежит Джилл Хэндли. «Тигровый мотылек»* Чета Дэвидсона. У Морриса Джексона — «Вако», но он запирает машину в отдельном Т-образном ангаре...

Она засмеялась:

— «Чемпионы» уже довольно старые. Вы ищете «Чемпион»?

— Это — один из лучших аэропланов в мировой истории, — сказал я.

Ее глаза сузились:

— Нет, я шучу! Не думаю, что мисс Рид когда-нибудь станет продавать свои «Чемпионы».

Наверное, я был похож на покупателя. Как люди чувствуют, что у незнакомца есть миллион?

Она вновь занялась счетами, и я заметил обручальное кольцо витого золота.

— А можно заглянуть в ангар на минутку? О'кей?

— Конечно, — она улыбнулась. — Чет — механик, он должен быть где-то там, если только не вышел пообедать в кафе напротив.

— Спасибо.

Я прошел через зал и открыл дверь, ведущую в ангар. Я был дома. Хорошо. Кремово-красная «Сессна-172» на техосмотре — капот двигателя открыт, свечи сняты, замена масла проведена наполовину. «Бич Бонанза» — серебристый с голубой полосой на борту — аккуратно установлен на желто-черных полосатых стойках — проверка механизма уборки шасси. Самые разные легкие самолеты — я знал их все. В тишине ангара зависла напряженность того же типа, что чувствуется на лесной поляне... незнакомец ощущает на себе взгляды, замершее действие, затаенное дыхание.

Там стоял большой гидросамолет «Грумман Виджен» с двумя трехсотсильными звездообразными двигателями, новым цельным лобовым стеклом, зеркалами на концах крыльев, позволяющими летчику проверить, убраны ли шасси при посадке на воду.

---

* De Havilland DH89, «Tiger Moth».

Если на такой машине сесть на воду с выпущенными шасси, то от брызг у пилотов в глазах скачут мириады солнечных зайчиков.

Я стоял возле «Виджа» и смотрел на его кокпит, почтительно держа руки за спиной. В авиации никому не нравится, когда незнакомый человек без разрешения трогает самолет. Не столько по причине возможных повреждений, сколько потому, что такое действие является неправомерной фамильярностью. Это — примерно то же самое, что, проходя мимо, потрогать жену незнакомого человека, чтобы посмотреть на его реакцию.

Позади меня, у двери ангара, — виднелся «Тигровый мотылек». Его верхнее крыло возвышалось над всеми остальными аэропланами как платок, которым друг машет вам над толпой. Крыло было раскрашено в те же цвета, что и самолет Шимоды, — белый и золотистый! Чем ближе я подходил, пробираясь сквозь путаницу крыльев, хвостов, станков и приспособлений, тем в большей степени я был поражен цветом этой машины.

«Мотыльки»* из Хевиленда! Целый пласт живой истории! Для меня всегда были героями мужчины и женщины, совершившие на «Тигровых мотыльках», «Мотыльках» и «Лисах-мотыльках» кругосветный перелет из Англии. Эми Джонсон, Дэвид Гарнетт, Фрэнсис Шайчестер, Констэнтайн Шэк Лин и сам Нэвил Шут — имена и приключения этих людей неудержимо влекли меня к борту «Мотылька». Какой милый маленький биплан! Белый с золотистыми шевронами шириной в десять дюймов, направленными остриями вперед, похожими на наконечники стрел на золотых полосах, протянувшихся до самых концов крыльев и стабилизатора.

Включатели зажигания снаружи, верно, и если самолет восстановлен точно, то... да, на полу кабины — огромный английский военный компас! Я с трудом удержал руки за спиной, настолько красивой была эта машина. Так, теперь педали руля поворота — на них должны быть...

---

* Английская фирма De Havilland (Де Хевиленд) производила целое семейство легких самолетов различных схем, в названии которых присутствовало слово Moth (Мотылек) — Gipsy Moth, Tiger Moth, Moth III, Puss Moth, Leopard Moth и т. п.

— Нравится самолет, да?

Я чуть не вскрикнул от неожиданности. Человек уже, вероятно, с полминуты стоял рядом, вытирая руки от масла ветошью и наблюдая за тем, как я разглядываю «Мотылька».

— Нравится? — сказал я. — Да она просто прелестна!

— Спасибо. Я закончил ее год назад. Восстановил, начиная с самых колес.

Я присмотрелся к обшивке... Сквозь краску слабо проступала фактура ткани.

— Похоже на секонит, — сказал я, — хорошо сработано. — Это было сказано в качестве необходимого вступления. За один день не научишься отличать хлопок класса А от секонитовой обшивки старых аэропланов.

— А компас? Его ты где нашел? — Он улыбнулся, довольный тем, что я заметил:

— Ты не поверишь: в комиссионном магазине в Дотхэне, Алабама! Прекрасный компас королевских ВВС выпуска 1942 года. Семь долларов с полтиной. Как он там оказался? Это я у тебя могу спросить. Но я его оттуда извлек, можешь не сомневаться!

Мы обошли вокруг Мотылька. Он говорил, я слушал. И знал, что цепляюсь за свое прошлое, за известную и потому простую жизнь в полете. Может быть, я поступил чересчур импульсивно, продав Флита и обрубив все концы, связывавшие меня со вчерашним днем, чтобы отправиться на поиски неведомой любви? Там, в ангаре, у меня возникло ощущение, что мой мир как бы превратился в музей или старое фото. Отвязанный плот, который легко уплывает прочь, медленно уходя в историю...

Я тряхнул головой, нахмурился и перебил механика:

— Чет, Мотылек продается?

Он не отнесся к вопросу серьезно:

— Любой самолет продается. Как говорится, все дело в цене. Я скорее самолетостроитель, чем летчик, но за Мотылька запрошу уйму денег, это уж точно.

Я присел на корточки и заглянул под самолет. Ни единого следа масла на обтекателе двигателя.

Год назад восстановлена авиамехаником и с тех пор так и стоит в ангаре. Этот Мотылек — действительно особая находка. Я никогда ни на минуту не допускал и мысли, что перестану летать. На Мотыльке я могу пересечь страну. Летая на телевизионные интервью и всюду, куда потребуется, я, может быть, найду родную душу!

Я положил на пол свою сложенную подстилку и сел на нее. Она хрустнула.

— Уйма денег — это сколько, если наличными?

Чет Дэвидсон ушел обедать с полуторачасовым опозданием. С формулярами и техническими инструкциями на Мотылька я направился в контору.

— Простите, мэм, у вас тут есть телефон, да?

— Разумеется. Местный звонок?

— Нет.

— Автомат на улице возле выхода, сэр.

— Спасибо вам. У вас замечательная улыбка.

— *Вам* спасибо, сэр.

Хороший обычай — обручальные кольца.

Я позвонил в Нью-Йорк Элеоноре и сообщил ей, что согласен появиться на телевидении.

ШЕСТЬ

Сон под крылом в полях порождает безмятежность познания. Звезды, и дождь, и ветер раскрашивают сны в реальность. В гостиницах же, как я обнаружил, нет ни познания, ни безмятежности.

Наилучшим образом сбалансированное питание — блинная мука, замешенная на воде из ручья среди цивилизованной дикой природы фермерской Америки. Запихивание в себя жареного арахиса в такси, галопирующем в направлении телецентра, — не столь сбалансировано.

Гордое «ура» пассажира, целым и невредимым сошедшего на землю со старого биплана, страх высоты, сменившийся чувством победы. Вымученное телеинтервью в промежутке между коммерческой рекламой и тиканьем секундной стрелки — ему не хватает этого духа совместного триумфа.

Но она стоит гостиниц, арахиса, интервью в жестком режиме текущего времени, она — моя иллюзорная родственная душа, и встретить ее мне доведется, если я буду продолжать — движение, наблюдение, поиск в телестудиях по городам и весям.

Я ни на мгновение не усомнился в ее существовании, потому что почти-ее я встречал повсюду. Немало постранствовав, я знал, что Америку осваивали удивительно привлекательные женщины, ведь миллионы их дочерей населяют эту страну сегодня. Проходящий мимо бродяга, я знал их лишь в роли клиентов, наблюдать за которыми в перерывах между полетами — такое наслаждение.

Мои беседы с ними имели практический характер. Аэроплан гораздо более надежен, чем кажется на первый взгляд. Если вы завяжете волосы лентой, мэм, прежде чем мы поднимемся в воздух, то после приземления вам гораздо легче будет их расчесать. Да, там очень ветрено — как-никак десять минут в открытой кабине на скорости в восемьдесят миль в час. Спасибо. С вас три доллара, пожалуйста. К вашим услугам! Мне тоже полет доставил удовольствие.

Телепередачи, успех книги, новый счет в банке, или просто я перестал безостановочно летать? Я вдруг начал относиться к встречам с привлекательными женщинами совсем не так, как раньше. Намеренный поиск — я смотрел на каждую из них теперь сквозь призму надежды. Каждая была той самой единственной до тех пор, пока не доказывала мне обратное.

Шарлен — телеведущая — могла бы быть родственной мне душой, если бы не была слишком хорошенькой. Невидимые недостатки, которые видела лишь она, глядя на себя в зеркало, напоминали ей, что Бизнес жесток, что у нее осталось всего несколько лет на то, чтобы заработать пенсию и скопить кое-какие деньги. С ней можно было беседовать и о других вещах, но недолго. Она неизменно возвращалась к Бизнесу. Контракты, переезды, деньги, агенты. Это было ее способом говорить, что она испугана и не может придумать, как ей выбраться из-под убийственного зеркального колпака.

У Джейни страх отсутствовал. Джейни любила вечеринки, ей нравилось пить. Очаровательная, как восходящее солнце, она хмурилась и вздыхала, когда обнаруживала, что я не знаю, где будет какое-нибудь мероприятие подобного рода.

Жаклин не пила и не увлекалась вечеринками. Быстрая и смышленая, она не могла поверить в собственный ум.

— Осечка средней школы. Исключили, — говорила она, — не нашлось на мое имя диплома. Без диплома человек не может быть образованным. Ведь правда, не может. И без научной степени. Вот и приходится болтаться, полагаясь на надежность ремесла официантки коктейль-холла. И не важно, насколько это задевает за живое. Деньги хорошие. Нет образования. Из школы пришлось уйти, понимаешь.

Лиэнн ни капельки не беспокоили ни степени, ни работа. Она хотела выйти замуж, и лучший способ выйти замуж видела в том, чтобы почаще появляться со мной на людях. Ее экс-муж, видя это, должен был, по ее замыслу, захотеть, чтобы она к нему вернулась. Из ревности возникнет счастье.

Тамара любила деньги. В своем роде она была просто ослепительна — женщина вполне достойная высокой цены. Лицо натурщицы, ум, просчитывавший все даже тогда, когда она смеялась. Хорошо начитанная, много путешествовавшая, владеющая множеством языков. Ее бывший муж был биржевым брокером, и Тамара теперь хотела открыть собственную брокерскую контору. На то, чтобы поднять свой бизнес, ей хватило бы ста тысяч долларов. Всего сто тысяч, Ричард, ты мне не поможешь?

Если бы я мог, — думал я, — если бы я мог найти женщину с лицом Шарлен и телом Лиэнн, способностями Жаклин, обаянием Джейни и холодным равновесием Тамары — тогда передо мной была бы родственная душа, правда?

Но дело в том, что лицо Шарлен было неотделимо от ее страхов, а тело Лиэнн — от проблем Лиэнн. Каждая новая встреча была интригующей, но проходили дни, и цвета тускнели, загадочность, заблудившись, исчезала в лесу идей, которые мы не разделяли. Мы все были друг для друга ломтями пирога, неполными и незавершенными.

Неужели не существует женщины, — подумал я наконец, — которая не способна в первый же день доказать, что она — не та, кого я ищу? У большинства тех, кого я встречал, было трудное прошлое, большинству нужно было больше денег, чем у них было. Мы были готовы принять уловки и недостатки друг друга и, едва познакомившись, тут же начинали называть себя друзьями. Это был бесцветный калейдоскоп, и в нем каждый был настолько же изменчивым и серым, насколько шумным.

К тому времени, когда на телевидении от меня устали, я купил короткокрылый биплан с мощным двигателем, который составил компанию Мотыльку. Я очень много тренировался и через некоторое время начал за плату давать шоу по высшему пилотажу.

На летных авиационных представлениях собираются многотысячные толпы, и если я не могу найти ее на телевидении, я, наверное, найду ее на летном празднике.

С Кэтрин я познакомился после своего третьего выступления. Это было в Лэйк Уэльс, Флорида. Она возникла из толпы, собравшейся вокруг самолета, словно была старой знакомой, улыбнувшись нежной интимной улыбкой, прохладной и одновременно близкой, насколько это было возможно.

Неизменно спокойный взгляд, даже в сиянии яркого полудня. Длинные темные волосы, темно-зеленые глаза. Чем темнее глаза, тем, говорят, легче переносить яркое солнце.

— Забавный, — сказала она, кивая на биплан, не обращая внимания на шум и толпу.

— Не дает с тоски помереть, — ответил я. — Если самолет подходящий, можно улизнуть от самой жуткой скуки.

— А как ощущение, когда носишься там вверх ногами? Вы катаете пассажиров или только выступаете?

— В основном выступаю. Немного катаю. Иногда. Если поверишь, что не вывалишься из самолета, то даже приятно так носиться.

— А меня вы не покатаете, — спросила она, — если я как следует попрошу?

— Вас — можно, когда представление закончится. — Я никогда не видел таких зеленых глаз. — А как следует — это как? Она невинно улыбнулась.

— Пожалуйста?

Оставшуюся часть дня она постоянно крутилась поблизости, время от времени исчезала в толпе, опять появлялась, улыбаясь и делая заговорщицкие знаки. Когда солнце уже почти зашло, возле аэроплана не осталось никого, кроме нее. Я помог ей забраться в переднюю кабину маленькой машины.

— Два ремня безопасности, не забудьте, — сказал я. — Одного в общем-то вполне достаточно, чтобы удержать вас в аэроплане, какие бы трюки мы ни проделывали, однако нам все же нравится, когда их два.

Я рассказал ей, как пользоваться парашютом, если придется прыгать, подтянул мягкие ремни, чтобы они плотно облегали ее плечи, и пристегнул их внизу замком, укрепленным на втором ремне безопасности. У вас красивая грудь. Я чуть было не сказал это в качестве комплимента. Но вместо этого произнес:

— Нужно всегда проверять — все должно быть затянуто как можно туже. Когда аэроплан перевернется вверх колесами, вам покажется, что все ремни держат намного слабее, чем сейчас.

Она усмехнулась мне с таким видом, будто я остановил свой выбор на комплименте.

Гул двигателя — кособокое солнце пылает на краю мира, вверх колесами над облаками — невесомость тройной петли между небом и землей. Она была прирожденным летчиком, она была в восхищении от полета.

Мы приземлились в сумерках, и к тому времени, когда я заглушил двигатель, она уже выскочила из своей кабины, обхватила мою шею руками и поцеловала меня, воскликнув:

— ЭТО — ТО, ЧТО Я ЛЮБЛЮ!

— О, Господи... — проговорил я, — я вовсе не это имел в виду.

— Вы потрясающий пилот!

Я привязал аэроплан к тросам, протянувшимся в траве.

— Лесть, мисс, откроет перед вами все двери. Она настояла на том, чтобы мы поужинали за ее счет в уплату за полет. Она рассказала мне, что разведена и работает старшей официанткой в ресторане неподалеку от домика на сваях, который я купил. Заработок и алименты — денег ей вполне хватало. Она теперь подумывала о том, чтобы вернуться в институт изучать физику...

— Физику?! А что привело вас к физике, расскажите...

Такая притягательная личность — положительная, прямая, с «царем в голове». Она открыла сумочку.

— Не возражаете, если я закурю?

Ее вопрос меня ошарашил. Но мой собственный ответ — вообще лишил дара речи:

— Что вы, конечно не возражаю.

Она закурила и принялась рассуждать о физике, не замечая, какой кавардак творился по ее милости в моем уме.

РИЧАРД! ТЫ ЧТО? ЧТО ТЫ ИМЕЛ В ВИДУ, КОГДА СКАЗАЛ, ЧТО НЕ ВОЗРАЖАЕШЬ? Дама курит СИГАРЕТУ! Ты знаешь, о чем это говорит? Каковы ее ценности и ее будущее в твоей жизни? Это говорит о том, что *путь закрыт,* о том...

— Заткнитесь! — сказал я своим принципам. Яркая личность, не похожа на других, прекрасна, как зеленоглазая молния, ее приятно слушать, она прелестна, тепла, возбуждает, а я так устал думать в одиночестве и спать с хорошенькими чужими. Потом когда-нибудь я поговорю с ней насчет курения. Но не сегодня.

Мои принципы исчезли так быстро, что я даже испугался.

— ... конечно, богатой я не стану, но позволить себе это смогу, — между тем говорила она, — собираюсь купить собственный аэроплан, пусть старый и потрепанный! Я пожалею?

Дым вился и тянулся, как и положено любому табачному дыму, прямо ко мне. Я выставил против него ментальный экран стеклянной мыслеформы, и тут же обрел над собой контроль.

— Вы хотите сначала купить аэроплан, а потом — научиться на нем летать? — спросил я.

— Да. Тогда мне придется платить только за обучение, а не за аренду аэроплана с инструктором. При длительном обучении так будет дешевле? Вам не кажется, что это — мудро?

Мы поговорили об этом, и через некоторое время я предложил ей время от времени летать со мной на одном из моих самолетов.

Новая амфибия «Лейк», — подумал я, — с ее сглаженными обводами словно специально предназначенная для полетов сквозь будущие и прошлые времена, — вот та машина, которая ей понравится.

Через два часа я уже растянулся на кровати, представляя себе, как она будет выглядеть, когда я встречусь с ней в следующий раз.

Долго ждать мне не пришлось. Она была восхитительна — гибкое загорелое тело, прикрытое махровой тканью.

Потом полотенце упало, она скользнула под одеяло и прильнула ко мне в поцелуе. Но это не был поцелуй, говоривший: Я-знаю-кто-ты-и-я-тебя-люблю. Он означал: давай займемся любовью сегодня, а там будет видно.

Как приятно было просто наслаждаться, а не желать кого-то, кого невозможно отыскать!

СЕМЬ

— Ты бы лучше не курила в доме, Кэти.

Она удивленно взглянула на меня, зажигалка замерла в дюйме от сигареты.

— Ночью ты не возражал.

Я поставил тарелки в мойку, прошелся губкой по кухонной стойке. Снаружи было уже тепло, только немного белых пушистых клочьев в утренней вышине. Редкие облака на высоте шесть тысяч футов, видимость — пятнадцать миль в легкой дымке. Никакого ветра...

Она была так же притягательна, как и день назад. Мне хотелось бы узнать ее получше. Неужели из-за сигарет мне придется прогнать женщину, к которой я могу прикасаться и с которой я могу разговаривать больше минуты?

— Разреши мне объяснить, что я думаю про сигареты, — сказал я.

Времени у меня было предостаточно, и я объяснил.

— ... и говорит всем окружающим, — закончил я, — говорит: «Ты для меня значишь так немного, что мне нет никакого дела, что тебе дышать нечем. Умирай, если хочешь, а я буду курить!»

Не очень уважительная привычка — курение. Это не то, что нужно делать для людей, которые тебе нравятся.

Вместо того чтобы в раздражении гордо хлопнуть дверью, она еще и добавила:

— Ужасная привычка. Я знаю. Мне нужно подумать, как с ней разделаться.

Она бросила сигареты и зажигалку в сумочку.

...В какой-то момент физика себя исчерпала — захотелось прославиться в качестве фотомодели. Потом пение. У нее был прелестный голос, подобный зову сирен из туманного моря. Но каким-то образом проходя мимо своих желаний, она стала делать карьеру, ее стремление посвятить себя чему-то было утрачено, и она уцепилась за новую мечту. В результате это обратилось уже в мою сторону — не помогу ли я ей открыть маленький модный магазинчик?

Кэти была беззаботной и сообразительной, ей нравилась амфибия, она тут же выучилась ею управлять, — и была непоправимо чужой. Как бы ни была она хороша, она была чужеродным телом в моей системе, и система быстренько заработала на то, чтоб вытеснить ее как можно мягче. Мы никогда не смогли бы быть родственными душами. Мы были двумя кораблями, которые встретились посреди океана. Каждый из них изменил на какое-то время курс и мы пошли в одном направлении по пустынному морю. Различные суда на своем пути в разные порты, — и мы это знали.

У меня было странное чувство, что я толкусь на месте, что я жду, чтобы случилось нечто, после чего моя жизнь сможет снова обрести свой странный и прекрасный путь, свою цель и направление.

Пока я — половинка пары, отделенная от своей любви, — думал я, — я должен надеяться, что она пытается делать все, что может без меня, чтобы мы каким-то образом обнаружили друг друга. В то же время, мой ненайденный близнец, ждешь ли от меня того же? Насколько мы можем быть близки, отдавая тепло чужим?

Дружба с Кэти приятна как нечто временное, но это не должно стать ловушкой, вмешаться, стать на дороге моей любви, когда бы она ни пришла.

Это был чувственный, вечно новый поиск замечательной женщины. Почему так угнетающе это чувство, что зима пришла слишком рано? Не имеет значения, с какой скоростью река времени перекатила через свои скалы и омуты, — мой плот налетел на оснеженные пороги. Это не смертельно — быть остановленным на какое-то время. Несмотря на грохот, я надеюсь, что это не смертельно. Но я выбрал эту планету и это время, чтоб выучить какой-то трансцендентный урок, не знаю какой, встретить женщину, не такую, как все. Вопреки этой надежде внутренний голос предостерегает, что зима может превратить меня в лед еще до того, как я вырвусь на свободу и найду ее.

ВОСЕМЬ

Я чувствовал себя в самолете на высоте двух миль так, как будто меня распластали на кухонном столе и затем вышвырнули за дверь. Одно мгновение самолет во всей красе в дюймах от моих пальцев... я падал, но я мог бы ухватиться и вернуться на борт, если бы в этом была отчаянная необходимость.

В следующее мгновение уже поздно, ближайшая вещь, за которую я мог бы ухватиться, — на высоте пятидесяти футов надо мной, улетает со скоростью сто футов в секунду. Я беспрерывно падаю, падаю вниз. Только стремительный полет вниз.

О, Бог мой, — думаю я. — Я уверен, что хочу это делать?

Если вы в нем одно мгновение, то свободное падение дает много впечатлений. Но если вы начинаете заботиться о следующем мгновении, они сильно тускнеют.

Я падаю в широком вихре, наблюдая за землей, — какая она большая, какая тяжелая и плоская, и ощущая себя ужасно маленьким. Никакой кабины, не за что ухватиться.

Не волнуйся так, Ричард, — подумал я. — Здесь справа на груди кольцо, ты можешь потянуть за него в любой момент, когда захочешь, и раскроется парашют. Существует еще одно запасное кольцо, на случай, если основной парашют подведет. Ты можешь потянуть сейчас, если хочешь, но тогда ты должен отказаться испытать радость свободного падения.

Я взглянул на высотомер на запястье. Восемь тысяч футов, семь тысяч пять... Дорога внизу на земле была мишенью из белого гравия, в которую я попаду через несколько минут. Но посмотри на все это пустое небо между сейчас и тогда! О, мой...

Какая-то часть в нас всегда является наблюдателем, и не имеет значения, за чем он наблюдает. Следит за нами. Не заботится, счастливы мы или несчастливы, хорошо нам или плохо, живы мы или мертвы. Его единственная работа — сидеть у нас на плечах и выносить приговор: стоящие мы человеческие особи или нет.

В данный момент наблюдатель уселся на мою запаску, одетый в свою собственную куртку для прыжков и парашют, и комментирует мое поведение.

Больше нервов, чем следует при такой сцене. Глаза слишком широко раскрыты; слишком учащенное сердцебиение. Приятное возбуждение смешано со слишком большой дозой испуга. Степень качества весьма далекая от прыжка 29: С-минус.*

Мой наблюдатель оценивает жестко. Высота пять тысяч двести... четыре тысячи восемьсот. Выброшу руки перед собой в штормовой ветер — и я приземлюсь на ноги; руки назад — и я нырну головой в землю. Именно так, должно быть, и летают, — думал я, — без самолета, только нет безнадежного желания подниматься так же быстро, как и спускаться. Лететь вверх было бы чудесно даже на третьей скорости.

Витание в облаках во время свободного падения. Мысли бесцельно блуждают. Изменение качества: Д-плюс.

Высота три тысячи семьсот футов. Еще высоко, но моя рука потянулась к кольцу, я подцепил его правым большим пальцем, резко дернул. Фал свободно выскользнул; я слышал дребезжание за спиной, — и это должно было означать, что вытяжной парашютик открылся.

Рано дернул. Слишком рано лезть под купол. Д.

Дребезжание продолжалось. Но сейчас я мог получить шок от рывка при открывании основного купола. Вместо этого я безудержно падал. Без всяких причин мое тело стало вращаться.

Что-то... — думал я, — что-то не так?

Я посмотрел через плечо туда, где дребезжание. Вытяжной парашют бился и распластывался, пойманный стропами. Там, где должен быть основной парашют, был узел спутанного нейлона, красное, и голубое, и желтое шумело радостным водоворотом.

Шестнадцать секунд — пятнадцать — фиксировать, пока я не ударил землю.

---

* Соответствует «тройке с минусом». В этой системе начисление баллов идет от А («отлично») до F («кол»).

Она, вращаясь, смотрела на меня, а я собирался ударить это сияние оранжевой рощицы. Может, в деревья, но скорее нет.

Срезать, — я должен выучиться этому на практике. Меня осенило, что нужно сейчас отстегнуть основной парашют и открыть запасной на груди. Хорошо ли это — неудача с парашютом на моем двадцать девятом прыжке? Не думаю, что это хорошо.

Сознание вышло из-под контроля. Никакой дисциплины. Д-минус.

Было редкостной удачей, что время шло так медленно. Секунда проходила как минута.

И, вообще, почему это так трудно поднять руки к защелкам и отделаться от развалин купола?

Мои руки весили тонны, и я по дюйму, медленно, с невероятными усилиями тянулся к застежкам на плечах.

И чего стоит это племя? Они не объяснили мне, как это будет трудно — дотянуться до защелок!

В дикой ярости на своих инструкторов я, преодолев последних полдюйма, внезапно ухватился за защелки и, рванув, открыл.

Медленно, медленно. Слишком медленный путь.

Я прекратил вращаться, перевернулся спиной вниз, чтобы развернуть запаску, и к своему немалому удивлению обнаружил, что спутанный нейлон остался при мне.

Я был стремительно летящей падающей римской свечой, уставшей от яркого горения, падающей материей, горящей ракетой, летящей с неба.

— Курсанты, послушайте, — сказал инструктор. — Такого с вами случиться не может, но не забудьте: никогда не раскрывайте запаску в несработавший основной, потому что он тоже не раскроется. Будет что-то вроде вывески парикмахерской, украшенной вымпелами, и это даже не замедлит вашего падения! ВСЕГДА СБРАСЫВАЙТЕ ЕГО!

Но я действительно *сбросил,* но вот он — спутанный основной продолжает болтаться на стропах.

Мой наблюдатель со своего места фыркнул от отвращения.

Теряет рациональность под давлением обстоятельств. F. Это может привести к поражению.

Я почувствовал землю, падающую на меня. Трава могла бы врезаться мне в шею со скоростью 125 миль в час. Быстрый способ умереть. Почему я не вижу свою жизнь, как тряпку перед глазами, почему я не покинул тело перед тем, как брякнусь, так, как об этом сказано в книге? ДЕРНИ ЗАПАСНОЙ!!!

Действие запоздало. Вопросы не имеют отношения к ответам. В общем, — жалкое существо.

Я дернул аварийное кольцо, и немедленно перед лицом взорвался запасной, вверх из укладки в виде шелковой снежной раковины, выгнутой в небо. Он устремился вверх, мимо тряпки основного; не сомневайтесь, — усталости во мне было на две сгоревшие римские свечки.

Потом, как белый оглушительный выстрел, — эта штука открылась, раскрылась полностью, я дернулся, остановившись в воздухе на высоте всего четырехсот футов над оранжевой рощей, поломанная марионетка, в последнюю секунду подхваченная на свою нитку.

Время снова сжалось, переключившись на высокую передачу; отхлестанный деревьями, я ударил землю ботинками и оказался на траве не мертвым, а только тяжело дышащим.

Может быть, я уже упал вниз головой и разбился насмерть, думал я, а затем запасной парашют смог оттащить меня во времени на две секунды назад и таким образом спас меня?

Мне едва удалось избежать выбора такого альтернативного будущего, где меня ожидала смерть от удара о землю. И теперь, когда это будущее удалялось от меня, мне захотелось помахать ему на прощанье. Помахать почти с грустью. В том будущем, которое уже стало для меня альтернативным прошлым, я внезапно получил ответ на давно интересовавший меня вопрос об умирании.

Пережил прыжок. Кое-как справился благодаря удаче и действиям ангелов-хранителей. Ангелы-хранители: А. Ричард: F.

Я подтащил к себе запасной парашют, собрал его в аккуратную пышную груду, с признательностью обнял его и положил рядом с основным. Потом я сидел на земле возле деревьев, снова переживал последние минуты, записывая в карманную записную книжку все, что случилось, все, что я увидел и подумал, все, что сказал маленький наблюдатель, грустное прощание со смертью, все, что я помнил. Когда я писал, рука не дрожала. Или я не получил шока от прыжка, или беспощадно подавил его.

И вот я снова дома. Нет никого, с кем бы я мог поделиться своим приключением, никто не задаст мне вопросов, которые помогли бы мне выявить те интересные стороны происшедшего, которых я не заметил сам. Кэти ушла куда-то с кем-то, чтобы провести свободный вечер. У детей Бриджит в школе спектакль. Джилл устала после работы.

Лучшее, до чего я смог додуматься, — это междугородный звонок Рейчел в Южную Каролину. Ей было приятно поговорить со мной, сказала она, и я могу приехать к ней погостить, как только смогу. Я не упомянул прыжок, нераскрывшийся парашют и другое будущее — свою смерть в оранжевой роще.

Чтобы отпраздновать этот вечер, я приготовил себе картофельную запеканку точно в соответствии с рецептом своей бабушки: картофель и пахта, яйца и мускатный орех, ваниль — все это потом охлаждают до заиндевения и покрывают шоколадной глазурью. В одиночестве я съел третью часть еще теплой запеканки.

Я подумал о прыжке и в конце концов пришел в выводу, что я не должен им рассказывать о случившемся, не должен рассказывать о нем вообще никому. Боюсь, это было бы с моей стороны просто хвастовством — рассказывать, что я избежал смерти. И что бы они сказали мне в ответ? «Боже мой, это были жуткие минуты!» «Ты должен быть более внимательным!»

Наблюдатель появился снова и начал писать. Я скосил глаза и наблюдал.

Он изменяется. С каждым днем он все сильнее защищается, становится все более одиноким, отдаленным от других. Он выдумывает испытания для родственной души, которую еще не нашел, строит стены, лабиринты и огромные крепости на пути той, что отважится искать его в центре всей этой путаницы. Он получает оценку «А» по самозащите от той единственной в мире, которую мог бы любить и которая однажды могла бы полюбить его. Он не находит себе места сейчас... Найдет ли она его до того, как он покончит с собой?

Убить себя? Самоубийство? Даже наши наблюдатели не знают нас. Нераскрывшийся парашют не был моим недосмотром. Случайная неудача, которая больше не повторится!

Тогда я не потрудился вспомнить, что парашют укладывал я сам.

Неделю спустя я приземлялся для заправки во второй половине дня. На этот раз большие неприятности случились с моим большим скоростным Мустангом P-51*. Отказала радиосвязь, не сработал левый тормоз, сгорел генератор, датчики температуры непонятно почему зашкалили до красной черты, а затем неожиданно снова заработали нормально. Определенно это был не лучший день, и было ясно, что это худший самолет из всех тех, на которых я когда-либо летал.

Мне нравятся почти все самолеты, но с некоторыми я просто никогда не смогу ужиться.

Посадка и заправка, подтягивание тормозов и снова как можно скорее на взлет. Длительный полет, и вот я замечаю по датчикам состояния двигателя, что сразу же за этим огромным пропеллером творится что-то не то. Многие детали самолета стоят не меньше ста долларов, а если учесть, что они ломаются как спички, — они стоят тысячи.

Шасси большого военного самолета плыли в футе над посадочной полосой в Мидленде, Техас; потом они коснулись земли. В то же мгновение левая покрышка лопнула, и самолет отбросило в направлении бровки, которая в один миг превратилась в пыль.

Время остановилось. Самолет продолжал двигаться достаточно быстро, чтобы оторваться от земли, и я выжал газ до отказа, стараясь поднять машину в воздух. Неправильный выбор. Скорости не достаточно для взлета. Самолет на секунду или что-то около этого задрал нос, но это было последнее, что он смог сделать.

---

* North American P-51 «Mustang» — истребитель времен Второй мировой войны.

Под нами волновалась полынь; самолет ударился о землю и левая стойка шасси немедленно сломалась. Огромный винт взрыхлил землю, и, как только он согнулся, двигатель внутри заклинило, он заревел и разорвался внутри своего кожуха.

Это было так знакомо — вялотекущее время. И смотри-ка кто здесь! Мой наблюдатель, с бортовым журналом и карандашом. Как поживаешь, приятель, давно не виделись.

Болтает с наблюдателем в то время, как самолет разваливается на куски среди полыни. Похоже, что хуже тебя пилота я не видел.

Я хорошо знал, что аварии Мустангов — это вам не обычная будничная авария самолета. Эти машины так велики, быстроходны и опасны. Они сметают все на своем пути и взрываются красочными фейерверками желтого и оранжевого пламени, как динамит, превращаясь в роковой черный дым и разлетающиеся в радиусе полмили от эпицентра болты и обломки. Пилот при этом ничего не успевает почувствовать.

Взрыв приближался ко мне со скоростью восемьдесят миль в час... Оранжево-белый клетчатый корпус дизель-генератора, находящегося в самом центре всего этого хаоса, подумал, что он сможет уцелеть во время аварии сверхскоростного самолета. И был не прав.

Еще несколько ударов о землю — и другое шасси тоже было потеряно, половина правого крыла и капот развеялись без следа. Почему я не покидаю свое тело? Во всех книгах говорится...

Меня бросило вперед на ремнях безопасности, когда мы врезались, и мир потемнел в моих глазах.

Несколько секунд я ничего не видел. Полное отсутствие боли.

Очень спокойно здесь на небесах, думал я, тряся головой, распрямляясь.

Совсем не больно. Спокойное, тихое шипение... Что там может на небесах шипеть, Ричард?

Я открыл глаза и обнаружил, что небеса выглядят как списанный правительством Соединенных Штатов корпус дизель-генератора, сокрушенный обломками крушения очень большого самолета.

Происходящее доходит до него, как до жирафа.

Одну минуту! Может... это не Тот Свет? Я не мертв! Я сижу внутри того, что осталось от этой кабины, а самолет все еще не взорвался! Он собирается Р-Р-РАЗОРВАТЬСЯ через две секунды, а я сижу в нем как в ловушке... Не собираясь погибать в результате взрыва, я *явно собрался* сгореть!!!

Спустя десять секунд я бежал со скоростью чемпиона по спринту на двести ярдов от дымящихся обломков, которые когда-то были если не надежным, дешевым и удобным, то по крайней мере красивым самолетом. Я споткнулся и бросился лицом вниз в песок, как это делают пилоты в кино перед тем, как на экране произойдет взрыв. Лицом вниз, в ожидании удара прикрыть руками голову.

Способен передвигаться с замечательной скоростью, когда наконец до него доходит.

Полминуты. Ничего не случилось. Еще пол.

Я поднял голову и осторожно оглянулся.

Потом встал на ноги, небрежно отряхнул песок и полынь с одежды. Непонятно почему, старый рок-н-ролльный мотив забарабанил у меня в ушах. Я почти не обратил на него внимания. Попытка быть бесстрастным?

Вот паршивец! Я никогда не слышал, чтобы 51-й не взорвался, как полная бочка с порохом, но он не взорвался, и единственным исключением из общего правила было то, что катастрофа произошла с машиной, пилотом которой был я. Теперь придется долго давать объяснения, заполнять бумажки, которые пойдут в архив... Пройдет много времени, прежде чем я смогу взять билет на самолет, летящий на запад. Мелодия продолжала звучать.

Достаточно быстро оправился от шока. «В» с плюсом за хладнокровие, когда все закончилось.

Польщенный, насвистывая мелодию, я подошел к останкам того, что осталось от Мустанга, нашел саквояж, сумку и бритвенный прибор и бережно отложил их в сторону.

Крепкая кабина, можно сказать после случившегося.

И естественно! Самолет не взорвался потому, что, когда я садился, в баках уже почти не было горючего.

3 – 4169

В это время наблюдатель, покачав головой, покинул меня, а в поле зрения появилось пять пожарных машин. Их совсем не интересовало все, что я им говорил об отсутствии топлива. Они залили обломки пеной безо всяких причин для этого.

Мне было жаль радиоаппаратуру, часть которой осталась целой в кабине и стоила дороже золота. «Постарайтесь не залить пеной кабину, парни, пожалуйста! Там аппаратура...»

Слишком поздно. Боясь, что может начаться пожар, они заполнили кабину пеной до самого верха.

И что теперь делать, — беспомощно думал я. — Что-теперь, что-теперь, что-теперь?

Я прошел милю до аэропорта, купил билет на ближайший рейс, как можно короче описал в рапорте происшедшее, объяснил аварийщикам куда стаскивать обломки безнадежно искореженной машины.

В этот момент, когда я писал для них свой адрес, сидя за столом в ангаре, мне припомнилась мелодия, которая бубнила в моей голове с момента аварии.

Ш-бум, ш-бум... и множество *йя-т-та, йя-т-та.*

Почему я напеваю эту песню? Удивительно. Через двадцать лет, почему бы и нет?

Песне не было дела до этого, она продолжала звучать: *жизнь только сон! Ш-бу-ум! И я возьму тебя в рай выше всех! Ш-бу-ум...*

Эта песня! Это пел призрак Мустанга, со всеми соответствующими звуковыми эффектами.

Жизнь — это только сон, любовь моя ...

Конечно, жизнь — это сон, ты, жестяное помело! И ты чуть не забрал меня в свой рай выше всех! *Ш-бу-ум;* ты, разорванный на куски увалень!

Нет ничего такого, что, появившись в нашем уме, не имело бы смысла. Этот самолет, я никогда не принимал его всерьез.

Рейсовый самолет выруливал на взлетную полосу мимо полыни. Я наблюдал со своего места через иллюминатор.

Залитое пеной тело Мустанга возлежало на платформе, как на ложе, кран поднимал кусок крыла.

Ты захотел поиграть, самолет? Тебе нравилось что-нибудь ломать при каждом полете, теперь ты захотел и вовсе пойти против моей воли?

Ты проиграл! Может, ты и найдешь кого-нибудь, кто забудет твое прошлое и сколотит тебя когда-нибудь, лет через сто после сегодняшнего дня. Может, ты вспомнишь этот день и будешь к нему добр!

Клянусь тебе, машина, — сколачивать тебя буду не я.

Сначала случай с парашютом, теперь еще и авиакатастрофа. Я думал об этом, улетая на Запад, и через какое-то время решил, что меня вели Свыше, и я вышел невредимым из ситуации, которая оказалась немного более опасной, чем я мог предположить.

Кто-нибудь другой мог бы увидеть в этом что-то иное. Катастрофа не была проявлением моей защиты в действии, этот случай был скорее свидетельством того, что она иногда бывает ненадежной.

ДЕВЯТЬ

Я тонул в деньгах. Люди в окружающем мире читали книги, покупали экземпляры книг, которые я написал. Деньги от продажи каждой книги приходили ко мне из издательств.

Самолетами я могу управлять, — думал я, — но деньги действуют мне на нервы. Может ли быть с деньгами авария?

Пальмы покачивали листьями перед окном его офиса, солнечный свет нагрел рапорты на столе.

— Я могу управлять этим для тебя, Ричард. В этом нет проблем. Я могу это сделать, если ты очень хочешь.

Он возвышался на дюйм над пятью футами; его волосы и борода переливались от рыжего к седине вокруг глаз, меняющихся от эльфийской озаренности до всезнания Святого.

Он был другом из дней моей журналистской работы, возглавлял консалтинговое бюро по вкладам. Мне он понравился сразу после первой же истории с передачей имущества, в которой он мне помог, продемонстрировав спокойное знание бизнеса с первых дней нашей встречи. Я полностью ему доверял, и ничто из того, что он говорил сегодня, этого доверия не поколебало.

— Стэн, я даже не могу тебе передать, как я рад, — сказал я. — Все было бы как надо, но я не знаю, что делать с деньгами. И еще бумажная возня, и тарифные налоги. Я в этом ничего не понимаю, мне все это не нравится. Сейчас все в порядке. Финансовый менеджер, — это полностью твои дела, — и я свободен.

— Ты даже не хочешь в этом разобраться, Ричард?

Я снова посмотрел на графики инвестиций, которые он контролировал. Все линии шли резко вверх.

— Ни малейшего, — сказал я. — Ну ладно, если я захочу разобраться, то спрошу, — а это для тебя дополнительная нагрузка к тому, чем ты занимаешься. Но все это от меня так далеко...

— Мне бы не хотелось, чтобы ты так говорил, — сказал он. — Это не волшебство, это простой технический анализ конъюктуры рынка. Большинство людей теряют прибыль по той причине, что у них нет капитала, чтобы покрыть дополнительные расходы, когда рынок двинется на них. Ты — такие, как ты, — не имеют проблем. Мы начинаем инвестиционную деятельность осторожно, с большим капиталом в резерве. Если мы начнем зарабатывать деньги по такой системе, то больше выиграем потом. Когда мы пройдемся по тому, что и является основным в получении прибыли, мы сможем пустить в оборот большие деньги и сделать состояние. Но мы не должны нигде задерживаться, множество людей об этом забывают. И поэтому так много денег, количество которых уменьшилось! — он улыбнулся, заметив, что я совсем растерялся.

Он прикоснулся к графику.

— Сейчас обрати внимание на эту таблицу, на которой указаны цены на фанеру на Чикагской бирже. Справа ты видишь начальное вложение, выигрыш в том, что настоящая цена завышена вдвое, это прошедший апрель. Мы начинаем продавать фанеру, продавать много фанеры. Прежде чем цена опустится, мы сможем много купить. Продавать по высоким и покупать по низким — это то же, что покупать по низким и продавать по высоким... Понимаешь?

— Как мы сможем продавать... — Как это возможно — продавать до того, как купим? Мы разве не покупаем перед тем, как продавать?

— Нет. — Объясняя, он был спокоен, как декан колледжа. — Это *фьючерсные* товары. Мы обещаем продать позже по этой цене, зная, что до того, как настанет момент, когда мы должны продавать, мы уже купим фанеру, — или сахар, или медь, или зерно — по гораздо меньшей цене!

— Ох?!..

— Потом мы реинвестируем капитал. И вложим деньги. Офшорные инвестиции. Неплохая идея — открыть офшорную компанию. Но Чикагская Биржа это только место старта. Я бы предложил купить брокерское место на Восточной Финансовой, чтобы не платить за участие в торгах. Позже, мудрым поступком было бы получить контрольный пакет в какой-нибудь небольшой компании. Я проведу анализ. Но с той суммой денег, которой мы располагаем, и при осторожной стратегии на рынке провал практически исключен.

Я возвращался успокоенный. Какая картина! И никоим образом мое финансовое будущее не может не раскрыться, как парашют.

Я никогда не сумею так обращаться с деньгами, как Стэн. Столько терпения, столько мудрости — и у меня не будет никаких финансовых потрясений.

Какая мудрость — осознавая собственную слабость в этом вопросе, найти старого надежного друга и отдать свои деньги под его контроль.

ДЕСЯТЬ

Мы загорали на палубе, Донна и я, вдвоем, на моей спокойной яхте, дрейфующей вместе с течением в трехстах милях севернее Ки Уэст.

— Ни одна женщина в моей жизни не была моей, — рассказывал я ей неспешно, доверительно, — и я не принадлежал ни одной из них. Это для меня очень важно. Я обещаю: никаких посягательств на меня — никакой ревности с моей стороны.

— Это хороший обмен, — сказала она. У нее были короткие черные волосы, карие глаза прикрыты от солнца. Она загорела до цвета покрытого лаком тикового дерева, за годы лета, приобретенного благодаря разводу с далеким севером. — Большинство мужчин не могу понять. Я живу как хочу. Я остаюсь, если я захочу. И я уйду, если не захочу. Это тебя не пугает?

Она передвинула бретельки бикини, чтобы загар был сплошным.

— Пугает? Это меня утешает! Никаких цепей, или канатов, или узлов, никаких дискуссий, никакой скуки. Сердечный подарок: *я здесь не потому, что должен быть здесь, или потому, что меня заманили в ловушку, но лишь потому, что мне лучше быть с тобой, чем где-нибудь еще в мире.*

Вода мягко плескалась о борта. Вместо теней по кораблю разбегались яркие солнечные пятна.

— Ты найдешь во мне самого защищающего друга из тех, что были у тебя, — сказал я.

— Защищающего?

— Так как я лелею собственную свободу, я буду лелеять также и твою. Я очень чувствителен. Если вдруг я только коснусь тебя, склоняя к тому, чего тебе скорее не хотелось бы делать, тебе достаточно еле слышно прошептать «нет». Я не выношу вторжения и покушения на личное. Тебе достаточно мне намекнуть, и я буду уже готов, — до того, как ты закончишь свой намек.

Она перекатилась на бок, головой на руку, и открыла глаза.

— Это не похоже на предложение руки и сердца, Ричард.

— Это и не оно.

— Спасибо.

— Ты много получила от этого? — спросил я.

— Чуть-чуть — это слишком много, — сказала она. — Одного замужества достаточно. В моем случае одного замужества вполне хватило. Некоторым людям это нужно, мне — нет.

Я кое-что рассказал ей про брак, к чему я пришел, о счастливых годах, которые могут превращаться в тягостные и мрачные. Я внимательно изучил и те уроки, которые получила она.

Я нарушил хрупкую стеклянную гладь залива рябью. Море было ровным, как теплый лед.

— Какая досада, Донна, что мы не во всем друг с другом согласны.

Мы дрейфовали еще час перед тем, как ветер поймал паруса и яхта рванулась вперед. Через какое-то время мы снова ступили на сушу, уже хорошими знакомыми, крепко обнялись на прощание, пообещав друг другу увидеться на днях.

Так, как было с Донной, было и с другими женщинами в моей жизни. Уважение к отдельности, к личностному, к полной независимости. Вежливые связи от одиночества, они были холодным подобием любовных отношений без любви.

Некоторые из моих подруг так никогда и не были замужем, но в большинстве все они были в разводе. Едва уцелевшие после несчастливых отношений, покалеченные грубыми мужчинами, доведенные постоянным стрессом до бесконечной депрессии. Для них любовь была чем-то вроде трагического недоразумения, любовь была пустой оболочкой, из которой вышибли смысл все эти супруг-как-владыка-любовник-становится-ревнивцем.

Если б я заставил себя мысленно просмотреть пройденный путь, я должен был бы обнаружить головоломку: любовь между мужчиной и женщиной — это слово, которое больше не работает. Но, Ричард, разве в этом суть?

Я не собирался получить ответ.

Летели месяцы, и так как я потерял интерес к любви, есть она там или нет, то потерял интерес и к родственной душе. Львиная доля ее места была отдана различным идеям разбогатеть, идеям настолько рациональным и безупречным, насколько они опирались на представление, что мои деловые отношения никогда не изменятся.

Если совершенный партнер, — думал я, — это тот, кто всегда принимает все твои пожелания, и если одно из твоих пожеланий безумно по своей природе, следовательно, *никто никогда не может быть совершенным партнером!*

Единственная истинно родственная душа может быть собрана из многих людей. Моя совершенная женщина обладает интеллектом и яркостью этой подруги; она обладает красотой, разбивающей сердца, — такой, как у другой, частично — черт-знает-какими достоинствами третьей.

Если ни одна из этих женщин не в состоянии отвечать этим требованиям на сегодняшний день, стало быть, моя родная душа искрится в других телах, где-нибудь еще; быть замечательной — не означает быть несуществующей.

— Ричард, вся эта идея совершенно фантастична! Она не сработает!

Если бы тот, что внутри меня, выкрикнул это, то я точно заткнул бы ему рот кляпом.

— Докажи, что моя идея ошибочна! — сказал бы я. — Покажи, в каком месте! И делай это, не прибегая к словам *любовь, брак, единение.* Сделай это решительно и ошеломляюще, пока я не заорал во все горло, что лучше тебя знаю, как я должен управлять своей жизнью!

Что ты знаешь? Совершенная женщина-во-многих-женщинах, — решено, она победила, — и закончим дискуссию.

Неограниченное количество денег. Самолетов столько, сколько я хочу. Моя совершенная женщина. Это счастье!

ОДИННАДЦАТЬ

Ошибок не бывает. *События, которые мы притягиваем в нашу жизнь, какими бы неприятными для нас они ни были, необходимы для того, чтобы мы научились тому, чему должны научиться.* Каким бы ни был наш следующий шаг, он нужен для того, чтобы достичь того места, куда мы выбрали идти.

Я лежал на полу, развалившись на толстом светло-коричневого цвета ковре, и думал обо всем этом. Эти три года не были ошибкой. Принимая миллионы решений, каждый год я тщательно наполнил аэропланами, журналами, встречами, кораблями, путешествиями, фильмами, деловой деятельностью, лекциями, телешоу, рукописями, банковскими счетами и мечтами о сияющем будущем. Дневной свет являет мне новый маленький самолет, а ночь дарит беседы и прикосновения многих женщин, каждая из которых привлекательна, но ни одна из них не была *ею*.

Я был убежден, что *она* не существует, но ее образ по-прежнему преследовал меня.

Была ли она так же уверена в том, что и меня не существует? Беспокоит ли мой призрак ее убеждения? Существует ли где-нибудь женщина, которая сейчас лежит на плюшевом ковре в доме, построенном на крутом берегу, рядом с которым находится ангар с пятью аэропланами, еще три стоят под открытым небом и, пришвартованный у самого берега, покачивается на воде гидросамолет?

Я сомневался, что это возможно. Но разве не может где-то жить одинокая женщина среди новых книг, телевизионных программ, чувствующая тоску среди любовников и всего, что можно приобрести за деньги, окруженная неискренними примелькавшимися приятелями, агентами, юристами, менеджерами и счетоводами? Это вполне могло быть.

Ее ковер может быть другого цвета, но все остальное... она могла бы оказаться по другую сторону моего зеркала, ведущая поиск совершенного мужчины в пятидесяти любовниках, но по-прежнему одинокая.

Я посмеялся над собой. Как трудно умирает старый миф о единственной любви!

Мотор аэроплана завелся внизу на поляне. Это, наверное, Слим, который собирается полетать на Твин Сессне. Компрессор протекает с правой стороны. Эти компрессоры старого образца всегда портятся, думал я. Зачем их только вставляют в отличные современные моторы!

Рэпид и моторный планер приземлялись где-то там, поднимая за собой пыль. Рэпид вскоре потребует переоборудования, и это будет очень трудоемкая работа для биплана с кабиной такого размера. Лучше продать его. Я не очень много летаю на нем. Я вообще не очень много летаю и на других самолетах. Они стали чужды мне, как и все остальное в моей жизни. Чему я сейчас пытаюсь научиться? Тому, что чем дальше, тем больше машины начинают овладевать нами?

Нет, думал я, вот чему я учусь: получить много денег — это то же самое, что получить острием вперед стеклянный меч. Будьте очень осторожны в обращении с ним, сэр, не спешите, пока не знаете точно, зачем он вам.

Загудел другой мотор. Наземная проверка, должно быть, закончилась успешно, и он решил подняться в воздух и проверить его в полете. Ветер волнами доносил гул, когда он выезжал на взлетную полосу, а затем, когда он начал разбег, милый моему сердцу рокот моторов стал удаляться.

Чему еще я научился? Тому, что, став известным, я больше не могу полностью оставаться самим собой. Я бы никогда раньше не поверил, что каждый сможет удовлетворить свое любопытство и узнать, что я думаю и говорю, как я выгляжу, где живу, как использую свое время и деньги. Или что все это будет оказывать на меня такое влияние, толкая меня назад в сторону пещерной жизни. Те, кто попадает в камеру или начинает публиковаться, — думал я, — не выбирают легкий путь. Сознательно или нет, но они предлагают себя в качестве примера для остальных, чего-то вроде образца для подражания. У одного жизнь складывается замечательно, а у другого — полный крах и необходимость начинать все сначала. Одна женщина встречается с опасностью лицом к лицу, отвергает посягательства на свой талант и проявляет мудрую рассудительность; другая становится истеричкой. Одному суждено умереть, другому — смеяться.

Каждый день знаменитости оказываются перед лицом испытаний, и мы, как зачарованные, наблюдаем за ними, не отводя глаз. Они привлекают наше внимание потому, что наши кумиры проходят те же испытания, какие предстоят нам всем. Они любят, вступают в брак, обучаются, разоряются, уходят и возвращаются вновь. Они влияют на нас своим поведением на экране и своими словами на бумаге, а мы, в свою очередь, воздействуем на них.

Единственное испытание, с которым сталкиваются только они, — это испытание самой известностью. И даже это нам интересно. Мы думаем, что когда-нибудь тоже окажемся в центре внимания, и примеры такого рода всегда интересуют нас.

Что же случилось, — думал я, — с пилотом аэроплана, летавшим над просторами Среднего Запада? Неужели он так быстро из простого летчика превратился в расфуфыренного плейбоя?

Я встал, прошел через пустые комнаты своего дома на кухню и нашел там пакет с постепенно теряющими свежесть кукурузными чипсами. Вернувшись назад и развалившись в роскошном кресле возле фигурного окна, я посмотрел на озеро.

Я стал плейбоем? Это смешно. Внутренне я не изменился, ни капельки не изменился.

А может быть, все современные плейбои говорят так, Ричард?

«Пайпер Каб», принадлежащий находившейся поблизости школе водного планеризма, отрабатывал мягкие посадки на воду... медленное длительное снижение, сброс оборотов двигателя и мягкое прикосновение к блистающей поверхности озера Тереза. Затем разворот и возвращение обратно на взлет.

Известность научила меня прятаться, строить вокруг себя стены. У каждого есть железная броня и ряды острых шипов там, где он говорит: это только до тех пор, пока нам по пути.

Вначале популярность забавляет. Вы не возражаете против телекамер, за этими линзами — целый круг очень милых и приятных людей. Я могу быть милым с ними до тех пор, пока они милы со мной, и еще две минуты потом.

Таковой была высота моих стен тогда во Флориде. Большинство из тех, кто знал меня из телепрограмм, по журнальным обложкам или случайной газетной заметке, были людьми, которые даже не догадывались, как я признателен им за их учтивость и уважение моего права на личную жизнь.

Меня очень радовала почта, приходившая на мой адрес. Мне было приятно, что существует множество читателей, для которых те странные идеи, которые я любил, имели смысл. В мире существовало много людей из разных стран, мужчин и женщин любого возраста и любой профессии, которые искали и обучались новому. Этот круг был больше, чем я когда-либо раньше мог себе вообразить.

Вместе с восторженными письмами иногда приходило несколько посланий другого типа: используйте мою идею, помогите мне напечататься, дайте мне денег, или вас ждут адские муки.

По отношению к своим почитателям я ощущал теплую симпатию и посылал им в ответ открытки, а против других возводил новые тяжелые железные стены и ковал мечи, убирая на время гостеприимный коврик у своей двери.

Я был более скрытным, чем когда-либо раньше мог предположить. Я просто плохо знал себя раньше или изменился? Все чаще и чаще в те дни, месяцы и годы я предпочитал оставаться дома в одиночестве. Обремененный своим большим домом, десятью аэропланами и целой паутиной предрассудков, я мог так никогда и не проснуться.

Я посмотрел с пола на фотографии на стене. Это были изображения аэропланов, которые значили для меня все. Там не было ни одного человека, — ни одного. Что случилось со мной? Раньше я нравился себе. Почему же я так не нравлюсь себе сейчас?

Я спустился по лестнице в ангар, толчком открыл крышку кабины и вскочил в нее. Летая в этом аэроплане, я встретил Кэти, подумал я.

Привязные ремни для плеч, ремни сиденья, открыть смеситель, подкачать топлива, зажигание — ПУСК! ПУСК! Не выполнила моих условий и пытается заставить меня жениться. Будто бы я никогда не объяснял ей всех отрицательных сторон вступления в брак и не показывал, что я только частично похож на того мужчину, который бы идеально соответствовал ей.

— *От винта!* — крикнул я по привычке в пустое пространство и включил стартер.

Через полминуты после взлета я быстро набрал высоту, поднимаясь на две тысячи футов в минуту, а ветер бил по моему шлему и перчаткам. Как я люблю это! Очень медленный переворот, за ним другой, и так до шестнадцати. Небо чисто? Готово? Вот это да!

Зеленая равнинная местность во Флориде. Озера и болота величественно поднимаются справа от меня, становятся огромными и широкими над головой и исчезают из виду слева.

Горизонтальный полет. Затем — РАЗ! РАЗ! РАЗ! РАЗ! — внезапными рывками земля делает шестнадцать оборотов. Вытягиваю самолет вверх до полной остановки, нажимаю на левую педаль, ныряю отвесно вниз, тогда как ветер завывает в расчалках между пластинчатыми крыльями. Затем отвожу ручку вперед и лечу вверх ногами, пока скорость не достигнет 160 миль в час. Я откидывают голову назад и смотрю вверх на землю. Резко отвожу ручку назад, сильно жму на правую педаль, и биплан начинает переворачиваться обратно. Его правое крыло замедляется, он дважды оборачивается вокруг своей оси, а зеленое небо и голубая земля делают двойное сальто. Ручка вперед, левая педаль и — ФИТЬ! — аэроплан замирает, крылья опять поменялись местами.

В течение доли секунды пять земных тяжестей вдавливают меня в сиденье. Панорама передо мной сужается до маленькой светлой точки на сером фоне, я ныряю вниз до высоты ста футов над летным полем, а затем после набора высоты снова перехожу на горизонтальный парадный полет.

Это проясняет ум. Зеленые мхи, с ревом приближающиеся к лобовому стеклу, и болото, заросшее кипарисами и кишащее аллигаторами, вращающееся со скоростью один оборот в секунду вокруг головы. Но сердце по-прежнему одиноко.

ДВЕНАДЦАТЬ

Некоторое время мы играли, не проронив ни слова. Лесли Пэрриш спокойно сидела со своей стороны орехово-сосновой шахматной доски, я — со своей. На протяжении девяти ходов в захватывающем дух миттельшпиле в комнате стояла тишина, нарушаемая лишь тихим звуком передвигаемых с места на место коня или ферзя да изредка — приглушенно-резким «гм» или «эх», когда, делая ход фигурами, шахматисты рисуют собственный портрет. Г-жа Пэрриш не блефовала и не была обманута сама. Она играла прямо и открыто и была сильным шахматистом.

Я украдкой наблюдал за ней и улыбался, хотя она как раз захватила моего слона и грозилась на следующем ходу взять коня, — такую потерю я вряд ли мог себе позволить.

Я впервые увидел это лицо за много лет до того, как мы встретились — самым важным из способов. Случайно.

— Вверх? — окликнула она и перебежала через вестибюль к лифту.

— Да. — Я держал дверь открытой, пока она не вошла. — Вам — какой?

— Третий, пожалуйста, — ответила она.

— Мне тоже на третий.

После секундной паузы дверь с грохотом закрылась.

Серо-голубые глаза ответили мне благодарным взглядом.

Я встретил этот взгляд, задержавшись не более чем на четверть секунды, говоря этим, что мне было приятно подождать, затем вежливо отвел глаза. Проклятая вежливость, подумал я. Какое прекрасное лицо! Где я видел ее — в кино, по телевизору? Я не осмеливался спросить.

Мы поднимались молча. Она была мне по плечо; золотые волосы вьются и подобраны под шапку цвета корицы. Одета не как кинозвезда: выцветшая рабочая блуза под курткой от военно-морской формы, голубые джинсы, кожаные ботинки. Какое милое лицо!

Она здесь на натурных съемках, — подумал я. — Может, она — в составе съемочной группы. Какое это было бы удовольствие — познакомиться с нею. Но она так далека... Разве это не интересно, Ричард, как бесконечно она далека? Вы стоите, разделяемые тридцатью дюймами, но нет способа преодолеть пропасть и сказать: «Привет».

Если б только мы могли изобрести способ, — думал я, — если бы только это был мир, в котором незнакомые люди могли бы сказать друг другу: «Ты мне нравишься» и «Я бы хотел знать, кто ты». С кодом: «Нет, спасибо», если симпатия не окажется обоюдной.

Но такой мир еще не создан. Полуминутный подъем завершился в молчании. С тихим шумом дверь открылась.

— Спасибо, — сказала она. Поспешно, почти бегом, она прошла по холлу к своему номеру, открыла дверь, вошла, закрыла ее за собой, оставив меня в коридоре одного.

Мне бы так хотелось, чтобы ты не уходила, — думал я, — заходя в свой номер, через две двери от нее. Мне бы так хотелось, чтобы тебе не нужно было убегать.

Делая ход конем, я мог изменить направление угрозы на доске, смягчить ее атаку. Преимущество было у нее, но она не выиграла, — пока еще.

Конечно, — думал я, — N — QN5! Угроза NxP, NxR!

Я сделал ход и снова наблюдал за ее глазами, любуясь красотой, удивительно невозмутимой перед моей контратакой.

Через год после нашей встречи в лифте я предъявил иск режиссеру фильма по поводу сделанных им без моего одобрения изменений в сценарии. Хотя суд потребовал от него убрать некоторые худшие изменения, я едва мог удержаться, чтобы не крушить мебель, когда обсуждал с ним этот вопрос. Необходимо было найти посредника, через которого каждый из нас мог бы говорить.

Посредником оказалась актриса Лесли Пэрриш, женщина, которая поднималась вместе со мной из вестибюля на третий этаж.

Рейдж таял, разговаривая с ней. Она была спокойна и рассудительна, — я ей сразу доверился.

На сей раз в Голливуде хотели экранизировать мою последнюю книгу. Я поклялся, что скорее готов увидеть повесть сожженной, чем позволить исковеркать ее в экранном варианте. Если это должно было осуществиться, то не будет ли лучше сделать это моей собственной компании? Лесли была единственным человеком, которому я доверял в Голливуде, и я вылетел в Лос-Анджелес переговорить с нею еще раз.

На приставном столике в ее офисе стояла шахматная доска.

Шахматы для офиса — это чаще всего каприз дизайнеров, — созданные прихотливой фантазией ферзи, слоны, пешки разбросаны наобум по доске. Это были деревянные шахматы с 3,5-дюймовым королем на 14-дюймовой доске, развернутой углом к правой руке игрока, и с обращенными вперед фигурами коней.

— Сыграем партию? — спросил я, когда встреча подошла к концу. Я не был лучшим игроком в городе, но не был и плохим. Я играл с семи лет и был довольно самонадеян за шахматной доской.

Она взглянула на часы. «О'кей», — сказала она.

Ее победа ошеломила меня. То, как она выиграла, рисунок ее мыслей на шахматной доске вновь и вновь очаровывали меня.

Во время следующей встречи мы играли на две лучшие партии из трех.

В следующем месяце мы создали корпорацию. Она усадила меня за решение вопроса о том, как сделать фильм с наименьшей вероятностью провала, и мы сыграли на шесть лучших партий из одиннадцати.

После этого не требовалось встреч. Я бы примчался в своем новоприобретенном самолете, 8-тонном реактивном, бывшей собственностью ВВС, из Флориды в Лос-Анджелес, чтобы провести с Лесли день за игрой в шахматы.

Наши партии стали менее состязательными, допускался разговор, на столе — печенье и молоко.

— Ричард, вы зверь, — нахмурившись, она склонилась над фигурами. На ее части доски ситуация была угрожающей.

— Да, — ответил я самодовольно. — Я умный зверь.

— Только... шах конем, — произнесла она, — и шах слоном, и защищайте *ферзя!* Прелестный ход, не правда ли?

Кровь отхлынула у меня от лица. *Шах* — я ожидал его. *Ферзь* был сюрпризом.

— Действительно, прелестный, — сказал я, подстегиваемый годами тренировок на случай непредвиденной ситуации.

Вот те на... Хм... Ход найти можно и очень симпатичный. Но я ускользну, как тень. Зверь, г-жа Пэрриш, этак, словно тень, ускользнет...

Иногда зверь выкручивался, иной раз его отправляли в загон и наносили полное поражение только затем, чтобы позже подать кусочек пряника; и новая его попытка увлечь ее в свои силки.

Какая странная алхимия наших отношений! Я предполагал, что у нее есть множество мужчин для романов, так же как у меня — женщин. Предположения было достаточно: никто из нас не любопытствовал, каждый с глубочайшим уважением относился к личной жизни другого.

Как-то посреди партии она сказала: «Сегодня в Академии — фильм, который мне надо посмотреть. Режиссер был бы доволен. Пойдемте со мной?»

— С удовольствием, — рассеянно ответил я, занятый ведением обороны в ответ на атаку в сторону короля.

Я никогда не бывал в театре Академии*. Я ощущал некий романтический ореол, проезжая мимо здания. И вот я был внутри, на новом фильме со множеством кинозвезд. Как странно, думал я, моя простая летная жизнь вдруг оказалась тесно связанной с миром Голливуда, — благодаря книге и другу, который почти всегда меня побеждает в любимой игре.

После фильма, когда сквозь сумерки она вела машину на восток, к проспекту Санта-Моники, меня внезапно осенило вдохновение:

— Лесли, не хотите ли...

Молчание было таким мучительным.

---

* Akademy of Motion Picture Art & Sciences.

— Лесли, не хотите ли... *хот-фадж* с мороженым?*

Она отшатнулась.

— Горячего... *чего?*

— Горячего... мороженого. И партию в шахматы?

— Какая нелепая мысль! — ответила она. — Мороженое, я имею в виду. Вы не заметили, что я сижу на крупах, сырых овощах и йогурте и даже печенье только изредка во время партии в шахматы?

— Заметил. Поэтому вам нужно свежее мороженое. Как давно вы его ели? Только честно. Если это было на прошлой неделе, так и скажите — на прошлой неделе.

— На прошлой неделе? В прошлом *году!* Похоже на то, что я ем мороженое? Посмотрите на меня!

Впервые я посмотрел. Я откинулся на сиденье; я был поражен, обнаружив то, что самый тупой мужчина замечал сразу, — передо мной была чрезвычайно привлекательная женщина, и мысль творца, создавшего совершенное лицо, в полной гармонии с ним создала и тело.

За эти месяцы моего знакомства с нею я видел очаровательную бестелесную фею, ум, в котором были танцевальные па, справочник по кинопродукции, классическая музыка, политика, балет.

— Ну что? Можно сказать, что я питаюсь мороженым?

— Восхитительно! Нельзя сказать! Это определенно НЕ такое тело, какое бывает от мороженого! Позвольте вас заверить... — Я сгорал от смущения. Какая глупость, — подумал я, — взрослому мужчине... Ричард, смени-ка тему поскорее!

— Одно маленькое мороженое, — поспешно сказал я, — не повредит; это было бы счастье. Если вы сможете там свернуть, мы бы получили прямо в руки, горячее, маленькое, прямо сейчас...

---

* Фадж — мягкие конфеты, обычно приготовленные из сахара, молока, масла и шоколада, которые смешивают и варят определенным образом, а потом взбивают до консистенции густого крема (Вебстер), англ. A hot fudge sundae.

Она посмотрела на меня и улыбнулась, давая понять, что наша дружба осталась невредимой; она поняла, что я впервые обратил внимание на ее тело, и она не возражала. Но ее мужчины, — подумал я, — возразили бы наверняка, и это создало бы проблемы.

Без обсуждений, не произнеся ни слова, я выбросил мысли о ее теле из головы. Для романа у меня была великолепная женщина; чтобы иметь друга и партнера по бизнесу, мне нужно было поддерживать отношения с такой Лесли Пэрриш, какой она и была со мной.

ТРИНАДЦАТЬ

— Это не конец света, — спокойно сказал Стэн еще до того, как я сел по другую сторону его стола. — Это то, что у нас называется небольшая потеря. Товарная биржа Западного побережья вчера потерпела крах. Они застрахованы на случай банкротства. Ты потерял немного денег.

Мой финансовый менеджер всегда имел заниженные данные, потому, как только он это произнес, мои губы сжались.

— Насколько «немного» мы потеряли, Стэн?

— Около шестисот тысяч долларов, — ответил он. — Пятьсот девяносто с чем-то тысяч.

— Совсем?

— О, позже ты должен получить по несколько центов на доллар согласно решению отдела по делам о несостоятельности, — сказал он. — Но я бы считал их потерянными.

Я сглотнул.

— Хорошо, что есть другие вложения. Как дела в торговой палате в Чикаго?

— Там у тебя тоже есть определенные потери. Я уверен, временные. У тебя сейчас самый длинный ряд убытков, который мне когда-либо приходилось регистрировать. Так не может продолжаться все время, но пока ситуация не из лучших. Ты потерял около 800 тысяч долларов.

Он называл большую сумму, чем та, которая у меня была! Как мог я потерять больше, чем имел? На бумаге! Он, должно быть, имеет в виду бумажные потери. Невозможно утратить больше денег, чем имеешь.

Если бы я был способен что-нибудь изучить о деньгах, возможно, было бы хорошо уделить этому более пристальное внимание. Но мне пришлось бы учиться на протяжении месяцев; обращение с деньгами — это не полеты, это удушающе тоскливое дело: трудно разобраться даже в схемах.

— Все не так плохо, как кажется, — сказал он. — Убыток в миллион долларов сократит твои налоги до нуля; ты потерял больше этой суммы и, таким образом, ты не заплатишь ни цента подоходного налога в этом году. Но если бы у меня был выбор, я бы предпочел не терять.

Я не ощутил ни злости, ни отчаяния, словно очутился в комедийной ситуации, достаточно быстро повернуть стул, на котором я сидел, — и я увижу телевизионные камеры и людей в студии вместо стен этого офиса.

Неизвестный писатель зарабатывает миллион и теряет его за одну ночь. Не банальна ли такая ситуация? Неужели это действительно моя жизнь? — размышлял я, пока Стэн рассказывал мне обо всех этих бедах.

Люди с миллионными доходами, — они всегда были кем-то еще. Я же всегда был самим собой. Я авиапилот, посредственный актер, продающий прогулки на самолете со скошенных полей. Я писатель, пишущий как можно реже, разве что — вдохновляемый слишком привлекательной идеей, чтобы оставить ее неизложенной на бумаге... Какой мне интерес иметь дело с банковским счетом на более чем сто долларов, который все равно вряд ли кому-нибудь понадобится сразу?

— Должен также сообщить тебе, пока ты здесь, — продолжал спокойно говорить Стэн. — Относительно вклада, который ты сделал через Тамару, — этот государственный заем под высокие проценты на развитие за рубежом? Ее клиент исчез вместе с деньгами. Там было только пятьдесят тысяч долларов, но тебе следует знать.

Я не мог в это поверить.

— Он ее друг, Стэн! Она доверяла ему! И он исчез?

— Как говорится, и адрес не оставил. — Он внимательно посмотрел мне в лицо. — Ты доверяешь Тамаре?

Вот тебе на. Пожалуйста, только не *столь* избитое клише! Хорошенькая женщина накалывает богатого дурака на пятьдесят тысяч.

— Стэн, ты хочешь сказать, что *Тамара* могла что-то сделать?..

— Возможно. Мне кажется, это ее почерк на обратной стороне чека. Другое имя, но тот же почерк.

— Ты шутишь.

Он раскрыл папку, достал конверт и дал мне погашенный чек. На обороте была подпись *Sea Kay Limited,* by *WenlySmythe*. Высокие стремительные прописные буквы, изящные окончания букв «у». Увидев их на конверте, я готов был поклясться, что это было написано Тамарой.

— Это может быть чей угодно почерк, — сказал я и протянул конверт обратно через стол.

Стэн ничего больше не сказал. Он был уверен, что деньги у нее. Но Тамара была в моем ведении; никакого расследования не могло быть, пока я его не потребовал. Я никогда не спрошу и никогда не скажу ей об этом ни слова. Но я никогда ей не доверюсь.

— У тебя на самом деле остались кое-какие деньги, — сказал он. — И разумеется, — новые поступления, каждый месяц. После долгой полосы неудач должен произойти поворот в нашу пользу. Сейчас ты мог бы перевести оставшиеся средства в иностранную валюту. У меня есть предчувствие, что курс доллара относительно немецкой марки может упасть сейчас в любой момент, и ты смог бы за ночь вернуть себе утраченное.

— Это без меня, — сказал я. — Поступай так, как будет лучше по твоему мнению, Стэн.

Судя по вспышкам сигнальных огней и звону колоколов, возвещающих об опасности, мои владения, похоже, оказались атомной станцией за три минуты от катастрофы.

Наконец я встал, взял с тахты свою летную куртку.

— Когда-нибудь мы оглянемся на все это как на отправную точку, — сказал я ему. — С этого момента дела могут идти только лучше, не так ли?

Словно не услышав этого, он произнес:

— Я хотел сказать тебе еще одну вещь. Это непросто. Знаешь, говорят: «Власть коррумпирует, но при абсолютной власти — и коррупция абсолютная». И это так. Я думаю, это должно быть верно и для меня тоже.

Я не знал, что он имеет в виду, но я боялся спрашивать. Его лицо было невозмутимо. Стэн продажен? Это невозможно. Я уважал его много лет, я не мог сомневаться в его честности. «Это должно быть верно и для меня» могло означать только то, что когда-то он, должно быть, перекрыл по ошибке расходный счет. Это положение он, конечно, исправил, но тем не менее чувствует себя виноватым, обязанным сообщить мне. И, ясное дело, — если он говорит мне об этом сейчас, — он намерен не допускать впредь таких ошибок.

— Ладно, Стэн. Сейчас важно выйти из этого положения.

— Хорошо, — ответил он.

Я забыл об этом разговоре. Оставшимися деньгами распоряжался Стэн и люди, которых он знал и которым доверял, — мы им хорошо платили за услуги. Хотелось ли им бросить все эти сложные денежные дела, запустить их куда-нибудь в небо? Конечно, нет, особенно сейчас, когда все шло не так плохо.

Неудачи случаются со всеми, но мои менеджеры хорошо соображают, — думал я, — и скоро найдут решение — быстро и правильно.

ЧЕТЫРНАДЦАТЬ

— Здесь реактивный Один Пять Пять Икс-рей, — сказал я, нажав на кнопку выхода в эфир, — я снижаюсь для посадки с уровня три-пять-ноль на уровень два-семь-ноль.

Я смотрел поверх своей кислородной маски с высоты семи миль на пустыни Южной Калифорнии, инспектируя голубизну неба внизу с помощью длительной замедленной бочки.

Фактически я летел на запад, чтобы провести беседу в университете Лос-Анджелеса, которая должна была продолжаться целый день. Я был рад, однако, что в запасе было еще несколько дней.

— Внимание, Роджер Пять Пять Икс, — ответил центр в Лос-Анджелесе. — Есть свободное место на высоте два-пять-ноль. Снижайтесь медленнее.

Снижение со скоростью четыреста миль в час не казалось мне слишком быстрым. Я хотел посадить свой аппарат и повидаться с Лесли скорее, чем мог позволить самолет.

— Внимание, Пять Пять Икс, вы снизились до ноль-шесть-тысяча.

Я подтвердил это и направил нос своего самолета в сторону земли еще быстрее. Стрелка измерителя высоты устремилась вниз.

— Пять Пять Икс-рей находится на высоте один-восемь-ноль, — сказал я, — прекращаю передачу.

— Роджер Пять Икс, вы прекратили передачу на высоте ноль-пять. Земля желает вам удачной посадки!

Следы от кислородной маски еще не сошли с моего лица, когда я постучал в дверь ее дома на окраине Беверли-Хилс. Я нажал на кнопку дверного звонка. Музыка стала тише. И вот она выходит, глаза сияют, как свет солнца на морской волне, звучит радостное приветствие. Ни одного прикосновения, никаких рукопожатий, и ни один из нас не подумал, что это странно.

— У меня есть для тебя сюрприз, — сказала она, таинственно улыбнувшись при упоминании о нем.

— Лесли, я ненавижу сюрпризы. Извини, что я никогда не говорил тебе об этом, но я полностью и всецело ненавижу сюрпризы, даже если это подарки. Все, что мне нужно, я покупаю сам. Если у меня чего-то нет, — значит, оно мне не нужно. Так что, по определению, — сказал я ей ловко и решительно, — когда ты делаешь мне подарок, ты даешь мне то, чего я не хочу. Поэтому ты не обидишься, если я верну его, правда?

Она пошла на кухню. Ее волосы легко рассыпались по плечам и вниз по спине. Навстречу ей важной походкой вышел ее старый кот, очевидно считая, что пришло время ужинать.

— Еще рано, — сказала она ласково. — Ужинов пушистостям пока не дают.

— Меня удивляет, что ты еще *не купил* себе этого, — сказала она, оборачиваясь ко мне и улыбаясь, чтобы показать, что я не обидел ее. — Тебе явно следовало купить себе это, но если тебе не понравится, можешь выбросить. Вот.

Подарок был без упаковки. Это была обычная большая чашка из магазина дешевой распродажи, из самого дешевого магазина, и внутри нее был нарисован поросенок.

— Лесли! Если бы я *это* увидел, я бы сразу купил! Это сногсшибательно! Что это за прекрасная... штука?

— Я знала, что тебе понравится! Это чашка для поросенка. А вот... ложечка для поросенка! — И сразу у меня в руке — восьмидесятивосьмицентовая столовая ложка с портретом какой-то анонимной свиной морды. — А если ты заглянешь в холодильник...

Я быстро открыл толстую дверцу и увидел, что там стоит двухгаллонный барабан сливочного мороженого и банка объемом в кварту, на которой написано «FUDGE FOR HOT». Обе емкости были запечатаны и перевязаны красными ленточками. Холодный туман медленно плыл вниз с цилиндра и неторопливо, как в замедленном фильме, опускался к полу.

— Лесли!

— Что, поросенок?

— Ты... я... Ты хочешь сказать, что...

Она засмеялась как от того, что затеяла такой забавный розыгрыш, так и от звуков, которые издавал мой ум, когда его колесики проскальзывали по льду.

Я стал заикаться не от подарка, а от непредсказуемости того, что она, питавшаяся только зернышками и салатом, поставит в свой холодильник такие экстравагантные сласти лишь для того, чтобы посмотреть, как я наткнусь на них и потеряю дар речи.

Я вытащил цилиндр из холодильника на кухонный стол и открыл крышку. Полный до краев. Мороженое, посыпанное шоколадной крошкой.

— Надеюсь, что ложка для тебя найдется, — сказал я строго, погружая свою ложку для поросенка в густую массу. — Ты совершила немыслимый поступок, но сейчас все позади, и нам нечего делать — придется избавляться от улик. Вот тебе. Ешь.

Она достала маленькую ложечку из выдвижного ящика.

— А хот-фаджа не хочешь? Разве он тебе больше не нравится?

— Я просто обожаю его. Но думаю, что после сегодняшнего застолья ни ты, ни я не захотим больше слышать слово «хот-фадж» до конца жизни.

Никто не способен сделать ничего такого, что бы было для него не характерно, — думал я, — накладывая ложкой куски фаджа на сковородку, чтобы нагреть его. Может ли быть так, чтобы для нее была характерна непредсказуемость? Как я был глуп, когда думал, что знаю ее!

Я повернулся, а она смотрела на меня с ложечкой в руке и улыбалась.

— Действительно ли ты умеешь ходить по воде? — спросила она. — Так, как ты ходил в книге с Дональдом Шимодой?

— Конечно. И ты тоже можешь. Я и сам еще не делал этого в этом пространстве-времени. Точнее, в том, что я считаю этим пространством-временем. Видишь, вопрос становится все более запутанным. Но я работаю над ним постоянно.

Я помешал фадж, который окружил мою ложку одной сплошной массой в полфунта весом.

— Ты выходила когда-нибудь из тела?

Она даже не моргнула, услышав мой вопрос, и не потребовала от меня объяснений.

— Дважды. Однажды в Мексике. А однажды — в Долине Смерти, на вершине холма ночью под звездным небом. Я наклонилась назад, чтобы посмотреть, и свалилась *вверх,* оказавшись среди звезд... — Вдруг у нее на глазах появились слезы.

Я тихо сказал:

— Ты помнишь, как легко было, когда ты была свободной от тела среди звезд, как там все естественно, просто, правильно, реально-как-по-возвращении-домой?

— Да.

— Когда ходишь по воде, чувствуешь себя точно так же. Это сила, которая у нас... это одно из проявлений силы, которая у нас есть. Все легко и естественно. Нам следует усердно заниматься и остерегаться использовать эту силу, а то ограничения земной жизни станут совсем запутанными и выйдут из-под контроля, и мы не сможем больше ничему научиться. Наша беда в том, что так мы привыкли говорить себе, что мы *не будем* пользоваться нашей реальной силой, что теперь мы думаем, что не *можем* этого делать. Когда я был там с Шимодой, никто не задавал никаких вопросов. Когда его не оказалось рядом, я прекратил занятия. Я считаю, что даже небольшие достижения в этом деле уже очень много значат.

— Как хот-фадж?

Я пристально посмотрел на нее. Она насмехается надо мной?

Шоколад начал пузыриться в сковородке.

— Нет. Хот-фадж значит не так много, как усвоение основных принципов духовной реальности. Хот-фадж ЗДЕСЬ! Хот-фадж не угрожает нашему удобному мировоззрению. Хот-фадж СЕЙЧАС! Ты уже готова для хот-фаджа?

— Только самую маленькую капельку, — сказала она.

К тому времени, когда мы покончили с нашим десертом, было уже поздно и нам пришлось стоять в очереди длиной в два квартала, чтобы купить себе билеты в кино.

Дул ветер с моря, вечер был прохладным, и, не желая, чтобы она замерзла, я обнял ее.

— Спасибо, — сказала она. — Я не ожидала, что мы будем стоять на улице так долго. Тебе не холодно?

— Нет, — ответил я, — совсем не холодно.

Мы заговорили о фильме, который собирались посмотреть. Она больше говорила, а я слушал: на что обратить внимание в этом фильме, как определить то место, где было угрохано больше всего денег, и те сцены, на которых сэкономили. Она не любила, когда деньгами разбрасываются. В очереди мы также начали разговаривать и о другом.

— Легко ли быть актрисой, Лесли? Я никогда не спрашивал ни у одной из них об этом, но всегда желал узнать.

— А! Мэри Кинозвезда? — спросила она, посмеиваясь над своими словами. — Действительно ли тебя это интересует?

— Да. Для меня действительно загадка, что это за жизнь.

— Когда как. Иногда это прекрасно — когда хороший сценарий и хорошие люди, и они по-настоящему хотят сделать что-то стоящее. Но это редкий случай. Все остальное — просто труд. Но боюсь, что большая его часть не делает вклада в общечеловеческий прогресс. — Она вопросительно взглянула на меня. — Разве ты не знаешь, на что это похоже? Разве ты никогда не участвовал в съемках?

— Только вне помещений, на открытой местности. Но на сцене никогда.

— В следующий раз, когда я буду сниматься, ты придешь, чтобы посмотреть?

— Конечно, приду! Спасибо!

Как много всего у нее можно узнать, — думал я. — Все, чему она научилась, когда стала знаменитостью... изменило ли оно ее, испортило ли, заставило ли окружать себя стенами тоже? Вокруг нее чувствовалось какое-то поле уверенности, ее положительное отношение к жизни было притягивающим, неуловимо привлекательным. Она стояла на той вершине, которая была видна мне лишь издали; она видела свет, она знала секрет, который никогда не был мне доступен.

— Но ты мне не ответила, — сказал я. — Помимо съемок фильмов — какова твоя жизнь, как ты себя чувствуешь в качестве Мэри Кинозвезды?

Она взглянула на меня, некоторое время поколебавшись, а затем решила, что мне можно доверять.

— Вначале это захватывающе. Ты думаешь, что ты отличаешься от других, что в тебе есть что-то особенное, и это даже может быть правдой. Затем ты вспоминаешь, что ты такой же человек, каким был всегда; единственное отличие в том, что внезапно твой фильм начинают смотреть везде, о тебе пишут статьи, где рассказывают, кто ты, что ты говоришь и куда отправишься вскоре, и люди останавливаются на улицах, чтобы посмотреть на тебя. Ты теперь знаменитость. Пожалуй, точнее будет сказать, что ты оказываешься в центре внимания. И говоришь себе: *Я не заслуживаю такого внимания!*

Она подумала и добавила:

— И дело не в том, что люди превращают тебя в знаменитость. Это что-то другое. Это *то, что ты символизируешь для них.*

Когда разговор становится важным, пробегает волна возбуждения и мы ощущаем быстрый рост новых сил. Слушай внимательно, Ричард, она права!

— Другие люди думают, что знают, кто ты: слава, секс, деньги, власть, любовь. Все это может быть сновидением газетчика, которое не имеет к тебе никакого отношения. Может быть, это нечто, что тебе совсем не нравится, но это то, что они думают о тебе. Люди бросаются к тебе со всех сторон, они думают, что получат все это, если прикоснутся к тебе. Это пугает, и ты возводишь вокруг себя стены, толстые стеклянные стены, и в то же время ты пытаешься думать, пытаешься не падать духом. Ты знаешь, кто ты внутри, но люди снаружи видят что-то другое.

Ты можешь сделать выбор в пользу образа, но тогда ты отказываешься от себя какой ты есть, или же ты продолжаешь быть собой, но чувствуешь, что твой образ становится фальшивым.

И еще ты можешь выйти из игры. Я думала, если быть кинозвездой так великолепно, почему в Городе Знаменитостей живет столько пьяниц и наркоманов, почему там так много разводов и самоубийств? — Она взглянула на меня открыто, беззащитно. — И я решила, что игра не стоит свеч. Я уже почти полностью прекратила сниматься.

Мне захотелось обнять и прижать ее к себе за то, что она была так откровенна со мной.

— Ты — Знаменитый Автор, — сказала она. — Ты тоже так себя чувствуешь? Имеет ли это какой-то смысл для тебя?

— Очень большой. Мне совсем невредно было бы побольше узнать обо всей этой дряни. Газеты, например, они с тобой так поступали? Печатали то, что ты никогда не говорила?

Она засмеялась.

— Не только то, что я никогда не говорила, но и то, что я никогда не думала, чему никогда не верила и чего никогда бы не подумала делать. Однажды обо мне напечатали фиктивную историю, с прямой речью, где все «дословно». И все выдумка. Я никогда не встречалась с этим репортером... он даже никогда не звонил мне. И вот, пожалуйста, напечатали! И ты молишься, чтобы зрители не поверили тому, что пишут о тебе в таких газетах.

— Со мной так не бывало, у меня есть теория.

— Какая теория? — спросила она.

Я рассказал ей о том, что знаменитости являются примером для всех нас, подвергаясь в мире всевозможным испытаниям. Моя теория не прозвучала так убедительно, как то, что сказала она.

Она наклонила голову ко мне и улыбнулась. Когда солнце зашло, я заметил, что ее глаза изменили свой оттенок и приобрели цвет лунного света на морской волне.

— Хорошая у тебя теория, о примерах, — сказала она. — Но ведь каждый человек является примером, разве не так? Разве каждый не воплощает в себе то, что он думает, все те решения, которые он принял до этого времени?

— Правда. Однако я не знаю ничего об обычном человеке; такие люди ничего не значат для меня до тех пор, пока я не встречусь с ними лично, или не прочитаю о них, или не увижу их на экране. Когда-то по телевизору была передача о каком-то ученом, который проводит исследования, почему скрипка звучит так, как она звучит. Я подумал сначала, зачем все это нужно миру? Когда миллионы людей умирают от голода, кому нужны исследования звуков скрипки?

Но затем я изменил свое мнение. Миру нужны примеры людей, которые живут интересной жизнью, проводят исследования и меняют характер современной музыки. Что делают со своими жизнями те люди, которые не страдают от бедности, не пали жертвой преступного мира или войны? Мы должны знать людей, которые сделали в жизни такой выбор, какой мы тоже можем сделать, чтобы стать людьми по праву. В противном случае у нас может быть вся пища в мире, но зачем она нам? Нам нужны модели! Мы любим их! Как ты думаешь?

— Наверное, так же, — сказала она. — Но мне не нравится это слово, *модель.*

— Почему? — спросил я и сразу же понял сам. — Ты была когда-то моделью?

— В Нью-Йорке, — ответила она так, будто это был постыдный секрет.

— А что в этом плохого? Модель — это общественный пример особой красоты!

— Это-то и плохо. Трудно соответствовать такому уровню в жизни. Это пугает Мэри Кинозвезду.

— Почему? Чего она боится?

— Мэри стала актрисой, потому что в студии решили, что она хороша собой. И с тех пор она боится, что миру станет известно, что она не так уж красива и никогда не была красивой. Быть моделью довольно непрестижно. Когда ты называешь ее общественным примером красоты, это ухудшает ее репутацию.

— Но Лесли, ведь ты *действительно* прекрасна! — Я покраснел. — Я имею в виду, что ни у кого не может быть сомнений в том, что ты... что ты... очень привлекательна...

— Спасибо, но то, что ты говоришь, не относится к делу. Что бы ты ей ни говорил, Мэри считает, что красота — это образ, который другие создают для нее. И она находится в плену у этого образа. Даже когда она идет за продуктами, она должна выглядеть идеально — вот что это значит. Если что-то будет не так, найдется кто-то, кто узнает ее и скажет своим друзьям: «Вам нужно получше присмотреться к ней! Она даже наполовину не так красива, как о ней думают!» И тогда все разочаруются в Мэри. — Она снова улыбалась, на этот раз немножко грустно. — Каждая актриса в Голливуде, каждая красивая женщина, которую я знаю, притворяется красивой и боится, что мир рано или поздно откроет секрет ее привлекательности. Это касается и меня.

Я покачал головой.

— Сумасшедшая. Ты совсем сумасшедшая.

— Мир сходит с ума, когда речь идет о красоте.

— Я думаю, что ты красива.

— А я думаю, что это ты сошел с ума.

Мы засмеялись, но она не шутила.

— Верно ли то, — спросил я ее, — что у красивых женщин трагически складывается жизнь? — Это был вывод, который я сделал, общаясь со своей Совершенной Женщиной во многих лицах. Возможно, правильнее было бы говорить не о трагичности, а о сложности. Незавидности. Тягостности.

Она немного подумала.

— Если они считают, что их красота — это *они* сами, — сказала она, — тогда они стремятся к бессмысленной жизни. Когда все зависит от того, как ты выглядишь, — ты полностью теряешь себя, глядя в зеркало, и никогда не находишь вновь.

— Кажется, ты все же нашла себя.

— Все, что я нашла, я нашла не благодаря красоте.

— Расскажи мне.

Она рассказывала, а я слушал, и мое удивление переходило в восхищение. Лесли, которую она в себе нашла, была найдена не на съемочной площадке, а в антивоенном движении, комитете обозревателей, который она организовала и возглавляла. Подлинная Лесли Пэрриш провозглашала речи, боролась на политических митингах, выступала против американского правительства, которое поддерживало войну во Вьетнаме.

Пока я летал на истребителях Военно-Воздушных сил, она организовывала антивоенные выступления на Западном Побережье. За смелость выступить против войны она подвергалась судебным преследованиям, ее травили слезоточивым газом во время демонстраций, ей угрожали расправой банды правых экстремистов. Но она продолжала деятельность, организуя все большие выступления, собирая средства у общественности.

Она помогала демократически настроенным конгрессменам-сепараторам и новому мэру Лос-Анджелеса победить в выборах, она была делегатом на президентских собраниях.

Она стала одним из основателей телеканала KVST на телестанции Лос-Анджелеса. Этот канал был льготным для беднейших меньшинств города. Она стала его президентом, когда он оказался в неблагоприятном положении. У него было много долгов, и кредиторы не желали больше ждать. Некоторые счета она оплатила своими деньгами, полученными за съемки фильмов с ее участием. В итоге канал выжил и стал процветать. Люди видели это, и по всей стране заговорили о благородном начинании. Вслед за успехом пришла борьба с властью. Ее называли богатой расисткой; в нее стреляли. KVST лопнул в тот же день, когда она ушла с него. Он никогда не возродился вновь.

— Даже теперь, — сказала она мне, — я не могу спокойно смотреть на пустой экран телевизора по каналу номер шестьдесят восемь.

Мэри Кинозвезда оплатила путь до Лесли Пэрриш. Убежденный борец за справедливость и перестройщик миров, Лесли ходила в одиночку на вечерние политические митинги в тех частях города, куда у меня не хватило бы смелости пойти даже средь бела дня. Она участвовала в пикетировании вместе с рабочими, ходила с ними на демонстрации, собирала для них средства. Она — сторонник ненасильственного сопротивления — посвятила себя самым яростным баталиям в современной Америке.

Она отказывалась играть в фильмах эротические сцены.

— Я не буду сидеть в своей гостиной в обнаженном виде вместе со своими друзьями в воскресенье вечером. Почему я должна это делать с группой незнакомцев на съемочной площадке?

С моей точки зрения, если бы я согласилась на нечто столь для меня противоестественное, это была бы проституция.

Когда каждая роль в фильмах стала требовать участия в эротических сценах, она отказалась от карьеры актрисы и перешла на телевидение.

Я слушал ее так, будто это был невинный фавн, которого я встретил на поляне и который, тем не менее, вырос на самом дне преисподней.

— Однажды в Торрансе была манифестация, мирная манифестация, — рассказывала она. — Она была запланирована, и мы получили разрешение на ее проведение. За несколько дней мы получили предупреждение от экстремистов из правого крыла, что они убьют одного из наших лидеров, если мы отважимся выйти. Было уже слишком поздно, чтоб отменить...

— Отменить никогда не поздно! — воскликнул я. — Зачем вам это?!

— Слишком много людей уже собралось, и кого можно было оповестить в последний момент? И к тому же если только несколько человек выйдут на митинг, тогда экстремистам будет легко совершить убийство, не так ли? Поэтому мы позвали репортеров, телевизионщиков. Мы сказали им, чтобы они пришли и посмотрели, как нас убивают в Торрансе! Затем манифестация началась; мы окружили со всех сторон человека, которого они собирались убить; мы шли с ним рука об руку. Им пришлось бы перестрелять всех, чтобы добраться до него.

— Ты... они стреляли?

— Нет. Убийство одного из нас перед телекамерой, мне кажется, не входило в их планы. — Она вздохнула, припомнив все это. — Это были плохие времена, не так ли?

Я не знал, что ей сказать. В этот момент мы стояли в очереди за билетами, и я обнимал своими руками редкого человека в моей жизни — человека, который восхищал меня.

Я, который всегда уходил от столкновений, потерял дар речи, осознавая контраст между нами. Если другие желают воевать, погибать на войне или выступать против войны, считал я, то в этом проявляется их свобода выбора. Для меня имеет значение лишь один мир — субъективный мир человека, который каждый создает для себя сам. Я бы скорее начал по-другому истолковывать историческое прошлое, но не стал бы политиком, не стал бы убеждать людей писать письма, голосовать, выступать или делать то, к чему они сами не чувствуют расположенности.

Она так сильно отличалась от меня. Откуда *же* это благоговейное уважение по отношению к ней?

— Ты думаешь о чем-то очень важном, — сказала она мне серьезным тоном.

— Да. Ты права. Ты полностью права. — Я так хорошо понял ее в этот момент, она мне так сильно понравилась, что я сказал ей все, что думал. — Я подумал, что именно это различие между нами делает тебя моим лучшим другом.

— Да?

— У нас очень мало общего — шахматы, хот-фадж, фильм, который мы хотим посмотреть, — и в то же время мы так сильно отличаемся во всех других отношениях, что ты не кажешься мне такой опасной, как другие женщины. У них часто есть надежда выйти замуж. Но для меня одного брака уже достаточно. Никогда больше.

Очередь медленно ползла вперед. Мы будем в зале не раньше, чем через двадцать минут.

— Все это относится и ко мне, — сказала она и засмеялась. — Я не хочу показаться тебе опасной, но это еще одна наша общая черта. Я уже давно разведена. Едва ли я вообще встречалась с кем-то до свадьбы, поэтому, когда я получила развод, я начала встречаться, встречаться, встречаться! Но ведь так невозможно узнать человека, как ты думаешь?

Мы можем отчасти узнать его, — думал я, — но лучше было послушать, что она думает об этом.

— Встречалась с некоторыми из самых выдающихся, самых пресловутых, знаменитых людей этого мира, — сказала она, — но никто из них не сделал меня счастливой. Большинство из них подкатывают к твоей двери в машине, которая больше, чем твой дом. Они одеваются изысканно, они едут с тобой в фешенебельный ресторан, где все собравшиеся — знаменитости. Затем ты получаешь фотографию и видишь, что все выглядит так пышно, весело и изысканно! Я продолжала думать, что лучше мне ходить в *хороший,* а не в фешенебельный ресторан, носить ту одежду, которая мне нравится, а не ту, которую модельеры считают в этот год последним криком моды. А чаще всего я бы предпочла спокойно побеседовать или прогуляться в лесу. Мне кажется, что это другая система ценностей.

— Мы должны иметь дело с той валютой, которая представляет для нас ценность, — продолжила она, — в противном случае любой успех в этом мире не покажется нам удовлетворительным, не принесет счастья. Если кто-то пообещает, что тебе заплатят миллион скрунчей за то, что ты перейдешь через улицу, а скрунчи не представляют для тебя никакой ценности, — ты будешь переходить через улицу? А если тебе пообещают сто миллионов скрунчей, что тогда?

Я чувствовала такое отношение к большей части того, что высоко ценилось в Голливуде, будто я имею дело со скрунчами. У меня было все, чего требовало мое положение, но я чувствовала себя как бы в пустоте. Казалось, что я не могу уделять много внимания всему, что меня окружало. Зачем это все, если это лишь скрунчи? — спрашивала я себя. А между тем я боялась, что если буду продолжать встречи, то рано или поздно я сорву банк стоимостью в миллион скрунчей.

— Как это могло случиться?

— Если бы я *вышла замуж* за мистера Выдающегося, я бы до конца жизни носила изысканную одежду, была бы хозяйкой дома для выдающихся людей на аристократических застольях в его кругу. Он бы стал моей гордостью, а я — его завоеванием. Вскоре бы мы стали жаловаться, что наш брак утратил всякий смысл, что мы не так близки друг другу, как нам следовало бы быть, — когда о смысле и близости говорить было бы уже слишком поздно.

Я очень ценю две вещи — душевную близость и способность доставлять радость. Кажется, их нет в списке ни одного другого человека. Я чувствовала себя как чужой человек в чужой стране и решила, что лучше мне не выходить замуж за туземцев.

— Я отказалась еще от одной вещи. От встреч. А сейчас... — сказала она, — хочешь узнать секрет?

— Скажи.

— Сейчас я бы предпочла быть со своим другом Ричардом, чем встречаться с кем угодно другим!

— Аууу... — сказал я. Я обнял ее за это, неловко обнял одной рукой.

Лесли была уникумом в моей жизни: красивая сестра, кому я доверял и кем восхищался, с которой я проводил ночь за ночью за шахматной доской, но ни одной минуты в постели.

Я рассказал ей о своей совершенной женщине, как хорошо эта идея работает. Я чувствовал, что она не согласна, но слушает с интересом. Прежде чем она успела ответить, мы уже были в кинотеатре.

В фойе, где уже не было холодно, я перестал обнимать ее и не прикасался к ней больше.

Фильм, который мы увидели в этот вечер, нам суждено было посмотреть еще одиннадцать раз до конца этого года. В этом фильме было большое, пушистое, голубоглазое существо с другой планеты, которое попало к нам в результате крушения космического корабля. Это существо называлось *вуки*. Мы полюбили его так, будто мы сами были двумя вуки, а на экране видели своего представителя.

В следующий раз, когда я прилетел в Лос-Анджелес, Лесли встретила меня в аэропорту. Когда я вылез из кабины, она вручила мне коробку, перевязанную ленточкой с бантиком.

— Я знаю, что ты не любишь подарков, — сказала она, — поэтому я принесла тебе это.

— Я никогда не делаю тебе подарков, — прохрипел я польщенно. — Это мой тебе подарок: никогда не делать тебе подарков. Почему?..

— Открой коробку, — попросила она.

— Хорошо, еще один раз. Я открою ее, но...

— Открывай же, — сказала она нетерпеливо.

Подарком оказалась эластичная и пушистая маска вуки, которая надевалась на голову и доходила до шеи. В ней были сделаны дырки для глаз, а зубы были отчасти обнажены — полное подобие героя нашего любимого фильма.

— Лесли! — воскликнул я.

Маска мне очень понравилась.

— Теперь ты сможешь позабавить всех своих подруг своим мягким пушистым лицом. Надень ее.

— Ты хочешь, чтобы я прямо здесь на аэродроме у всех на виду?..

— Да, надень! Для меня. Надень ее.

Под влиянием ее обаяния весь мой лед растаял. Я надел маску, чтобы позабавиться, немножко порычал, как вуки, а она смеялась до слез. Я тоже смеялся под маской и думал о том, как много она для меня значит.

— Пошли, вуки, — сказала она, вытирая слезы и внезапно взяв меня за руку. — Мы можем опоздать.

Верная своему обещанию, она поехала со мной из аэропорта в киностудию MGM, где заканчивались съемки фильма с ее участием. По пути я заметил, что люди с ужасом смотрят на меня в машине, и я снял маску.

Для того, кто никогда не был в звуковом киносъемочном павильоне, это было похоже на приглашение в царство Запутанности, где везде проведена Запретная Черта. Кабели, стойки, операторские пульты, камеры, тележки для камер, направляющие, лестницы, подвесные леса, прожекторы... Потолок был прямо увешан огромными тяжелыми прожекторами, и я мог поклясться, что арматура над головой вот-вот не выдержит. Люди были везде, перетаскивая аппаратуру с места на место, настраивая ее или сидя в окружении разных установок, ожидая следующего звонка или светового сигнала.

Она появилась из своей гримерной в золотистого цвета мантии из парчовой ткани или в чем-то похожем на мантию. Затем она проскользнула ко мне через все кабели и препятствия на полу, будто это были узоры на коврике.

— Тебе хорошо видно отсюда?

— Конечно. — Я корчился от взглядов всех служащих, которые следили за ней, но она, казалось, не замечала их. Я был раздражен, скован и чувствовал себя как мустанг из прерий, который оказался в тропических джунглях, но она вела себя как дома. Мне казалось, что стоит неимоверная жара, а она выглядела отдохнувшей, свежей и сияющей.

— Как тебе это удается? Как ты можешь играть роль, когда все это происходит вокруг, когда все мы смотрим? Я думал, что исполнение роли — это что-то уединенное, каким-то образом...

— ОСТОРОЖНО! ДАЙТЕ ДОРОГУ! — Два человека волокли на сцену дерево, и если бы она не прикоснулась к моему плечу, чтобы я отошел в сторону, я бы не избежал столкновения с ветками и декорацией, на которой изображалась улица.

Она посмотрела на меня и на то, что было, как мне казалось, окружающим нас хаосом.

— Нам еще придется ужасно долго ждать, пока они настроят все эти специальные эффекты, — сказала она. — Надеюсь, что тебе не будет скучно.

— Скучно? Это все захватывает! Как ты можешь смотреть на это спокойно? Разве ты нисколечко не волнуешься, хорошо ли сыграешь роль?

Электрик на подвесных лесах над нами посмотрел вниз на Лесли и закричал сверху:

— Джордж! Не правда ли, сегодня те горы хорошо видны? *Какая красота!* О! Здравствуйте, мисс Пэрриш, как дела у вас там внизу?

Она посмотрела вверх и прижала рукой золотистую мантию к своей груди.

— Работайте, ребята! — засмеялась она. — Или вам делать нечего?

Электрик покосился на меня и покачал головой:

— Это компенсация за нашу высотную работу!

Она продолжила разговор со мной, как будто ничего и не произошло:

— Режиссер беспокоится. Мы отстаем на полтора дня от расписания. Наверное, сегодня придется работать поздно вечером, чтобы догнать график. Если ты устанешь, а я буду как раз задействована в съемке в это время, возвращайся в гостиницу сам. Я тебе позвоню, когда мы закончим, если не будет очень поздно.

— Сомневаюсь, чтобы я устал. Не разговаривай со мной, если я здесь тебе мешаю, если хочешь повторить свои слова перед выходом...

Она улыбнулась.

— Это не проблема, — сказала она и посмотрела быстро в сторону съемочной площадки. — Мне уже пора идти туда. Желаю тебе хорошо провести время.

Парень, стоящий рядом с камерой, закричал:

— Первая группа! Займите, пожалуйста, свои места!

Почему она совсем не переживала о том, чтобы не забыть свои слова? Я чувствовал, что мне повезло, когда мне удавалось, не перечитывая много раз, запомнить те слова, которые я написал сам. Но почему она не волнуется, когда нужно помнить так много чужих слов?

Начались съемки. Сначала одна сцена, затем другая, а потом еще одна. Она ни разу не посмотрела в текст. Я чувствовал себя привидением, которое наблюдает за своими собратьями, когда видел ее игру в снимаемой драме. Она ни разу не сбилась. Когда я наблюдал за ней, мне казалось, что я вижу друга, который в то же время — незнакомец для меня. У меня было странное теплое настроение — моя сестра сейчас находится в окружении прожекторов и камер!

Изменилось ли мое отношение к ней, — подумал я, — когда я увидел ее здесь?

Да. Здесь происходит нечто магическое. У нее есть способности и навыки, которым я никогда не мог научиться до сих пор и никогда не смогу в будущем. Если бы она не была актрисой, она бы нравилась мне не меньше. Но она оказалась актрисой, и поэтому стала еще более привлекательна для меня.

Мне всегда нравилось встречаться с людьми, которые могли делать то, что было недоступно мне. Это всегда было очень увлекательно. То, что Лесли оказалась одной из таких моих знакомых, доставляло мне большое удовольствие.

На следующий день в ее офисе я попросил об одном одолжении.

— Можно мне воспользоваться твоим телефоном? Я хочу позвонить в Общество писателей...

— Пять-пять-ноль и тысяча, — сказала она с отсутствующим видом, перемещая телефон поближе ко мне и не отрывая глаз от финансовых сводок, которые поступили из Нью-Йорка.

— Что это?

Она посмотрела на меня.

— Это телефон Общества писателей.

— Откуда ты знаешь этот номер?

— Гм-м.

— Как ты можешь его знать?

— Я знаю много номеров. — И она снова вернулась к своим бумагам.

— Что это значит: «Я знаю много номеров»?

— Просто я помню много телефонных номеров, — ласково ответила она.

— А что, если я захочу позвонить в... Парамаунт-фильм? — спросил я с подозрением.

— Четыре-шесть-три, ноль и сто.

Я с недоверием покосился на нее.

— А хороший ресторан?

— «Волшебная сковородка» — довольно хороший. В нем есть зал для некурящих. Два-семь-четыре, пять-два-два-два.

Я взял телефонный справочник и принялся листать его.

— Общество актеров, — сказал я.

— Восемь-семь-шесть, три-ноль-три-ноль. — Она сказала правильно. Я начал понимать.

— У тебя вчера не было текста сценария. Лесли... неужели у тебя фотографическая память? Неужели ты запомнила наизусть... *весь телефонный* справочник?

— Нет. Это не фотографическая память, — сказала она. — Я не вижу перед собой напечатанной страницы, я просто помню. Мои руки запоминают телефонные номера. Спроси у меня какой-нибудь номер и посмотри на мои руки.

Я открыл толстую книгу и перевернул несколько страниц.

— Город Лос-Анджелес. Приемная мэра?

— Два-три-три, один-четыре-пять-пять.

Пальцы ее правой руки двигались так, будто набирали на кнопочном телефонном аппарате. Только теперь шел обратный процесс: она вспоминала цифры, а не набирала их.

— Дэннис Вивер, актер.

— Один из приятнейших людей в Голливуде. Его домашний телефон?

— Да.

— Я пообещала, что никогда никому не буду его давать. Может быть, назвать тебе вместо него номер телефона магазина здоровой пищи «Гуд лайф», в котором работает его жена?

— Давай.

— Девять-восемь-шесть, восемь-семь-пять-ноль.

Я проверил номер по справочнику. Конечно, снова она была права.

— Лесли! Ты пугаешь меня!

— Не бойся, вуки. Это просто одна из забавных вещей, которые происходят со мной. Когда я была маленькой, я запоминала музыку *и знала номерные знаки всех в городе*. Когда я пришла в Голливуд, я запоминала сценарии, последовательность движений в танце, телефонные номера, расписания, разговоры и все что угодно. Номер твоего красивого желтого самолетика N Один Пять Пять X. Номер твоего телефона в гостинице два-семь-восемь, три-три-четыре-четыре, а остановился ты в комнате номер двести восемь. Когда мы вышли из студии вчера вечером, ты сказал: «Напомни мне, чтобы я рассказал тебе о моей сестре, которая работает в шоу-бизнесе». Я сказала: «А может, мне напомнить тебе об этом прямо сейчас?» И ты сказал: «Вполне можно и сейчас, потому что я в самом деле хочу тебе рассказать о ней». Я сказала: «Тогда я напоминаю...» — Она прекратила вспоминать и засмеялась, видя мое удивление. — Ты смотришь на меня так, Ричард, будто я ненормальная.

— Это так и есть. Но ты мне нравишься в любом случае.

— И ты мне нравишься тоже, — сказала она.

* * *

Ближе к вечеру в этот день я работал над телесценарием, переделывая последние несколько страниц и выстукивая их на Леслиной пишущей машинке. Она в это время улизнула в сад, чтобы поухаживать за своими цветами. Даже сейчас, — думал я, — как сильно мы отличаемся друг от друга. Цветы — прелестные маленькие создания, это ясно, но уделять им столько времени, сажать их для того, чтобы они зависели от меня, который должен их поливать, подкармливать, полоть и делать все то, что для них нужно... Нет, зависимость не для меня. Я никогда не буду садовником, а она никогда не будет какой-то другой.

Среди комнатных растений в ее офисе были полки с книгами, которые отражали все цвета той радуги, которой она была. Над столом были выписаны цитаты и идеи, которые нравились ей:

Наша страна может поступать правильно или неправильно.

КОГДА ОНА ПОСТУПАЕТ ПРАВИЛЬНО, ПОДДЕРЖИВАЙТЕ ЕЕ В ЭТОМ;

КОГДА ОНА ПОСТУПАЕТ НЕПРАВИЛЬНО, ИСПРАВЛЯЙТЕ ЕЕ ОШИБКИ.

(Кари Шурц)

Не курить: ни здесь, ни где-нибудь еще!

Гедонизм — плохое развлечение.

Я опасаюсь за свою страну, когда я думаю, что Бог справедлив.

(Томас Джефферсон)

Предположим, что войну объявили, а никто не идет воевать. Что тогда?

Последнее было ее собственным высказыванием. Она предложила его в качестве лозунга, а потом его подхватили все участники антивоенного движения, и телевидение быстро разнесло его по всему миру.

Я размышлял об этих высказываниях время от времени, отрываясь от работы над своим сценарием, и понимал ее все лучше и лучше с каждым звуком, который доносился из сада, где она работала лопатой, секатором и граблями. Затем донеслось глухое шипение воды, текущей по трубам и по шлангу, когда она ласково утоляла жажду всех членов своего цветочного семейства. Она знала и любила каждый отдельный цветок.

Она от меня отличается, отличается, отличается, твердил я про себя, заканчивая последний абзац, но, Боже мой, я восхищаюсь этой женщиной! Был ли у меня когда-либо такой друг, как она, даже если учесть все наши различия?

Я встал, потянулся и вышел через кухню и боковую дверь в ее сад. Поливая цветочные клумбы, она стояла спиной ко мне. Ее волосы были на время работы собраны на затылке. Она тихо пела, обращаясь к своему коту.

Ты мой котик — о, да! —
Ты мой пушистик, моя звездочка.
Когда уходишь, не ходи далеко...

Ее коту, по всей видимости, песенка очень нравилась, и это был слишком интимный момент, чтобы я мог долго стоять незамеченным. Поэтому я заговорил так, будто только что подошел.

— Как дела у твоих цветов?

Она быстро развернулась в мою сторону со шлангом в руке. В ее голубых, с чайное блюдце глазах был испуг, потому что она оказалась не одна в своем уединенном саду.

Разбрызгиватель на конце шланга был направлен на высоту груди, но был настроен так, что вода лилась конусом, который имел в диаметре несколько футов и доставал мне от пояса до шеи. Никто из нас не сказал ни слова и не пошевелился, когда вода из шланга лилась прямо на меня, будто я был горящим манекеном.

Она оцепенела от страха. Сначала от моих неожиданных слов, а затем от вида того, что вода сделала с моим пиджаком и рубашкой. Я стоял не двигаясь, потому что мне казалось неприличным кричать или убегать и потому, что я надеялся, что вскоре она наконец решит направить струю в каком-то другом направлении и не поливать больше из нее прямой наводкой мой городской костюм.

Эта сцена так ясно запечатлелась в памяти, будто у нее в руках было смертельное оружие... солнечный свет, сад, окружающий нас, огромное удивление у нее в глазах, будто в ее цветочный рассадник ворвался полярный медведь и шланг был ее единственной защитой. Если я буду поливать довольно долго полярного медведя водой из шланга, должно быть, думала она, он, наверное, развернется и убежит.

Я не чувствовал, что похож на полярного медведя в чем-то, кроме того, что меня поливают струей ледяной воды и одежда на мне постепенно промокает. Я увидел, наконец, как она ужаснулась, поняв, что сделала с тем, кто не был полярным медведем, а был ее другом по бизнесу, приехавшим погостить к ней в дом. Хотя она все еще по-прежнему неподвижно стояла, способность контролировать разбрызгиватель вернулась к ней и она медленно отвела льющуюся воду в сторону.

— Лесли! — сказал я в тишине под звук стекающей воды, — я только хотел...

И вдруг она залилась смехом. В ее глазах была безудержная веселость, все еще затуманенная предшествовавшим шоком — они умоляли о прощении. Смеясь и рыдая, она упала в мои объятия, прижимаясь к пиджаку, из карманов которого вытекала вода.

ПЯТНАДЦАТЬ

— Сегодня звонила Кэтти из Флориды, — сообщила Лесли, расставляя по местам свой шахматный народец и готовя его к очередному поединку. — Она ревнует?

— Ни в коем случае. При знакомстве с какой-либо женщиной я договариваюсь с ней об отсутствии ревности.

Я ощущал внутреннее недовольство. Для верной расстановки фигур я все еще вынужден бурчать себе под нос фразу: «Королеве-ее-собственный-цвет». И это после стольких лет игры в шахматы.

— Она хотела узнать, есть ли у тебя, кроме меня, какие-нибудь особые приятельницы здесь, в Лос-Анджелесе, поскольку за последнее время ты приезжал сюда слишком часто.

— Да ну, перестань, — не верилось мне. — Ты шутишь.

— Честное слово.

— И что ты ей ответила?

— Я успокоила ее. Я сказала ей, что когда ты здесь, то не бываешь с *кем-попало* и проводишь все время со мной. Мне кажется, ей стало лучше. Но, может быть, тебе следовало бы еще раз договориться с ней об отсутствии ревности, так, на всякий случай.

Она на минуту оторвалась от доски, чтобы взглянуть на коллекцию своих музыкальных записей.

— У меня есть Первый концерт Брамса в исполнении Озавы, Орманди и Мехты. Что ты предпочитаешь?

— Что-нибудь наиболее отвлекающее тебя от шахмат.

Мгновение поразмыслив, она выбрала кассету и вставила ее в свою замысловатую аппаратуру.

— Вдохновляющее, — уточнила она. — Чтобы отвлекаться, у меня есть другие записи.

С первого же хода игра приобрела напряженный характер и длилась вот уже полчаса.

Она только вот-вот дочитала *Современные принципы шахматного дебюта,* которые стерли бы меня в порошок, если бы двумя днями ранее я не покончил с *Шахматными ловушками, капканами, тупиками.* Мы играли приблизительно на равных, затем с моей стороны последовал блестящий ход и равновесие покачнулось.

Насколько я мог видеть, любой ее ход, кроме одного, гарантировал мой успех. Единственным спасением для нее оказался бы ход пешкой для прикрытия клетки, вокруг которой я выстроил свою тонкую стратегию.

Без этой самой клетки мои усилия напоролись бы на камень.

Часть меня, всерьез воспринимавшая шахматную игру, представила себе, что Лесли, заметив этот ход, разрушила мои планы и вынудила меня бороться за свою жизнь, воплощенную в деревянных фигурках (лучше всего я играю тогда, когда меня прижимают к стенке). Просто невообразимо, как бы я выкрутился, если бы она воспрепятствовала моему замыслу.

Другую часть меня, знавшую, что это всего-навсего игра, тешили надежды на то, что Лесли упустит свой шанс, поскольку изобретенная мной стратегия была такой прелестной, такой стройной. Пожертвовать королевой, и через пять ходов — мат.

Пока она размышляла над шахматной доской, я на мгновение закрыл глаза, потом открыл их, столкнувшись нос к носу с удивительными мыслями.

Передо мной был стол, за ним находилось окно, полное красок мерцающего в сумерках Лос-Анджелеса. Последний день июня, догорая, погружался в море. Лесли, силуэт которой вырисовывался на фоне этих красок и огоньков сидела за шахматной доской в дымке раздумий, притихшая, словно насторожившаяся лань. Ее пшенично-кремовые тона мягко утопали в спокойствии наступающего вечера.

«Теплое мягкое виденье, — подумал я. — Откуда пришло оно, кто его прислал?»

Ловушка из слов, собранная наскоро, сети из пера из записной книжки, наброшенные на мысль до того, как та убежит.

Время от времени, — писал я, — *забавно просто закрыть глаза и посреди этой темноты шепнуть самому себе: я — волшебник, и когда я открою глаза, то увижу мир, который я создал, мир, творцом которого являюсь я и только я. Затем медленно, словно занавес на сцене, приподнимаются веки. И глядите, без сомнения, вот он, мой мир, точно такой, каким я построил его.*

Я написал это с большой скоростью, при тусклом освещении. Затем закрыл глаза и попытался проверить еще разок: *Я — волшебник... — и снова медленно открыл.*

Локти — на шахматном столике; кисти рук, подпирающие подбородок, образуют своеобразную чашу; я вижу Лесли Пэрриш. Глаза, большие и темные, глядят прямо в мои.

— Что это вуки написал? — поинтересовалась она. Я прочитал ей вслух.

— Небольшая церемония, — пояснил я, — является способом напоминания самому себе о том, кто правит бал.

Она попробовала: «*Я — волшебник...*» и, открыв глаза, улыбнулась: «Это пришло к тебе сейчас?»

Я кивнул.

— Я создала тебя? — спросила она удивленно. — Значит, по моей воле попали на сцену ты, кинофильмы, мороженое, шахматы, беседы?

Я опять кивнул.

— Ты тоже так считаешь? Ты — причина меня-такого-каким-ты-знаешь-меня в своей жизни. Никто в мире не знает Ричарда, который знаком с Лесли, которая есть в моей.

— Это удивительное замечание. Не прочитаешь ли ты мне еще какие-нибудь записи, или я слишком любопытна?

Я включил свет.

— Мне приятно, что ты все понимаешь. Да, это очень личные записи...

Я произнес это с легкостью, но это была правда. Чувствовала ли она, что мы вступили в новую полосу доверия между нами, во-первых, когда она, так ценившая мою личную неприкосновенность, проявила интерес к моим записям и, во-вторых, когда я стал ей их читать? У меня было такое впечатление, что да, чувствовала.

— Вот, к примеру, несколько заголовков для книг, — начал я. — *Ощипанные перья: наблюдатель птиц разоблачает национальный скандал.*

А вот эта книга могла бы стать пятитомным изданием — *К чему приводит кольцевание уток?**

Я перелистнул страницу назад, пропустил список продуктов, перелистнул еще одну страницу.

Погляди в зеркало, и можешь быть уверен: то, что ты видишь, — это не то, что ты есть.

— Это было после того, как ты рассказала мне о зеркалах, помнишь?

Когда мы оглядываемся на свое прошлое, то оно вспышкой проносится перед нами. Время невозможно сохранить. Никто не долговечен. НЕЧТО пронизывает время мостом — что же? Что? Что?

Ты можешь считать, что все это — лишь наброски...

Лучший способ отплатить за удивительный миг — просто насладиться им.

Единственное, что разрушает мечты, это — компромисс.

Почему бы не представить, что мы живем практически так, как если бы были чрезвычайно разумными? Как бы мы стали жить, будучи совершеннее духовно?

Я добрался до первой страницы своих записей за этот месяц. *Как нам спасти китов? МЫ ИХ КУПИМ! Если они будут куплены нами, а затем сделаны жителями Америки, Франции, Австралии или Японии, то ни одна страна в мире не осмелится поднять на них руку!*

Я посмотрел на нее, оторвавшись от записной книжки. — Это все, что есть за этот месяц.

— Мы купим их? — спросила она.

— Детали я не прорабатывал. На каждого кита можно прицепить флаг той страны, к которой он принадлежит, что-то вроде

---

* *Либо же «Отчего должники влезают в долги?». — Прим. перев.*

огромного паспорта. Разумеется, водонепроницаемого. Деньги от продажи гражданства пойдут на основание большого Китового Фонда, что-то в таком духе. Это вполне разумно.

— И что ты с ними будешь делать?

— Пускай плавают, где им вздумается. Растят маленьких китят...

Она рассмеялась.

— Я имела в виду, что ты будешь делать со своими записями?

— В конце каждого месяца я перечитываю их, стараюсь услышать то, о чем они говорят мне. Возможно, что некоторые из них выльются в рассказ или книгу, а может быть и нет. Быть записью — значит вести совершенно непредсказуемую жизнь.

— А те, которые ты сделал сегодня вечером, они говорят тебе о чем-нибудь?

— Пока не знаю. Пара из них говорят, что я не очень-то уверен, что эта планета — мой дом. У тебя никогда не было такого ощущения, что ты на Земле — турист? Ты идешь вдоль улицы, и вдруг тебе начинает казаться, что мир вокруг тебя — словно движущиеся открытки. Вот *как здесь живут люди в больших домах-коробках, чтобы укрыться от «дождя» и «снега», по бокам коробок проделаны дырки, чтобы можно было глядеть наружу. Они перемещаются в коробках меньшего размера, раскрашенных во всевозможные цвета, с колесами по углам. Им нужна эта коробчатая культура, потому что каждый человек мыслит себя заключенным в коробку под названием «тело»; им нужны руки и ноги, пальцы, чтобы держать карандаши и ручки, разные инструменты, им нужен язык, потому что они забыли, как общаться, им нужны глаза, потому что они забыли, как видеть. Странная маленькая планета. Побывайте здесь. Скоро домой.*

Бывало ли с тобой так когда-нибудь?

— Два раза. Не совсем так, — ответила она.

— Принести тебе что-нибудь с кухни? — спросил я. — Печенье или что-нибудь еще?

— Нет, спасибо.

Я поднялся, отыскал коробку с шоколадным печеньем, выложил его двумя покривившимися башнями каждому из нас на тарелку.

— Молоко?

— Нет, спасибо.

Я принес печенье и стаканы с молоком, поставил их на стол.

— Записи напоминают. Они помогают мне вспомнить, что я турист на Земле, напоминают мне о тех забавных обычаях, которые здесь бытуют, о том, как мне здесь нравится. Когда я это делаю, мне почти удается припомнить, на что похоже то место, откуда я пришел. Есть магнит, который нас тянет, тянет нас перебраться через забор ограничений этого мира. Меня не покидает странное чувство, что мы пришли сюда из-за забора, с той его стороны.

Лесли тоже задавалась вопросами обо всем этом, и у нее были такие ответы, которые мне и в голову не приходили. Она знала мир-как-он-должен-быть, а я готов был поспорить, что этот мир без войн, — это мир-который-есть в некотором параллельном измерении. Идея очаровала нас, и в этом очаровании растаяло время.

Я взял одно печенье, вообразил, что оно теплое, аккуратно впился в него зубами. Лесли откинулась назад, на ее лице светилась едва заметная улыбка любопытства, словно ей были дороги мои заметки, те мысли, которые так меня интересовали.

— Мы когда-нибудь говорили о писательстве? — спросил я ее.

— Нет. — Она наконец потянулась за печеньем, ее упорство было сломлено смиренной, но безжалостной близостью этого лакомого кусочка. — Я бы с удовольствием послушала. Готова поспорить, что ты рано начал.

— Ага. В нашем доме, когда я был ребенком, меня повсюду окружали книги. Когда я научился ползать, я видел книги на уровне моего носа. Когда я смог стоять — узнал, что есть книги, до которых не добраться, они были выше, чем я мог достать. Книги на разных языках; немецком, латинском, иврите, греческом, английском, испанском.

Мой отец был священником, он вырос в Висконсине, с детства говорил по-немецки, английский выучил в шесть лет. Он изучал библейские языки, до сих пор на них говорит. Моя мама много лет проработала в Пуэрто-Рико.

Отец читал мне рассказы по-немецки и переводил их прямо на ходу. Мама любила болтать со мной по-испански, несмотря на то, что я ее не понимал. Так что я рос, со всех сторон забросанный словами. Восхитительно!

Мне нравилось открывать книги и смотреть, как они начинаются. Писатели пишут книги так же, как мы пишем собственные жизни. Автор может любого героя подвести к любому событию, с какой угодно целью, чтобы подчеркнуть какую угодно мысль. Я хотел знать, открывая чистую Первую Страницу, что задумал этот писатель, или вот этот. Что произойдет с моим умом, с моей душой, когда прочту то, что они написали?

Любят они меня, презирают или им просто все равно? Я открыл, что некоторые писатели — сущий яд, зато другие — словно душистая гвоздика и имбирь.

Потом я пошел в среднюю школу и научился ненавидеть Английскую Грамматику. Это была такая скука, что я зевал по семьдесят раз за пятьдесят минут урока и, уходя, чтобы проснуться, похлопывал себя по щекам. Настал мой последний год учебы в средней школе имени Вудро Вильсона в Лонг-Бич, Калифорния. Чтобы увернуться от муки изучения Английской Литературы я выбрал курс Литературного Творчества. Он был шестым уроком, в комнате 410.

Она отодвинулась вместе со стулом от шахматного столика и продолжала слушать.

— Нашим учителем был Джон Гартнер, футбольный тренер. Но Джон Гартнер, Лесли, он был еще и писателем! Живой, настоящий писатель! Он писал статьи и рассказы в журналы, книги для подростков: *Громила Тейлор — футбольный тренер, Громила Тейлор — бейсбольный тренер.* Он был как медведь: ростом под два метра, вот такие ручищи; строгий, справедливый, иногда забавный, иногда злой, но мы знали, что он любит свою работу и что нас он тоже любит. — В этом месте у меня внезапно навернулась слеза, и я поспешно смахнул ее, подумав, как это странно. Никогда не вспоминал о великане Джоне Гартнере... он уже десять лет как умер, а тут у меня в горле это странное ощущение. Я поспешил продолжить, полагая, что она ничего не заметит.

«О'кей, парни, — сказал он в первый день, — вижу, что вы сюда пришли, чтобы не посещать Английскую Литературу». — По классу пронесся виноватый гул и выражение наших лиц несколько изменилось. — «Я должен вам сказать, — продолжил он, — что только тот получит в свою зачетную книжку «А» по моему курсу, кто покажет мне чек на сумму, полученную за публикацию написанного им в течение этого семестра рассказа». Хор стонов, охов, и завываний, и тяжелых вздохов «... О, мистер ГАРТНЕР, это несправедливо, мы бедные маленькие школяры... Как мы можем надеяться... — Это НЕСПРАВЕДЛИВО, мистер Гартнер!» Все это он оборвал одним словом, которое звучало примерно так: «Гррр...»

— В оценке «В» тоже нет ничего плохого. «В» означает «Выше среднего». Можно быть Выше Среднего и не продав ничего тобой написанного, правда? Но «А» — это «Отлично», разве вы не согласны, что если у вас примут то, что вы написали, опубликуют и заплатят за это, то это будет отлично и вам можно будет поставить «А»?

Я подобрал с тарелки предпоследнее печенье.

— Может, я слишком много рассказываю, а тебе не слишком интересно? — спросил я ее. — Только честно.

— Я скажу тебе, когда хватит, — ответила она. — А пока я не скажу, рассказывай, ладно?

— Хорошо. В те дни оценки дня меня значили много.

Она улыбнулась, припомнив свои зачетные книжки.

— Я много писал, посылал статьи и рассказы в газеты и журналы, и как раз перед концом семестра послал рассказ в воскресное приложение в *Лонг-Бич Пресс-Телеграм.* Это был рассказ о клубе астрономов-любителей — *Они видели Лунного Человека.*

— Представь себе мое потрясение! Я пришел домой из школы, занес с улицы мусорное ведро, покормил собаку, и тут мама вручает мне письмо из *Пресс-Телеграм!* Я похолодел. Дрожа, раскрыл его, галопом промчался по словам и начал читать снова, сначала. Они *взяли мой рассказ*! Внутри лежал чек на двадцать пять долларов!!!

Я не мог спать, не мог дождаться, пока на следующее утро откроется школа. Наконец она открылась, наконец шестой урок. Я демонстративно шлепнул чеком об его стол. ШЛЕП! «Вот Ваш чек, мистер Гартнер!»

Его лицо... Его лицо просияло, и он пожал мне руку так, что я целый час не мог ею пошевелить. Когда он объявил на весь класс, что Дик Бах получил гонорар за написанный им рассказ, я почувствовал, что подрос на четверть дюйма. Оценка «А» по Литературному Творчеству была у меня в кармане, больше не требовалось никаких усилий. Тогда я думал, что на этом история и закончилась.

Я стал перебирать в памяти этот день. Когда это было? Двадцать лет назад или вчера? Что делает наше сознание со временем?

— Но это было не так, — сказала она.

— Что было не так?

— На этом история не закончилась.

— Не-а. Джон Гартнер демонстрировал нам, что значит быть писателем. Он работал над романом об учителях, *Сентябрьский плач*. Интересно, успел ли он его закончить до своей смерти?..

Мое горло снова странно сжалось; я подумал, что лучше подавить это ощущение, закончить рассказ и переменить тему.

— Он приносил каждую неделю по главе из своей книги, зачитывал вслух и спрашивал, как бы мы написали это лучше. Это был его первый роман для взрослых. В нем была любовная история, и когда он читал эти страницы, его лицо становилось пунцовым. Он смеялся, качал головой, прерываясь посреди предложения, которое, как ему казалось, было слишком откровенным и нежным, чтобы футбольный тренер зачитывал его на весь класс. Когда он брался описывать женщин, для него наступали страшные минуты. Это чувствовалось всякий раз, когда в своих произведениях он далеко отходил от спорта и улицы. И мы с ликованием критиковали его, мы говорили: «Мистер Гартнер, Ваша леди совсем не так реально выглядит, как Громила Тейлор. Не могли бы Вы нам как-нибудь *показать* ее, а не *рассказывать* о ней?»

— И он начинал хохотать, хлопать себя носовым платком по лбу и соглашался. Потому что всегда Большой Джон и сам вбивал в нас, стуча пальцем по столу: «НЕ РАССКАЗЫВАЙТЕ мне, ПОКАЖИТЕ мне! СЛУЧАЙ! и ПРИМЕР!»

— Ты очень любил его, правда?

Я вытер еще одну слезу.

— А... он был хорошим учителем, маленькая вуки.

— Если ты его любил, то что плохого в том, чтобы сказать, что ты его любил?

— Я никогда о нем так не думал. Я любил его. Я и сейчас его люблю.

И прежде, чем я осознал, что делаю, я рухнул перед ней на колени, обхватил руками ее ноги и уткнулся в них лицом, оплакивая учителя, узнав о смерти которого через десятые руки, я в свое время не моргнул и глазом.

Она стала гладить меня по голове.

— Все хорошо, — приговаривала она мягко. — Все в порядке. Он должен гордиться тобой и твоими книгами. Он тоже должен тебя любить.

Какое странное чувство, — подумал я. — Вот что значит плакать! Так много времени прошло с тех пор, как я мог позволить себе что-то большее, чем просто стиснув зубы отгородиться от печали стальной стеной. Когда я в последний раз плакал? Не могу припомнить. Наверное, в тот день, когда умерла моя мать. Месяцем раньше я стал курсантом летного училища, покинув дом, чтобы обрести крылья в Военно-Воздушных Силах. С того дня, как я связал свою жизнь с армией, я стал интенсивно учиться управлять эмоциями: мистер Бах, с этого момента Вы будете отдавать честь всем мотылькам и мухам. Почему Вы будете отдавать честь всем мотылькам и мухам? Вы будете отдавать честь всем мотылькам и мухам потому, что у них есть крылья, а у Вас — нет. Вон там муха, на окне. Мистер Бах, на месте, СТОЙ! Лицом к ней! ЛИЦОМ! РАВНЯЙСЬ! СМИРНО! Отдать ЧЕСТЬ! Сотри эту улыбку со своего лица, мистер. А теперь наступи на нее, раздави эту улыбку, УБЕЙ ЕЕ! А теперь подними, вынеси на улицу и похорони там. Вы думаете, что это шутки? *Кто управляет Вашими эмоциями, мистер Бах?*

На этом была построена вся моя тренировка, это было самым важным: кто ими управляет? Кто управляет? Я управляю! Рациональный я, логический я, отсеивающий, взвешивающий, выносящий приговор, решающий, как поступать, как жить. Никогда я-рациональное не принимало во внимание я-эмоциональное, это презренное меньшинство, никогда не позволяло ему взять руль в свои руки.

Вплоть до сегодняшнего вечера, когда я стал делиться фрагментами из своего прошлого со своим лучшим другом — своей сестрой.

— Прости меня, Лесли, — сказал я, поднимаясь и вытирая лицо. — Я не могу объяснить, что произошло. Никогда со мной такого не было. Извини меня.

— Чего никогда не было? Тебя ни разу не тронула чья-либо смерть? Ты никогда не плакал?

— Не плакал. Уже очень давно не плакал.

— Бедный Ричард... наверно, тебе стоит плакать почаще.

— Нет уж, спасибо. Не думаю, что я бы себя за это похвалил.

— Ты считаешь, что мужчине плакать не подобает?

Я вернулся и сел на свое место.

— Другие мужчины могут плакать, если хотят, а мне, я думаю, не стоит.

— Эх, — только и сказала она.

Я почувствовал, что она задумалась над моими словами, пытаясь меня рассудить. Какой человек стал бы осуждать другого за то, что тот сдерживает свои эмоции?

Возможно, любящая женщина знает об эмоциях и их выражении гораздо больше, чем я.

Спустя минуту, так и не огласив приговор, она спросила:

— Ну и что произошло потом?

— Потом был мой первый и последний год в колледже, который прошел впустую. Не *совсем* впустую. Я выбрал курс стрельбы из лука и встретил там Боба Кича, моего летного инструктора.

Колледж был напрасной тратой времени, летные уроки изменили мою жизнь. Но писать после школы я перестал и не писал до тех пор, пока не уволился из Воздушных Сил, не женился и не обнаружил, что не могу выносить постоянную работу. Любую работу. Меня начинало душить однообразие, и я ее бросал. Лучше голодать, чем жить по шаблону, повинуясь часам дважды в день. Тогда я, наконец, понял, чему научил нас Джон Гартнер:

Вот на что похоже чувство, когда твой рассказ принят! Через годы после его смерти я получил его послание. Если мальчишка-школьник смог написать рассказ, который напечатали, почему этого не может сделать взрослый?

Я с любопытством наблюдал за собой со стороны. Никогда и ни с кем я так не разговаривал.

— И я начал коллекционировать отказы. Опубликую рассказ-другой, затем получаю массу отказов, пока не утонет мой писательский корабль и я не начну голодать. Найду работу — письма разносить, быть помощником ювелира, чертить, писать техническую документацию, — и работаю до тех пор, пока уже не могу этого выносить. Затем снова писать. Опубликую рассказ-другой, и опять отказы, пока корабль не утонет; найду другую работу... И так раз за разом. Постепенно писательский корабль стал тонуть все медленнее, пока наконец я не начал как-то сводить концы с концами и с тех пор уже больше не оглядывался назад. Вот так я стал писателем.

На ее тарелке была еще целая гора печенья, на моей остались только крошки. Я, лизнув палец, подбирал их с тарелки одну за другой. Ни слова не говоря, продолжая слушать, она переложила печенье со своей тарелки в мою, оставив себе лишь одну штучку.

— Мне всегда хотелось, чтобы в моей жизни были приключения, — сказал я. — Но прошло много времени, прежде чем я понял, что только я сам могу привнести их в свою жизнь. И я начал жить, как мне хотелось, писать об этом книги и рассказы в журнал.

Она внимательно меня изучала, словно я был человеком, которого она знала за тысячу лет до этого.

Я вдруг почувствовал себя виноватым.

— Я все говорю и говорю, — сказал я. — Что ты со мной сделала? Я говорил тебе, что я слушатель, а не рассказчик, а теперь ты этому не поверишь.

— Мы оба слушатели, — заметила она, — мы оба рассказчики.

— Давай лучше завершим партию, — предложил я. — Твой ход.

Элегантная ловушка вылетела у меня из головы, и мне потребовалось столь же немалое время, чтобы ее вспомнить, как ей — чтобы обдумать свою позицию и сделать ход.

Она не сделала того жизненно для нее важного хода пешкой. Мне было и радостно, и печально. По крайней мере увидит, как сработает моя изумительная ловушка. В конце концов, вот что значит — учиться, — подумал я. — Важно не то, проиграем ли мы в игре, важно, как мы проиграем и как мы благодаря этому изменимся, что нового вынесем для себя, как сможем применить это в других играх. Странным образом поражение оборачивается победой.

Несмотря на это, какой-то своей частью мне было ее жаль. Я двинул королеву и взял ее коня, хоть он и был под защитой. Теперь она в отместку возьмет своей пешкой мою королеву. Ну, давай, бей королеву, маленький чертенок, радуйся, пока еще можешь...

Ее пешка не стала брать мою королеву. Вместо этого после секундной паузы ее слон перелетел из одного угла доски в другой, по-вечернему голубые глаза глядели на меня, ожидая ответа.

— Шах, — прошептала она.

Я замер от удивления. Потом изучил доску, ее ход, достал свою записную книжку и исписал полстраницы.

— Что ты записывал?

— Замечательную новую мысль, — ответил я. — *В конце концов, вот что значит — учиться: важно не то, проиграем ли мы в игре, важно, как мы проиграем и как мы благодаря этому изменимся, что нового вынесем для себя, как сможем применить это в других играх. Странным образом поражение оборачивается победой.*

Она устроилась на диване, сбросив туфли и удобно подобрав под себя ноги. Я сидел напротив нее на стуле, положив аккуратно, чтобы не оставить царапин, свои ноги на кофейный столик.

Учить Лесли лошадиной латыни было все равно что наблюдать, как новоиспеченный водный лыжник становится на ноги уже в первом заезде. Только я рассказал ей основные принципы языка, как она уже стала говорить. В детстве я потратил на его изучение не один день, пренебрегая для этого алгеброй.

— *Хиворивошиво, Ливэсливи,* — произнес я, — *пивонивимиваивашь ливи тивы тиво, чтиво ивя гивовиворивю?*

— *Кивониве... кивониве... чниво! — ответила она. — Ива кивак скивазивоть «пушистище» нива Ливошивади-виниво — ливативинскивом?*

— *Ивочивень привостиво: Пиву-шивис-тиви-щиве!*

Как быстро она училась! Какой у нее был пытливый ум! Находясь с ней рядом, обязательно нужно было изучать что-нибудь для нее новое, придумывать новые правила общения или просто полагаться на чистую интуицию. В тот вечер я рискнул на нее положиться.

— Я берусь утверждать, лишь мельком взглянув, что Вы, мисс Пэрриш, долгое время занимались игрой на фортепиано. Достаточно поглядеть на все эти ноты, на пожелтевшие листки сонат Бетховена с каракульными пометками на них. Я попробую угадать... со времен средней школы?

Она отрицательно покачала головой.

— Раньше. Когда я была маленькой девочкой, я сделала себе бумажную фортепианную клавиатуру и упражнялась на ней, потому что у нас не было денег на пианино. А еще раньше, по рассказам моей мамы, когда я еще и ходить не умела, я как-то подползла к первому фортепиано, которое увидела в своей жизни, и попыталась на нем играть. С того времени единственным, чего мне хотелось, была музыка. Но мне еще долго не удавалось до нее добраться. Мои родители были в разводе, мама болела, и мы с братом некоторое время слонялись из приюта в приют.

Я стиснул зубы. Мрачное детство, — подумал я. — Что оно с ней сделало?

— Когда мне было одиннадцать лет, мама вышла из больницы, и мы перебрались в то, что ты бы назвал развалинами дореволюционного склада, — огромные толстые каменные стены, с которых сыпалась штукатурка, крысы, дырки в полу, камин, заколоченный досками. Мы платили за это помещение двадцать долларов в месяц, и мама попыталась привести его в божеский вид. Однажды она услышала, что где-то продается старое пианино, и она для меня его купила! По случаю ей это стоило всего сорок долларов. Но мой мир с этого момента изменился, я уже никогда больше не была прежней.

Я повернул разговор в несколько ином направлении.

— А ты помнишь свою предыдущую жизнь, в которой играла на фортепиано?

— Нет, — ответила она. — Я не уверена, что верю в прошлые жизни. Но вот какая странность. Музыку, написанную во времена Бетховена и раньше, то есть самое начало XIX века, я словно не учу, а повторяю. Мне это очень легко дается, я узнаю ее с первого взгляда. Бетховен, Шуберт, Моцарт — все они, словно старые друзья. Но не Шопен, не Лист... это новая для меня музыка.

— А Иоганн Себастьян? Он жил давно, в начале XVIII века.

— Нет. Его тоже нужно разучивать.

— Но если кто-то играл на фортепиано в начале XIX века, — удивился я, — он же должен знать Баха, правда?

Она покачала головой.

— Нет, его произведения были утеряны, и он был забыт до середины XIX века, когда его рукописи снова нашлись и были опубликованы. В 1810 — 1820 годах никто ничего о Бахе не знал.

У меня на затылке волосы встали дыбом.

— Хочешь проверить, жила ли ты в то время? Я вычитал в одной книге, как можно вспомнить прежние жизни. Хочешь попробовать?

— Как-нибудь в другой раз...

Почему она этому сопротивляется? Как такой умный человек может сомневаться в том, что наше существование — это нечто большее, чем просто фотовспышка на фоне вечности?

Вскоре после этого, где-то чуть позже одиннадцати вечера я посмотрел на часы: было четыре часа утра.

— Лесли! Ты знаешь, который час?

Она, закусив губу, посмотрела задумчиво в потолок:

— Девять?

ШЕСТНАДЦАТЬ

Не слишком большое удовольствие вставать в семь часов, чтобы лететь во Флориду, — думал я, — после того, как она доставила меня в мой отель и уехала обратно в темноту. Оставаться на ногах после десяти вечера для меня не частое событие, — привычка со времен жизни бродячего гастролера, который укладывался под крылом через час после захода солнца. Лечь спать в пять, встать в семь и лететь три тысячи миль было для меня вызовом.

Но так хотелось слушать ее, так много хотелось сказать!

Все это может просто убить меня, если я еще немного не посплю, — думал я. Многих ли людей в этом мире мог бы я слушать, с кем мог бы я говорить до четырех утра, — еще долгое время после того, как исчезло последнее печенье, — и не чувствовать себя уставшим? С Лесли, и с кем еще? — вопрошал я себя.

Я провалился в сон, не получив ответа.

СЕМНАДЦАТЬ

— Лесли, прости, что звоню так рано. Ты уже не спишь? — Это было в тот же самый день, сразу после восьми утра по моим часам.

— Сейчас уже не сплю, — ответила она. — Как поживаешь этим утром, вуки?

— У тебя сегодня будет свободное время? Наш вчерашний разговор продолжался не очень долго, и я подумал, что мы могли бы позавтракать вместе, если тебе позволяет распорядок дня. А может быть, и пообедать тоже?

Последовало молчание. Я сразу понял, что навязываюсь. Это заставило меня содрогнуться. Мне не следовало звонить.

— Ты сказал, что сегодня улетаешь обратно во Флориду.

— Я передумал. Я полечу завтра.

— О, Ричард, извини меня. Я собираюсь позавтракать с Идой, а затем у меня будет встреча. На обед у меня тоже назначена встреча. Мне очень жаль, потому что я бы хотела быть с тобой, но я ведь думала, что ты уезжаешь.

Это будет мне хорошим уроком, думал я, чтобы я не был слишком самонадеянным. Как я мог подумать, что ей нечего делать кроме того, чтобы сидеть и разговаривать со мной? Я сразу же почувствовал себя одиноким.

— Нет проблем, — сказал я. — Как бы то ни было, мне лучше улетать. Но могу ли я сказать тебе, как мне понравился наш вчерашний вечер? Я могу слушать тебя и разговаривать с тобой до тех пор, пока не раскрошится последнее печенье в мире. Ты знаешь это? Если ты этого не знаешь, позволь мне сказать тебе!

— Я могу сказать то же самое. Но после всех пирожных, которыми меня кормил Поросенок, мне придется поститься целую неделю, чтобы я снова смогла узнать себя, так я поправилась. И почему бы тебе не полюбить семечки и сельдерей?

— В следующий раз я принесу тебе семечки сельдерея.

— Не забудь.

— Иди досыпай. Извини, что разбудил тебя. Большое спасибо за вчерашний вечер.

— Тебе тоже спасибо, — ответила она. — Пока.

Я повесил трубку и начал складывать одежду в свою сумку.

Успею ли я до темноты так далеко на восток, если вылечу из Лос-Анджелеса сейчас?

Я не люблю ночных полетов на «Т-33». Если двигатель заглохнет, то любая вынужденная посадка на таком тяжелом скоростном аэроплане будет довольно сложной даже в дневное время, а непроглядная темнота сделает ее совершенно непривлекательной.

Если я полдня буду в воздухе, думал я, тогда в Остин, штат Техас, я прилечу к пяти часам по их времени. Взлетев в шесть, я буду во Флориде где-то в девять тридцать или десять часов по тамошнему времени. Будет ли еще светло в десять часов вечера? Нет.

Да, и что же теперь делать? До сих пор «Т» был надежным аэропланом... единственная неполадка, которую я не устранил, — это небольшое загадочное протекание в гидравлической системе. Но даже если я потеряю всю гидравлическую жидкость, катастрофы не будет. Воздушные тормоза могут не сработать, поворот элеронов может стать затрудненным, тормоза колес слабоваты. Но со всем этим можно будет справиться.

Когда я заканчивал упаковку вещей и обдумывал предстоящий полет, у меня появилось едва заметное дурное предчувствие. Я не мог увидеть, как приземляюсь во Флориде. Что может подвести? Погода? Я пообещал себе никогда не летать больше во время грозы, поэтому, если она будет приближаться, я, скорее всего, сяду. Неисправность в электрической системе? Это может стать проблемой. Прекращение подачи электрического напряжения в аэроплане «Т» означает, что я не смогу подкачивать насосами топливо из хвостового и крыльевых баков, в результате чего можно продолжать полет, пользуясь горючим только из баков, размещенных на концах крыльев и внутри фюзеляжа. Большая часть приборов выходит из строя. Все радиоприемники и навига-

5 – 4169

ционное оборудование не срабатывает. Отсутствуют воздушные тормоза и управление закрылками. Неисправность в электрической системе означает приземление на большой скорости, которое требует длинной посадочной полосы. Все сигнальные огни, конечно, отсутствуют.

Генератор и электрическая система никогда раньше не выходили из строя и не намекали на то, что собираются сделать это. Этот мой аэроплан не похож на «Мустанга». Что же вызывает у меня беспокойство?

Я сел на краю кровати, закрыл глаза, расслабился и представил себе свой самолет проплывающим передо мной. Я плавно переходил взглядом от одной детали к другой в поисках неисправности до тех пор, пока не осмотрел его от носа до хвоста. Лишь несколько второстепенных особенностей привлекли мое внимание... протектор на одной из покрышек был почти гладким, эластичный уплотнитель на клапане одного из цилиндров был изношенным, имелась небольшая утечка в гидравлической системе, скрытая где-то в середине моторного отсека, которую мы так и не обнаружили. Определенно не было никаких телепатических предупреждений о том, что сдаст электрическая или какая-то другая система. И все же, когда я пытался визуализировать свое прибытие во Флориду сегодня вечером, я не мог этого сделать.

Несомненно, во Флориду я сегодня не прилечу. Я приземлюсь где-то в другом месте до наступления темноты.

И даже в этом случае я не мог представить себя направляющимся куда-то от своего «Т-33» сегодня во второй половине дня. Это, должно быть, такая простая вещь — увидеть себя в своем воображении. Вот я, заглушающий мотор; ты можешь вообразить себе это, Ричард? Ты заглушаешь мотор в каком-то аэропорту, где ты приземлился... Я не мог вообразить этого.

Как насчет последней попытки? Ты наверняка сможешь увидеть последний поворот, посадочную полосу, которая, покачиваясь, величественно приближается к тебе, выпущенное шасси и три маленьких значка с колесиками внизу, которые появляются на панели управления, когда шасси зафиксировано. Ничего подобного.

Проклятье, думал я. Сегодня вышла из строя не электрическая система, а моя физическая.

Я потянулся к телефону и позвонил на метеорологическую станцию. В течение всего дня на моем пути до штата Нью-Мехико будет хорошая погода, сказала девушка, затем я войду в холодный фронт с грозовыми облаками высотой до 39 000 футов. Я бы облетел вершины грозовых туч на высоте 41 000 футов по безоблачному небу, если бы мой «Т» мог взбираться так высоко. Почему я не могу вообразить себя благополучно приземляющимся? Еще один звонок. На этот раз в ангар.

— Тед? Привет, это Ричард. Я приеду где-то через час — и ты, пожалуйста, выкати мой «Т» и позаботься, чтобы он был полностью заправлен. Проверь кислород, проверь масло. Возможно, придется добавить полпинты гидравлической жидкости.

Я разложил на кровати карты, отметил для себя навигационные частоты, позывные и высоту, на которой я собирался лететь. Я рассчитал, сколько смогу пролететь, пока не кончится горючее. Если будет необходимость, можно будет подняться и до 41 000 футов, но это с трудом.

Я собрал карты, поднял свою сумку и, расплатившись за проживание в гостинице, взял такси до аэродрома. Приятно будет снова увидеть своих флоридских девушек. Думаю, что это будет чудесно.

Уложив вещи в аэроплан, закрыв багажник на два замка и проверив их надежность, я забрался по лесенке в кабину, вынул из чехла свой шлем и повесил его на выступ фонаря. В это трудно поверить. Через двадцать минут этот аэроплан со мной будет лететь на высоте четырех миль, пересекая границу штата Аризона.

— РИЧАРД! — Позвал Тед из двери офиса. — ТЕЛЕФОН! БУДЕШЬ РАЗГОВАРИВАТЬ?

— НЕТ! СКАЖИ, ЧТО Я УЛЕТЕЛ! — А затем из любопытства: — А КТО СПРАШИВАЕТ?

Он подошел к телефону, а затем крикнул мне:

— ЛЕСЛИ ПЭРРИШ!

— СКАЖИ ЕЙ, ЧТО Я СЕЙЧАС ПОДОЙДУ! — Я оставил шлем и кислородную маску висеть там, где они были, и побежал к телефону.

К тому времени, когда она заехала за мной в аэропорт, всё для наземного обслуживания самолета уже было на своих местах; воздухозаборники и сопло закрыты; фонарь опущен, зафиксирован и покрыт чехлом, а вся большая машина отправлена в ангар на еще одну ночь.

Вот почему я не мог увидеть своей посадки, — думал я, — я не мог представить себе того будущего, потому что его не должно было быть!

Со своим чемоданом я уселся на сиденье рядом с ней.

— Привет, маленький, крохотный вуки, который такой же, как и все другие вуки, только еще в тысячу раз меньше, — сказал я, — я очень рад видеть тебя! Как случилось так, что твои дела позволили тебе выкроить время?

Лесли ездила в пушисто-бархатной роскошной машине песочного цвета.

После того как мы посмотрели фильм, в котором был вуки, эта машина получила новое имя *Банта,* которое было дано ей в честь пушистого, похожего на мамонта животного песочного цвета из этого же фильма.

Машина плавно отделилась от тротуара и вынесла нас в реку разноцветных Бант, которые сновали туда-сюда по улице.

— Поскольку у нас с тобой так мало времени, чтобы побыть вместе, я решила, что смогу немного перестроить свои планы. Сейчас мне обязательно нужно забрать некоторые вещи в Академии, а затем я свободна. Где бы ты хотел со мной позавтракать?

— Да где угодно. В «Волшебной сковородке», например, если там нет толпы. Там есть зал для некурящих. Помнишь, ты когда-то мне об этом сказала?

— В это время там придется ждать около часа.

— А сколько у нас времени?

— А сколько ты хочешь? — ответила она. — Обед? Кино? Шахматы? Разговор?

— О, дорогая! Ты освободилась от работы ради меня на целый день? Ты даже не представляешь, как много это значит.

— Это значит, что я предпочитаю провести время в обществе заезжего вуки, а не в обществе кого-то другого. Но на этот раз без хот-фаджа, печенья и прочих гадостей! Если ты хочешь, можешь есть все эти нехорошие лакомства, но я возвращаюсь на диету, чтобы искупить свои грехи!

Пока мы ехали, я рассказал ей о своих удивительных предчувствиях этим утром, о моей мысленной проверке самолета и его готовности к полету, о тех странных случаях в прошлом, когда результаты оказывались удивительно точными.

Она вежливо и внимательно слушала меня. Так было всегда, когда я рассказывал о чем-то сверхъестественном. Я чувствовал при этом, что за ее вежливостью по отношению ко мне в такие минуты, стоит желание найти объяснение событий и интересных случайностей, которые она не осмеливалась рассматривать раньше. Она слушала так, будто я был каким-то ее знакомым Лефом Эриксоном, вернувшимся из путешествия со снимками тех мест, о которых она слышала, но которых никогда не исследовала.

Припарковав машину возле здания, где располагалась администрация Кинематографической Академии, она сказала:

— Я буду там не больше минуты. Пойдешь со мной или останешься?

— Я подожду. Не спеши.

Я смотрел на нее из машины и видел, как она идет в толпе по освещенному солнцем тротуару. Она была скромно одета — белая летняя блузка поверх белой юбки, — но, Боже мой, как поворачивались головы прохожих! Каждый мужчина, проходивший в радиусе ста футов, замедлял шаг, чтобы посмотреть на нее. Волосы цвета пшеничного меда свободно рассыпались у нее на плечах и засияли, когда она поторопилась, чтобы успеть перебежать улицу за последние несколько секунд до переключения светофора. Она помахала шоферу, который подождал ее, в знак благодарности, и он махнул ей в ответ, польщенный наградой.

Какая пленительная женщина, думал я. Жаль, что в этом мы не похожи.

Она вошла в здание, а я растянулся на сиденье и зевнул. Чтобы как-то использовать это время, думал я, почему бы не наверстать весь сон, пропущенный предыдущей ночью? Дня этого потребуется аутогенный отдых в течение пяти минут.

Я закрыл глаза и один раз глубоко вдохнул. *Мое тело полностью расслаблено: сейчас.* Еще один вдох. *Мой ум полностью расслаблен: сейчас. Я погружаюсь в глубокий сон: сейчас. Я проснусь в тот миг, когда Лесли вернется, таким же отдохнувшим, как после восьмичасового глубокого нормального сна.*

Самовнушение действует особенно хорошо, если в ночь перед этим спать всего лишь два часа. Мой ум провалился в темноту: уличный шум постепенно затих. Увязнув в глубокой черной смоле, время остановилось. И вдруг среди этой кромешной тьмы появился

!!СВЕТ!!

Мне показалось, будто на меня упала звезда, которая была в десять десятков раз ярче, чем солнце, и вспышка ее света внезапно оглушила меня.

Ни тени, ни цвета, ни тепла, ни мерцания, ни тела, ни неба, ни земли, ни пространства, ни времени, ни вещей, ни людей, ни слов, один только

СВЕТ!

Я безмолвно плавал в сиянии. Это не свет, осознавал я, это необъятное непрекращающееся великолепие, пронизывающее собой то, что когда-то было мной, — это не свет. Этот свет просто олицетворяет нечто, он выражает собой что-то другое, более яркое, чем свет, — он выражает *Любовь!* Причем такую сильную, что сама идея о силе кажется смешным перышком мысли, если ее рассматривать в свете той грандиозной любви, которая поглотила меня.

Я ЕСТЬ!

ТЫ ЕСТЬ!

И ЛЮБОВЬ: ЭТО ВСЕ: В ЭТОМ ВЕСЬ СМЫСЛ!

Радость охватила меня всего и рвала меня на части. Атом отделялся от атома в пламени этой любви. Я был спичкой, упавшей на солнце. Такой сильной радости невозможно было выносить. Ни одного мгновения больше! Я задыхался. Пожалуйста, не надо!

Как только я попросил, Любовь отступила, померкла и превратилась в ночь, которая была солнечным полуднем на Беверли-Хилс в северном полушарии третьей планеты, обращающейся вокруг небольшой звездочки во второстепенной галактике в не представляющей интереса вселенной, которая является всего лишь незначительной особенностью одной из возможностей вообразить себе пространство-время. Я был микроскопическим проявлением жизни, которая в действительности бесконечно велика. И споткнувшись за кулисами сцены в этом вселенском театре, я в течение одной наносекунды видел свою собственную реальность и чуть было не превратился в пар от потрясения.

Я проснулся, сидя в Банте, мое сердце стучало, а по лицу текли слезы.

— АЙ! — громко произнес я. — АЙ-ай-ай!

Любовь! Такая сильная! Если бы она была зеленой, она бы оказалась такой зеленой, такой невообразимо зеленой, что даже Идея о Зеленом не могла бы ее вообразить... это подобно тому, как стоишь на огромном шаре... как стоишь на солнце, хотя это было не солнце, у него не было краев, не было горизонта. Такое сияние и НИКАКОГО МЕРЦАНИЯ, я смотрел открытыми глазами на самое яркое... но нет, у меня не было глаз. Я НЕ СМОГ ПЕРЕНЕСТИ РАДОСТИ ЭТОЙ ЛЮБВИ... Это было похоже на то, что я уронил свою последнюю свечу в темную впадину, а через некоторое время моя подруга, чтобы я мог лучше видеть, зажгла водородную бомбу.

По сравнению с этим светом весь этот мир... По сравнению с этим светом идея о жизни и смерти кажется просто... неуместной.

Я сидел в машине, моргая глазами и задыхаясь. Господи! Мне понадобилось десять минут, чтобы снова научиться дышать. Что... почему... Ну и ну!

Вдали на тротуаре внезапно промелькнула улыбающаяся блондинка, и все головы в толпе повернулись, чтобы разглядывать ее. Через некоторое время Лесли открыла дверцу, бросила на сиденье кучу конвертов и села за руль.

— Извини, что я задержалась, вук. Там полно народу. Ты здесь не умер от скуки?

— Лесли, я хочу тебе рассказать. Самое удивительное... только что случилось.

Она повернулась ко мне с тревогой.

— Ричард, как ты себя чувствуешь?

— Прекрасно! — воскликнул я. — Прекрасно, прекрасно, прекрасно.

Я сразу же начал рассказывать без всякой последовательности и замолк только тогда, когда пересказал по частям все, что со мной произошло.

— Я сидел здесь после того, как ты ушла, потом закрыл глаза... Свет, но это был не свет. Ярче, чем свет, но без мерцания и совсем не причиняющий боли. ЛЮБОВЬ, но не как затасканное односложное слово, а *Любовь, Которая ЕСТЬ!* Я никогда раньше не думал, что она такова. *И ЛЮБОВЬ! ЭТО ВСЕ:* В ЭТОМ ВЕСЬ СМЫСЛ! Это слова, но тогда не было слов и даже идей. Что-то подобное когда-нибудь... тебе это знакомо?

— Да, — сказала она. И после продолжительной паузы, которая ей потребовалась для того, чтобы вспомнить, она продолжила: — Это было в небе, среди звезд, когда я вышла из тела. Единство с жизнью, со вселенной, которая столь прекрасна, и такая всепоглощающая любовь — все это заставило меня рыдать от радости!

— Но почему это случается с нами? Я просто собирался чуть-чуть вздремнуть, воспользовавшись самогипнозом. Я это делал раньше сотню раз! А теперь, РАЗ! Ты можешь представить себе такую радость, которую ты просишь прекратить, потому что не в силах выносить ее?

— Да, — сказала она. — Я знаю...

Некоторое время мы оба сидели молча. Затем она завела Банту, и мы затерялись среди городского транспорта, радуясь тому, что снова оказались вместе.

ВОСЕМНАДЦАТЬ

Кроме шахмат, мы не участвуем больше ни в каких совместных действиях. Мы не занимаемся вместе альпинизмом, не плаваем по рекам на байдарках, не защищаем завоевания революции и не рискуем своими жизнями. Мы даже не летаем вместе на аэропланах. Самым рискованным приключением, в котором мы оба принимаем участие, является наша поездка через город до бульвара Ла-Синега после завтрака. Почему Лесли так очаровала меня?

— Ты заметила, — спросил я, когда она свернула на запад на улицу Мельроуз, направляясь домой, — что наша дружба полностью... бездеятельна?

— Бездеятельна? — Она взглянула на меня с таким удивлением, будто я прикоснулся к ней. — Что ты говоришь?! Иногда мне трудно понять, шутишь ты или нет. Бездеятельна!

— Но ведь это так и есть. Может, нам съездить покататься на лыжах в горы или позаниматься серфингом на Гавайях, чтобы активно проводить время? А то наше самое трудное занятие — это поднимание ферзя и выговаривание при этом слова «Шах!». Это просто мое наблюдение. У меня никогда раньше не было такого друга, как ты. Разве тебе не кажется, что мы слишком много работаем мозгами, что мы слишком много разговариваем?

— Ричард, — сказала она, — только шахматы и беседы, *пожалуйста!* Не надо головокружительных вечеринок, которые являются излюбленным времяпрепровождением жителей этого города и сопровождаются разбрасыванием денег.

Она свернула на боковую улочку, затем на дорожку к своему дому и, подъехав к нему, заглушила мотор.

— Подожди меня минутку, Лесли. Я сбегаю в дом и сожгу все доллары, которые у меня есть. Мне понадобится не больше минуты...

Она улыбнулась.

— Тебе не нужно их жечь. Если у тебя есть деньги, это прекрасно. Для женщины важно то, используешь ли их ты для того, чтобы купить ее. Постарайся никогда не пытаться сделать это.

— Слишком поздно, — сказал я. — Я уже делал это. Больше, чем один раз.

Она повернулась ко мне, прислонившись к дверце машины. Она не делала никаких попыток открыть ее.

— Ты? И почему это кажется мне таким удивительным? Просто до сих пор я ни разу не видела, как ты... Скажи мне, ты купил хотя бы одну хорошую женщину?

— Деньги делают странные вещи. Мне страшно смотреть и видеть, как это случается прямо со *мной* — не с героем фильма, а с невыдуманным человеком из реальной жизни. Я чувствую себя подобно третьему лишнему в любовном треугольнике, пытаясь протиснуться между женщиной и моими деньгами. Я все еще не привык к такому состоянию, при котором у меня много наличных. Все начинается с того, что мимо проходит очень милая девушка, у которой не так уж много средств, которая почти разорилась или не может выплатить задолженность, и я говорю ей: «Не потратить ли мне денежку, чтобы помочь тебе?»

Мне хотелось узнать, что она на это скажет. В то время моя совершенная женщина была представлена тремя хорошенькими подругами, которые пытались выпутаться из затруднительного денежного положения.

— Ты делаешь то, что тебе кажется правильным, — сказала она. — Но не обманывай себя мыслью о том, что кто-нибудь будет любить тебя за то, что ты уплатишь его долги или купишь ему продукты в магазине. Единственный способ гарантировать то, что они не будут любить тебя, состоит в том, чтобы сделать их зависимыми от твоих денег. Я знаю, о чем говорю!

Я кивнул. Откуда она знает? А может быть, у нее есть мужчина, от которого она получает деньги?

— Это не любовь, — сказал я. — Ни одна из них не любит меня. Мы просто получаем удовольствие друг от друга. Мы — счастливые взаимные паразиты.

— Грф.

— Что?

— *Грф* выражает отвращение. Когда я слышу слова «счастливые взаимные паразиты», у меня перед глазами возникают клопы.

— Извини. Я еще не решил эту проблему.

— В следующий раз не говори им, что у тебя есть деньги, — сказала она.

— Не помогает. Из меня получается плохой обманщик. Я беру свой блокнот, а из него вываливаются на стол стодолларовые купюры. Тогда она говорит: «Какого черта ты говорил, что у тебя нет средств!» Что мне остается делать?

— Возможно, ты уже влип. Но будь внимательным. Нет другого города, как этот, который бы показал тебе столько различных примеров того, как люди разбивают свои жизни, потому что не умеют обращаться с деньгами.

Она открыла дверь в дом.

— Ты будешь есть салат, или что-нибудь полноценное? Или Поросенок снова набросится на свой хот-фадж?

— Поросенок завязал с хот-фаджем. Давай сделаем один салат на двоих?

Войдя в дом, она поставила на небольшой громкости пластинку с сонатой Бетховена, сделала огромную порцию овощного салата с сыром, и мы снова начали разговаривать. Пропустили закат, пропустили приключенческий фильм, играли в шахматы до тех пор, пока наше время вместе не подошло к концу.

— Я решил, что завтра обязательно улечу рано утром, — сказал я. — Не кажется ли тебе, что я сегодня не совсем в форме, если проиграл три партии из четырех? Ума не приложу, что случилось с моим умением играть...

— Ты играешь так же хорошо, как и раньше, — сказала она, подмигнув мне. — А вот мое мастерство возрастает. Одиннадцатое июля ты запомнишь как тот день, когда ты выиграл у Лесли Пэрриш в шахматы в последний раз!

— Насмехайся, пока можешь, хвастунишка. Когда в следующий раз ты встретишься в поединке с этим умом, он будет помнить наизусть книгу «Хитрые уловки в шахматах» и каждая из них будет подстерегать тебя на доске. — Неожиданно для себя я вздохнул. — Кажется, мне пора. Мой милый водитель Банты подвезет меня до гостиницы?

— Подвезет, — сказала она, но не встала из-за стола.

Чтобы поблагодарить ее за этот день, я потянулся к ее руке и легонько, нежно взял ее в свою. Мы долго смотрели друг на друга, и никто из нас не говорил, никто не заметил, что время остановилось. Само безмолвие сказало за нас то, для чего мы никогда раньше не искали слов.

Затем случилось так, что мы обнаружили себя в объятиях друг друга, целуясь нежно-нежно.

Тогда мне не приходило в голову, что, влюбляясь в Лесли Пэрриш, я лишал себя единственной сестры, которая у меня когда-либо была.

ДЕВЯТНАДЦАТЬ

Утром я проснулся навстречу солнечному свету, просеянному и позолоченному водопадом ее волос на наших подушках. Я проснулся навстречу ее улыбке.

— Доброе утро, вуки, — ее слова прозвучали так близко и тепло, что я их едва уловил. — Ты хорошо спал?

— М-м! — сказал я. — Еще как! Да. Да, спасибо, я отлично выспался! Может, вчера вечером мне приснился этот райский сон, что ты собиралась подвезти меня в отель? Я не мог удержаться и поцеловал тебя, а потом... какой прекрасный сон!

Единственный раз, единственный благословенный раз в жизни женщина, лежавшая рядом со мной в постели, не была здесь чужой. Единственный раз в моей жизни, место этой женщины, так же как и мое, было именно там, где она находилась. Я коснулся ее лица.

— Еще минута, и ты растаешь в воздухе, правда? Или зазвенит будильник или телефон, и ты спросишь меня, хорошо ли я спал. Не звони пока, пожалуйста. Пусть мой сон продлится еще немного.

— Дзинь... — пропела она тоненьким голоском. Откинув простыни, она поднесла невидимую трубку к уху. Ее освещенные солнцем улыбка, обнаженные плечи и грудь разбудили меня окончательно.

— Дзинь... Алло, Ричард? Как тебе спалось сегодня ночью? А?

В то же мгновение она преобразилась в невинную обольстительницу, чистую и добродетельную, — блестящий ум в теле сексуальной богини. Я даже зажмурился от той сокровенной близости, которую она создавала каждым движением, словом, мимолетным блеском глаз.

Жить с актрисой! Я и не представлял, сколько непохожих друг на друга Лесли могут уживаться в ней одной, в скольких еще осязаемых и узнаваемых образах может она появиться на своей сцене, внезапно выхваченная лучами прожекторов.

— Ты... такая... восхитительная! — я запинался на каждом слове. — Почему ты мне не сказала, что ты так... прекрасна?

Телефон в ее руке испарился, и наивная простушка повернулась ко мне с лукавой улыбкой.

— Тебя же это никогда не интересовало.

— Можешь удивляться, но лучше тебе привыкнуть к этому, потому что я словесных дел мастер и время от времени не могу удержаться, чтобы не выпалить что-нибудь поэтическое. Это у меня в крови, и я просто не могу иначе: *По-моему, ты просто потрясающая!*

Она кивнула медленно, серьезно.

— Вот это очень хорошо, словесных дел мастер. Спасибо. По-моему, ты тоже потрясающий. — В ту же секунду какая-то озорная мысль пришла ей в голову. — А теперь, для практики, давай-ка скажем то же самое, но без слов.

Я подумал: «Мне сейчас умирать от счастья, или немного погодя?»

Оказалось, что лучше немного погодя. Я плыл на грани смерти от радости, почти, но не совсем без слов.

Я не мог бы придумать более совершенной женщины для себя, думал я, настоящая, живая, скрывающаяся в знакомой уже много лет мисс Лесли Пэрриш под маской моего делового партнера, моего лучшего друга. Только этот обрывок изумления и всплыл на поверхность сознания и тут же был бесследно смыт ее образом в солнечном свете.

Свет и прикосновение, мягкие тени и шепот, и это утро, переходящее в день, переходящее в вечер, и вновь найденный путь навстречу друг другу после целой жизни, прожитой порознь. Овсянка на ужин. И наконец мы снова были в состоянии разговаривать словами.

Сколько слов и сколько времени надо, чтобы сказать: *Кто ты?* Сколько времени, чтобы сказать *Почему?* Больше, чем было у нас до трех часов ночи, до нового восхода. Декорации времени исчезли. Светло было за стенами ее дома или нет, дождь ли шел, или было сухо, часы показывают десять, а мы не знаем утра или вечера, в какой день какой недели это могло происходить. Для нас было утро, когда мы просыпались и видели звезды над безмолвной темнотой города; в полночные часы мы держали друг друга в объятиях, и нам снились часы пик в разгар дня в Лос-Анджелесе.

Родство душ невозможно — это я усвоил за годы, с тех пор, как повернул Флита в сторону делания денег и построил свою империю за высокой стеной. Невозможно для людей, бегущих одновременно в десятке различных направлений с десятком различных скоростей, для прожигателей жизни. Неужели я ошибался?

Однажды около полуночи, хотя для нас это было утро, я вернулся в ее спальню, держа в одной руке поднос с нарезанными яблоками, сыром и крекерами.

— О! — сказала она, садясь в постели, мигая сонными глазами и приглаживая волосы, так что они лишь слегка спутанными прядями падали на ее голые плечи. — Ах ты мой хороший! Заботливый — фантастика!

— Я мог бы быть еще заботливее, но у тебя на кухне нет ни пахты, ни картошки, чтобы приготовить картофельную запеканку*.

— Картофельная запеканка! — изумилась она. — Когда я была маленькой, моя мама готовила такую запеканку. Я думала, что, кроме меня, никто в мире этого уже не помнит. А ты умеешь ее готовить?

— Рецепт надежно хранится в этом выдающемся уме, по наследству от бабушки Бах. Ты единственная, от кого я услышал это слово за последние пятнадцать лет! Нам надо бы составить список всего того, что у нас...

Я взбил несколько подушек и устроился так, чтобы хорошо ее видеть. Боже, думал я, как же я люблю эту ее красоту!

---

* Нем. Kartoffelkuchen.

Она заметила, как я смотрю на ее тело, и на какой-то момент села в постели, выпрямившись и наблюдая, как у меня перехватило дыхание. Потом она натянула простыню до подбородка.

— Ты ответил бы на мое объявление? — спросила она неожиданно робко.

— Да. А какое?

— В разделе «требуется». — Она положила прозрачный ломтик сыра на половинку крекера. — Ты знаешь, что в нем говорится?

— Расскажи мне.

Мой собственный крекер трещал под весом ломтя сыра, но я счел его достаточно прочным.

«Требуется: стопроцентный мужчина. Должен быть умным, обладать творческими способностями и чувством юмора, должен быть способным на глубокое чувство и радость. Хочу разделять с ним музыку, природу, мирную, спокойную, радостную жизнь. Не должен курить, пить, употреблять наркотики. Должен любить знания и постоянно расширять свой кругозор. Красивый, высокий, стройный с крепкими руками, чуткий, нежный, любящий. Страстный и сексуальный, насколько возможно».

— Вот так объявление! Да! Я отвечаю!

— Я еще не закончила, — сказала она.

«Должен быть эмоционально уравновешенным, честным и порядочным, а также положительной конструктивной личностью; высокодуховной натурой, но не принадлежать к какой-либо организованной религии. Должен любить кошек».

— Да это же я, точь-в-точь! Я даже люблю твоего кота, хотя и подозреваю, что не пользуюсь его взаимностью.

— Дай ему время, — сказала она. — Какое-то время он будет немного ревновать.

— А, вот ты и проговорилась.

— В чем? — спросила она, позволив упасть простыне, наклонившись вперед и поправляя подушки.

Результатом этого простого действия, этого ее наклона, было то, что меня словно швырнули изо льда в огонь. Пока она была неподвижна, я мог устоять перед ее притягательностью. Стоило ей шевельнуться и свету ее мягких округлостей и изгибов *измениться,* все слова у меня в голове смешивались в счастливую беспорядочную кучу.

— Хм...? — сказал я, глядя на нее.

— Ты животное, — сказала она. — Так в чем я проговорилась?

— Пожалуйста, если ты будешь сидеть совершенно спокойно, мы прекрасно сможем поговорить. Но должен тебе сказать, что если ты не оденешься, то это небольшое перемещение подушек совершенно выбьет меня из колеи.

Я тут же пожалел о сказанном. Она потянула простыню, чтобы прикрыть грудь и, придерживая ее руками, строго посмотрела на меня поверх своего крекера.

— А, ну да, — сказал я. — Сказав, что твой кот будет ревновать какое-то время, ты тем самым проговорилась, что, по-твоему, я вполне соответствую требованиям твоего объявления.

— А я и хотела проговориться, — сказала она. — И я рада, что ты это понял.

— А ты не боишься, что если я буду это знать, то смогу использовать это против тебя?

Она подняла бровь, позволив простыне опуститься на дюйм.

— Ты разве бы смог сделать это?

Огромным усилием воли я дотянулся до нее и поднял повыше белое полотно.

— Я заметил, что она падает, мэм, и в интересах спокойного разговора с тобой еще хотя бы минуту, я подумал, что мне следует позаботиться о том, чтобы она не спускалась слишком низко.

— Очень мило с твоей стороны.

— Ты веришь, — спросил я ее, — в ангелов-хранителей?

— Чтобы защищать, оберегать и направлять нас? Иногда верю.

— Тогда скажи мне, зачем ангелу-хранителю заботиться о наших любовных делах? Зачем им направлять наши любовные связи?

— Это просто, — сказала она. — Для ангела-хранителя любовь важнее, чем что бы то ни было. Для них наша любовная сторона жизни важнее всех других сторон! О чем же ангелам еще заботиться?

Конечно, — подумал я, — она права!

— А как по-твоему, не может ли быть так, — сказал я, — что ангелы-хранители принимают друг для друга человеческий облик, чтобы раз в несколько человеческих жизней стать любовниками?

Задумавшись, она откусила кусочек крекера. — Да. — И чуть позже: — А ангел-хранитель ответил бы на мое объявление?

— Да. Наверняка. Любой ангел-хранитель ответил бы на это объявление, если бы знал, что дала его именно ты.

— Мне такой как раз и нужен, — сказала она, и чуть погодя: — А у тебя есть объявление?

Я кивнул и сам себе удивился.

— Да, я его годами писал:

«Требуется: стопроцентный ангел-хранитель женского рода в человеческом образе. Независимая, любительница приключений, с незаурядным умом. Предпочтительно умение творчески реагировать на многие формы общения. Должна владеть лошадиной латынью».

— Это все?

— Нет, — сказал я.

«Обращаться только ангелу с чудесными глазами, сногсшибательной фигурой и длинными золотистыми волосами. Требуется выдающееся любопытство, неуемная жажда знаний. Предпочтительны профессиональные навыки в сферах творчества и бизнеса, опыт работы на руководящих должностях. Бесстрашная, готовая на риск. Со временем гарантируется счастье».

Она внимательно слушала.

— Вот эта часть про сногсшибательную фигуру и длинные золотистые волосы, — не слишком ли это приземленно для ангела?

— А почему бы ангелу-хранителю не иметь сногсшибательную фигуру и длинные волосы? Разве станет она из-за этого не такой ангельской, менее совершенной для своего смертного подопечного и не такой способной в своей работе?

В самом деле, почему ангелы-хранители не *могут* быть такими? — думал я, жалея, что со мной нет блокнота. — Почему бы не быть целой планете, населенной ангелами, освещающими жизни друг друга тайнами и приключениями? Почему хотя бы немногим из них не находить друг друга время от времени?

— Значит, мы принимаем такой телесный образ, какой наш смертный подопечный сочтет для себя наиболее очаровательным? — спросила она. — Когда учительница хорошенькая, тогда мы обращаем внимание на то, что она говорит?

— Верно, — сказал я. — Одну секунду...

Я отыскал блокнот на полу у кровати, записал то, что она сказала, потом поставил тире и букву «Л» — от Лесли.

— Тебе не приходилось замечать, как постепенно меняется внешний облик человека, которого уже знаешь какое-то время?

— Он может быть самым красивым в мире мужчиной, — сказала она, — но может подурнеть, как воздушная кукуруза, когда ему нечего сказать. А самый некрасивый мужчина заговорит о том, что для него важно и почему это для него важно, и через пару минут он становится таким красавцем, что хочется его обнять!

Я полюбопытствовал:

— И с многими некрасивыми мужчинами ты появлялась на людях?

— С немногими.

— Почему, если в твоих глазах они становятся красивыми?

— Потому что они видят стоящую перед ними Мэри Кинозвезду, этакую расфуфыренную красотку, и думают, что она смотрит только на Гарри Красавчика. Они редко просят, чтобы я появлялась с ними в свете, Ричард.

Дураки несчастные, — подумал я. — *Они редко просят.* Из-за того, что мы берем на веру лежащее на поверхности, мы забываем, что внешнее — это не то, что мы есть на самом деле. Когда мы находим ангела с блестящим умом, ее лицо становится еще прекраснее. А потом она говорит нам: «Да, кстати, у меня еще вот такое тело...» Я записал это в блокнот.

— Когда-нибудь, — сказала она, ставя поднос с завтраком на ночной столик, — я еще попрошу тебя почитать твои записки. — От ее движения простыня снова упала. Подняв руки, она сладко потянулась.

— Сейчас я просить не буду, — сказала она, подвигаясь ближе. — Хватит на сегодня вопросов.

Поскольку думать я уже не мог, меня это вполне устраивало.

ДВАДЦАТЬ

Это была не музыка, это был неблагозвучный скрежет пилы по металлу. Едва она отвернулась от стереоколонок, выведя их на максимальную громкость, как я уже весь кипел от недовольства.

— Это не музыка!

— ПРОСТИ, ЧТО? — сказала она, вся уйдя в звуки.

— Я ГОВОРЮ, ЭТО НЕ МУЗЫКА!

— БАРТОК!

— ЧТО? — сказал я.

— БЕЛА БАРТОК!

— ТЫ НЕ МОГЛА БЫ СДЕЛАТЬ ПОТИШЕ, ЛЕСЛИ?

— КОНЦЕРТ ДЛЯ ОРКЕСТРА!

— ТЫ НЕ МОГЛА БЫ СДЕЛАТЬ НЕМНОГО ПОТИШЕ ИЛИ НАМНОГО ТИШЕ? ТЫ НЕ МОГЛА БЫ СДЕЛАТЬ НАМНОГО ТИШЕ?

Она не расслышала слов, но поняла смысл и уменьшила громкость.

— Спасибо, — сказал я. — Вуки, это... ты что, серьезно считаешь, что это — музыка?

Присмотрись я внимательней, и помимо очаровательной фигурки в цветастом купальном халате, волос, упрятанных для просушивания в тюрбан из полотенца, я бы заметил разочарование в ее глазах.

— Тебе не нравится? — сказала она.

— Ты любишь музыку, ты училась музыке всю жизнь. Как ты можешь называть эту дисгармонию, которую мы слышим, этот кошачий концерт, как ты можешь называть это музыкой?

— Бедняжка Ричард, — сказала она. — Счастливчик Ричард! Тебе еще столько предстоит узнать о музыке! Сколько прекрасных симфоний, сонат, концертов тебе предстоит услышать впервые! — Она остановила кассету, перемотала и вынула из магнитофона.

— Пожалуй, Барток — это чуть рановато. Но я тебе обещаю. Настанет день, когда ты послушаешь то, что слышал сейчас, и скажешь, что это великолепно.

Она просмотрела свою коллекцию кассет, выбрала одну и поставила на магнитофон, где до этого был Барток.

— А не хотел бы ты послушать немного Баха... Хочешь послушать музыку твоего прадедушки?

— Возможно, ты выгонишь меня из своего дома, оскорбившись на мои слова, — сказал я ей, — но я могу его слушать не больше получаса, потом я теряюсь и мне становится немного скучно.

— Скучно? Слушая Баха? Тогда ты просто не умеешь слушать; ты никогда не учился его слушать! — Она нажала клавишу, и пленка поехала; прадедушка на каком-то чудовищном органе, это ясно. — Сначала тебе надо правильно сесть. Иди, сядь здесь, между колонками. Именно здесь мы сидим, когда хотим слышать всю музыку.

Это было похоже на музыкальный детский сад, но мне очень нравилось быть рядом с ней, сидеть так близко рядом с ней.

— Уже одна ее сложность должна бы сделать ее для тебя неотразимой. Так вот, большинство людей слушает музыку горизонтально, идя следом за мелодией. А ты можешь слушать еще и *структурно;* ты когда-нибудь пробовал?

— Структурно? — сказал я. — Нет.

— Вся ранняя музыка была линейной, — сказала она сквозь лавину органных звуков, — незамысловатые мелодии, игравшиеся одна за другой, примитивные темы. Но твой прадедушка брал сложные темы со своими затейливыми ритмами и сплетал их вместе с неравными интервалами так, что создавались замысловатые структуры и появлялось еще и ощущение вертикальности — *гармония!* Некоторые гармонии Баха диссонируют так же, как и Барток, и Баху это сходило с рук за целых сто лет до того, как кто-то хотя бы подумал о диссонансе.

Она остановила кассету, скользнула за фортепиано и, не моргнув глазом, подхватила на клавиатуре последний аккорд, прозвучавший из колонок.

— Вот. — На фортепиано он прозвучал яснее, чем из колонок. — Видишь? Вот один мотив... — она заиграла. — А вот еще... и еще. Теперь смотри, как он это выстраивает. Мы начинаем с темы А правой рукой. Теперь А снова вступает четырьмя тактами позже, но уже левой рукой; ты слышишь? И они идут вместе пока не... вот появляется В. И теперь А подчиняется ей. Теперь А снова вступает справа. А теперь... С!

Она разворачивала темы одну за другой, затем складывала их вместе. Сначала медленно, потом все быстрее. Я едва поспевал за ними. То, что для нее было простой арифметикой, для меня было высшей математикой; закрыв глаза и сжав веки обеими руками, я почти уже понимал.

Она начала сначала, объясняя каждый шаг. По мере того как она играла, в мой внутренний концертный зал, всю мою жизнь остававшийся темным, начал понемногу проникать свет.

Она была права! Одни темы сплетались с другими, танцуя вместе так, словно Иоганн Себастьян спрятал в своей музыке секреты для тайного удовольствия тех, кто научился видеть глубину, скрытую под поверхностью.

— Разве ты не радость! — сказал я, взволнованный тем, что понимаю, о чем она говорит. — Я это слышу! Это действительно есть!

Она радовалась так же, как я, и забыла одеться или расчесать волосы. Она пододвинула нотные листки с дальнего конца музыкальной полки, стоящей на фортепиано, к себе. Надпись гласила *Иоганн Себастьян Бах,* а дальше ураган из нот и пространств, из точек и диезов, из плоскостей и бемолей, из трелей и внезапных команд на итальянском. С самого начала, перед тем как пианистка могла убрать шасси и влететь в этот ураган, ее встречала команда *con brio,* что по моему разумению означало, что надо играть либо ярко, либо с холодком, либо с сыром.

Это внушало благоговение. Моя подруга, вместе с которой я только что вынырнул из теплых простыней и полных сладострастия теней, с которой я говорил по-английски с легкостью, по-испански со смехом, по-немецки и по-французски с замешательством и ощущением творческого эксперимента, эта моя подруга внезапно запела на новом и чрезвычайно сложном языке, в который я лишь первый день учился вслушиваться.

Музыка вырвалась из фортепиано, словно прозрачная, холодная вода, высеченная пророком из скалы, разливаясь и плескаясь вокруг нас, в то время как ее пальцы взлетали и парили, сгибались и замирали, и таяли, и мелькали в магическом пассаже, и молниями метались над клавишами.

Никогда прежде она для меня не играла, оправдываясь то тем, что давно не практиковала, то тем, что стесняется даже открыть клавиатуру инструмента, когда я нахожусь в комнате. Теперь между нами что-то произошло... то ли она почувствовала свободу играть, потому что мы стали любовниками, то ли была учительницей, так страстно желавшей помочь своему глухому ученику, что уже ничто не могло удержать ее от музыки?

Ее глаза не упускали ни одной дождинки из этого урагана на бумаге; она забыла о том, что у нее есть тело, остались только руки, вихрь пальцев и душа, отыскавшая свою песню в сердце человека, умершего две сотни лет назад и по ее воле с триумфом восставшего из могилы к живой музыке.

— Лесли! Боже мой! Кто ты?

Она лишь слегка повернула ко мне голову и чуть улыбнулась, глазами, разумом и руками оставаясь в уносящемся вверх урагане музыки.

Потом она взглянула на меня; музыка резко оборвалась, и только струны в теле фортепиано еще дрожали, как струны арфы.

— И так далее, и тому подобное, — сказала она. Музыка мерцала в ее глазах, в ее улыбке. — Ты видишь, что он тут делает? Видишь, что он сделал?

— Вижу самую малость, — сказал я. — Я думал, что знаю тебя! Ты мне затмила дневной свет! Эта музыка... это... ты...

— Я давно не практиковалась, — сказала она. — Руки не работают так, как они...

— Нет, Лесли, нет. Стоп. Слушай. То, что я только что слышал, — это чистое... слушай!.. чистое сияние, которое ты взяла с краешка облаков и у солнечного восхода и сотворила из него капли света, чтобы я мог его слышать! Да знаешь ли ты, как хорошо, как прекрасно то, что делает в твоих руках фортепиано?

— Хотела бы я! Ты же знаешь, карьера пианистки была мечтой моей жизни?

— Одно дело знать это на словах, но ты ведь раньше никогда не играла! Ты открываешь мне еще один, совершенно иной... рай!

Она нахмурилась.

— *ТОГДА НЕ СМЕЙ СКУЧАТЬ ОТ МУЗЫКИ ТВОЕГО ПРАДЕДУШКИ!*

— Больше никогда, — сказал я кротко.

— Конечно, больше никогда, — сказала она. — По складу ума вы с ним слишком похожи, чтобы ты не мог его понять. Любой язык имеет свою тональность, в том числе и язык твоего прадедушки. Скучно ему! Ну, действительно!

Она приняла мое обещание исправиться и, повергнув меня в благоговейный трепет, удалилась причесываться.

ДВАДЦАТЬ ОДИН

Она отвернулась от пишущей машинки, взглянула в ту сторону, где я устроился с чашкой шоколада и черновиком режиссерского сценария, и улыбнулась мне.

— Вовсе не обязательно все выпивать одним глотком, Ричард, можно тянуть маленькими глоточками. Так его тебе на дольше хватит.

Я расхохотался сам над собой, с ней вместе. Я подумал, что в глазах Лесли я, должно быть, выгляжу как куча огородных пугал на диване ее кабинета.

На ее письменном столе строгий порядок, папки аккуратно сложены, каждый клочок бумаги на своем месте. Да и сама она выглядела так же аккуратно: бежевые брючки в обтяжку, заправленная в них прозрачная блузка, лифчик такой же откровенный, как и блузка, отделанный прозрачными белыми цветочками. Ее волосы отливали золотом. Я подумал — именно так и должна выглядеть аккуратность!

— Наши напитки — это не пресс-папье, — сказал я. — Многие люди пьют горячий шоколад. Твои друзья, например. Что до меня, то за то время, пока ты ознакомишься с содержимым одной чашки, я могу выпить достаточно горячего шоколада, чтобы возненавидеть его вкус до конца своих дней!

— Может, тебе лучше пить то, к чему ты более дружески относишься, — сказала она, — чем то, с чем ты едва знаком?

Близкое знакомство с ее шоколадом, ее музыкой, ее садом, ее машиной, ее домом, ее работой. С вещами, которые я знал, я был связан целой сетью тонких шелковых нитей; к своим вещам она была привязана плетеными серебряными канатами. В глазах Лесли все, что было ей близко, имело ценность.

Сценические костюмы и туалеты висели у нее в шкафах, рассортированные по цветам и оттенкам, каждый в чехле из прозрачного пластика. Подобранные в тон туфли стояли под ними на полу, подобранные в тон шляпки лежали над ними на полках.

Книги в шкафах подобраны по тематике; грампластинки и магнитофонные записи — по композиторам, дирижерам и исполнителям.

Несчастный неуклюжий паучок споткнулся и свалился в раковину? Все останавливается. На помощь пауку опускается сделанная из бумажного полотенца спасательная лестница. Забравшегося на нее паука поднимают наверх, осторожно выносят в сад и водворяют в безопасное место со словами утешения и мягким упреком насчет того, что раковины — это не лучшее место для паучьих игр.

Я во многом был совершенно иным. К примеру, аккуратность у меня была далеко не на первом месте. Пауков, само собой, надо спасать из раковин, но нежничать с ними ни к чему. Пусть благодарят свою счастливую звезду, если их хотя бы вынесут из дома и бросят на веранде.

Вещи, они исчезают в мгновение ока; прошелестит ими ветер, и их нет. А ее серебряные канаты... когда мы сильно привязываемся к вещам и к людям, то разве не уходит вместе с ними какая-то частица нас, когда уходят они?

— Гораздо лучше привязываться к вечным понятиям, чем к сиюминутным, преходящим вещам, — сказал я, сидя рядом с ней в машине, которую она вела по дороге в Музыкальный Центр. — Ты согласна?

Она кивнула, ведя машину с пятимильным превышением скорости и ловя зеленые светофоры.

— Музыка — это явление вечное, — сказала она.

Как спасенного кота, меня кормили сливками классической музыки, к которой, как она уверяла, у меня были и способности, и слух.

Она тронула радио, и сразу же скрипки залились в серенаде какой-то веселенькой мелодии.

На подходе очередная викторина, — подумал я. Мне нравились наши викторины.

— Барокко, классика, модерн? — спросила она, вылетая на открытую полосу, ведущую к центру города.

Я вслушался в музыку, полагаясь как на интуицию, так и на вновь приобретенные знания. Для барокко слишком глубока структура, для классики слишком непричесанно и недостаточно формально, для модерна недостаточно витиевато. Романтично, лирично, легко...

— Неоклассика, — предположил я. — Похоже, крупный композитор, но тут он просто забавляется. Написано, я бы сказал, году в 1923.

Я был убежден, что Лесли знала эпоху, год, композитора, произведение, его часть, оркестр, дирижера и концертмейстера. Ей достаточно было услышать музыкальный отрывок — и она уже знала, что это; она подпевала каждой из тысячи собранных ею музыкальных записей Стравинского, для меня столь же непредсказуемых, как дикая лошадь на родео, она напевала, вряд ли осознавая, что делает.

— Угадал, — сказала она. — Тепло. Композитор?

Определенно не немец. Для немца недостаточно тяжело, не так много колес на дороге. Игриво, стало быть, не русский. Нет в ней ни французского привкуса, ни итальянского чувства, ни английского облика. Нет в ней и австрийского оттенка — недостаточно золота. Что-то домашнее, я и сам мог бы это напевать; домашнее, но не американское. Это танец.

— Поляк? Мне кажется, это было написано в краях к востоку от Варшавы.

— Удачная попытка. Это не поляк. Немного восточнее. Это русский. — Она была мной довольна.

Банта не замедлила хода; зеленые огни светофоров покорно служили Лесли.

— Русский? А где же томление? Где пафос? Русский! Боже ты мой!

— Не торопись с обобщениями, вуки, — сказала она. — Просто до сих пор ты еще не слышал веселой русской музыки. Ты прав. Здесь у него игривое настроение.

— Так кто это?

— Прокофьев.

— Никогда бы не подумал! — сказал я. — Рус...

— ПРОКЛЯТЫЙ ИДИОТ! — Взвизгнули тормоза, Банта резко вильнула в сторону, всего на метр разминувшись с пронесшимся черной молнией грузовиком. — *Ты видел этого сукина сына?* Прямо на красный свет! Он чуть не убил... какого ЧЕРТА он себе думает...

Она переживала, словно автогонщик, случайно избежавший аварии, когда все уже миновало, и мы проехали четверть мили дальше по бульвару Крэншо. Но меня ошеломил не столько грузовик, сколько ее язык.

Все еще хмурясь, она взглянула на меня, увидела мое лицо, озадаченно взглянула еще раз, попыталась подавить улыбку, но безуспешно.

— Ричард! Я тебя шокировала! Я шокировала тебя своим *«Черт побери?»* — С большим усилием она сдерживала веселье. — Ах, моя бедная деточка! Я выругалась в твоем присутствии! Ну, извини!

Я и злился, и смеялся одновременно.

— Ну, ладно, Лесли Пэрриш, на этом конец! Наслаждайся этим моментом, потому что больше никогда в жизни ты не увидишь меня шокированным словами «черт побери!».

В тот самый момент, когда я произносил последние слова, они как-то странно прозвучали в моих устах, нескладно. Все равно как если бы непьющий сказал **пьянка;** а некурящий или не наркоман сказал бы **бычок** или **притон,** или любое другое жаргонное словечко, характерное для алкоголиков или наркоманов. Любое слово, если мы им никогда не пользуемся, в наших устах звучит нескладно. Даже слово **фюзеляж** нелепо звучит в устах того, кто не увлекается самолетами. Но слово есть слово, звук, разносящийся в воздухе, и нет такой причины, по которой я не мог бы произнести любое слово, какое захочу, и при этом не чувствовать себя болваном.

Несколько секунд, пока она поблескивала на меня глазами, я молчал.

Как можно практиковаться в брани? Под мелодию Прокофьева, все еще звучащую по радио, я тихонько начал:

— О... черт, черт, побери, черт-черт-побери-и-и-и-и черт-черт-побери-о... черт-черт-побери, **ЧЕРТ-ЧЕРТ ПОБЕРИ-И-И** О, черт-черт-побе-побери-черт-черт-побери-о-черт-че-рт-побе-побери чер-р-р-р-т; О, че-р-р-р-р-р-т... **ДЬЯВОЛ!**

Услышав, что я пою с такой серьезной сосредоточенностью, она повалилась на руль от хохота.

— Смейся сколько хочешь, черт побери, вуки, — сказал я. — Я намерен хорошенько выучить всю эту чертовщину! Дьявольщина! Как называется эта чертова музыка?

— Ох, Ричард, — она перевела дух, утирая слезы. — Это **Ромео и Джульетта...**

Я продолжал петь, несмотря ни на что, и, само собой, после нескольких строф эти слова совершенно утратили свое значение. Еще бы пару строк, и я бы с легкостью чертыхался и произносил самые жуткие проклятия! А там можно освоить и другие словечки! Почему мне еще тридцать лет назад не пришло в голову практиковаться в ругани?

У входа в концертный зал она заставила меня прекратить богохульства.

Только тогда, когда мы снова сели в машину, просидев весь вечер в первом ряду и слушая Чайковского и Сэмюэла Барбера в исполнении Лос-анджелесского филармонического оркестра и Ицхака Перлмана под руководством Зубина Мета, я смог наконец выразить свои чувства.

— Это была адски, дьявольски прекрасная музыка! Тебе не кажется, что это было бо... то есть чертовски здорово?

Она умоляюще возвела очи к небесам.

— Что я наделала? — сказала она. — Что я натворила?

— Какого бы черта ты ни натворила, — сказал я, — у тебя это чертовски здорово получилось.

По-прежнему оставаясь деловыми партнерами, мы решили непременно сделать какую-нибудь работу за эти недели, проведенные вместе, поэтому мы выбрали фильм для изучения и выехали пораньше, чтобы занять очередь на дневной сеанс. Улица глухо шумела и рокотала вокруг нас, пока мы дожидались своей очереди, но уличного шума для нас словно и не было, как будто волшебное покрывало окружало нас на расстоянии протянутой руки, и все стало призрачным за его пределами, пока мы разговаривали на нашей уединенной планете.

Я не обратил внимания в этой дымке на женщину невдалеке, наблюдавшую за нами, но внезапно она приняла решение, которое напугало меня. Она подошла прямо к Лесли, тронула ее за плечо и разрушила наш мир.

— Вы — Лесли Пэрриш!

В то же мгновение улыбка моей подруги изменилась. Та же улыбка, но неожиданно застывшая; внутри она вся сжалась, насторожилась.

— Прошу прощения, но я вас видела в *Большой долине* и в *Звездной тропе* и... я очень люблю ваши работы, и я думаю, что вы красавица...

Она говорила так искренне и робко, что стены стали тоньше.

— О, спасибо.

Женщина открыла сумочку.

— Не могли бы вы... если вас это не слишком побеспокоит, не могли бы вы дать автограф для моей Корри? Она бы меня убила, если бы узнала, что я была рядом с вами и не... — Ей никак не удавалось отыскать клочок бумаги для автографа. — Здесь что-нибудь должно быть...

Я предложил свой блокнот, и Лесли согласно кивнула.

— Вот, возьмите, — сказал я женщине.

— Спасибо, сэр.

Она написала краткое пожелание Корри и поставила свою подпись, вырвала листок и вручила его женщине.

— Вы еще играли Дейзи Мэй в фильме Лил *Абнер,* — сказала женщина так, словно Лесли могла об этом забыть, — и в *Маньчжурском кандидате*. Мне очень понравилось.

— Прошло столько времени, а вы помните? Как это мило...

— Большое вам спасибо. Корри будет так счастлива!

— Обнимите ее за меня.

Какую-то минуту, после того, как женщина вернулась на свое место в очереди, царило молчание.

— Не говори ни слова, — буркнула мне Лесли.

— Это было так трогательно! — сказал я. — В самом деле. Я не шучу.

Она смягчилась.

— Она такая милая и искренняя. Не из тех, кто говорит: «Вы ведь такая-то, верно?» Я просто говорю «нет» и стараюсь улизнуть. «Нет, вы такая-то, я знаю, вы такая-то. Что вы сделали?» Они хотят, чтобы ты перечислила свои заслуги... — Она недоуменно покачала головой. — Что поделаешь! В общении с нечуткими людьми нет места для чуткости. Правда?

— Интересно. У меня такой проблемы нет.

— В самом деле, вуки? Ты хочешь сказать, что ни один грубиян не вторгался ни разу бесцеремонно в твою частную жизнь?

— Лично — нет. Писателям нечуткие люди присылают письма с настойчивыми просьбами, либо рукописи. Это около одного процента, может, даже меньше. Вся прочая почта интересна.

Я возмущался скоростью продвижения очереди за билетами. Не прошло и часа, как нам пришлось отрешиться от наших открытий, войти в кинозал с деловыми намерениями, усесться и смотреть фильм.

Как многому я еще могу у нее научиться, — думал я, держа в темноте ее руку, касаясь плечом ее плеча, многое желая сказать, — больше, чем когда бы то ни было! А теперь еще между нами жила неистовая нежность секса, изменяя нас, дополняя нас.

Вот женщина, которой не было равных в моей жизни, — думал я, глядя на нее в темноте. — Я не могу представить, что могло бы быть угрозой, разрушить теплоту близости к ней. Вот единственная женщина, из всех женщин, каких я знал, с которой никогда не может быть ни вопросов, ни сомнений в том, что нас связывает, до конца наших дней.

Не странно ли, что уверенность всегда приходит перед потрясениями?

ДВАДЦАТЬ ДВА

Снова озеро, в моих окнах мерцала Флорида. Гидросамолеты, словно солнечные мотыльки, летали, скользили по воде. Здесь ничего не изменилось, подумал я, ракладывая чемодан на тахте.

Краем глаза я заметил какое-то движение и подскочил, я увидел его в двери — второго себя, о котором забыл: в латах, вооруженного и, в этот момент, возмущенного. Словно я вернулся с прогулки по лугу с застрявшими в волосах маргаритками и с опустошенными карманами, где были яблоки и кубики сахара для оленя, и вдруг обнаруживаю воина в латах, поджидающего меня в доме.

— Ты опоздал на семь недель! — сказал он. — Ты не сказал мне, где будешь. Тебе причинит боль то, что я должен сказать, а я мог бы уберечь тебя от боли. Ричард, вполне достаточно твоего пребывания в обществе Лесли Пэрриш. Ты забыл обо всем, что узнал? Разве ты не видишь опасности? Женщина угрожает всему твоему образу жизни! — Зашевелились звенья его кольчуги, скрипнули доспехи.

— Она прекрасная женщина, — сказал я, затем понял, что он не поймет смысл сказанного, напомнит мне, что я знал много прекрасных женщин.

Тишина. Снова скрип.

— Где твой щит? Потерял, наверное. Это счастье, что тебе удалось вернуться живым!

— Мы начали говорить...

— Глупец. Ты думаешь, мы носим доспехи забавы ради? — Его глаза сердито смотрели из-под шлема. Зеленоватый в металле палец указал на выбоины и следы от ударов на доспехах. — Каждая из этих отметин сделана какой-нибудь женщиной. Ты был почти уничтожен женщиной; тебе чудом удалось спастись; и если бы не латы, ты был бы уже десять раз сражен, потому что

6 – 4169

дружба превращается в обязанность и притеснение. Одного чуда ты заслуживаешь. На десятки тебе лучше не рассчитывать.

— Я износил свои латы, — пожаловался я ему. — Но ты хочешь, чтобы я... *все* время? Постоянно? Есть время и для цветов тоже. А Лесли — это нечто особенное.

— Лесли *была* чем-то особенным. Каждая женщина особенна на день, Ричард. Но особенное становится общим местом, воцаряется скука, исчезает уважение, — свобода потеряна. Потерять свободу — что еще терять?

Фигура огромная, но более проворная, чем кошка в драке, и необыкновенно сильная.

— Ты создал меня, чтобы я был твоим ближайшим другом, Ричард. Ты не создал меня симпатичным или смеющимся, или с добрым сердцем и мягким характером. Ты создал меня, чтобы я защищал тебя от связей, ставших опасными; ты создал меня, чтобы я обеспечил сохранность твоей душевной свободы. Я могу спасти тебя, только если ты будешь поступать так, как я скажу. Ты можешь показать мне хотя бы одну счастливую супружескую пару? Одну? Ты мог бы назвать из всех своих знакомых тебе мужчин хотя бы одного, кто избежал бы немедленного развода и дружбы вместо супружества?

Я вынужден был согласиться.

— Ни одного.

— Секрет моей силы, — продолжал он, — в том, что я не вру. До тех пор пока ты не лишишь меня разума и не превратишь реальность моего существования в вымысел, я буду направлять и защищать тебя. Лесли сегодня для тебя прекрасна. Другая женщина была прекрасна для тебя вчера. Каждая из них уничтожила бы тебя в супружестве. Есть одна совершенная женщина для тебя, но она живет во множестве разных тел...

— Я знаю. Я знаю.

— Ты знаешь. Когда ты найдешь единственную в мире женщину, которая может дать тебе больше, чем много женщин, я исчезну.

Мне он не нравился, но он был прав. Он спас меня от нападений, которые могли убить во мне то, чем я в этот момент являлся.

Мне не нравилась его самонадеянность, но самонадеянность исходила от уверенности. Неуютно было оставаться с ним в одной комнате, но попросить его исчезнуть означало в конце концов стать жертвой открытия, что эта женщина или та не является моей единственной родной душой.

Насколько я понимаю, свобода равносильна счастью. Небольшая охрана — такова маленькая цена за счастье.

Единственно, думал я, у Лесли есть ее собственный стальной человек, чтобы охранять ее... гораздо больше мужчин планировали овладеть ею и жениться, чем женщин, строивших планы в отношении меня. Если бы она жила без лат, она была бы сейчас замужем, без молитвы радостной любви, которую мы изобрели. Ее радость тоже основывалась на свободе. Как нам не нравились женатые люди, которые иногда посматривали на нас со своими планами адюльтера! Действуйте согласно своим убеждениям, неважно — каким; если верите в супружество, живите в нем честно. Если нет — разведитесь быстро.

Женюсь ли я на Лесли, если придется отдать ей так много своей свободы?

— Извини, — сказал я своему другу в доспехах, — я не забуду.

Перед тем как уйти, он долго и мрачно смотрел на меня. В течение часа я отвечал на письма, работал над журнальной статьей, сроки написания которой ограничены не были. Затем я спустился вниз, в ангар, ощущая какое-то беспокойство.

Большое полое пространство покрывала тончайшая завеса, что-то не то... столько испарений, что ничего нельзя было увидеть.

Маленькому реактивному BD-5 необходим был полет, чтобы сдуть паутину с его поверхностей.

Я тоже — в паутине, — подумал я. Неразумно терять навык полета на каждом самолете, слишком подолгу не возвращаться к ним. Маленький самолет — единственный, на котором взлет был опаснее посадки, — требовал полета.

Двенадцать футов от носа до хвоста; он безжизненно выехал из ангара, как тележка для бутербродов без зонта. Не совсем безжизненный, подумал я. Скорее, мрачный.

Я тоже был бы мрачен, оставленный всеми на много-много недель, кроме разве что пауков в нишах шасси.

Вот, наконец, люк открыт, топливо проверено, предполетный осмотр сделан. На крыльях лежала пыль.

Мне следует нанять кого-нибудь, чтобы стирал пыль с самолетов, подумал я и фыркнул от отвращения. Каким же ленивым хлыщом я стал — нанимать кого-нибудь, чтобы стирать пыль с моих самолетов!

Обычно я был привязан к одному самолету, сейчас это был маленький гарем; а я шейх, который приходит, когда захочет. Твин, Сессна, Виджн, Майерс, Мотылек, Рэпид, «Лейк», Питтс... раз в месяц, а иначе — как же я заведу их двигатели?

В последнее время в летной книжке была запись только о Т-33 во время полета из Калифорнии.

Осторожно, Ричард, — подумал я. — Держаться подальше от самолета — совсем не способствует продлению срока его службы.

Я проскользнул в кабину самолета-малыша, посидел некоторое время, глядя на панель управления, ставшую мне непривычной.

Бывало, я весь день проводил со своим Флитом; ползал вверх-вниз по кабине, переворачивая все вверх дном; пачкал рукава в масле, прочищая двигатель и устанавливая вентили, закрепляя цилиндрические крепежные болты. Сейчас я был столь же близок со своими самолетами, как был близок с женщинами.

Что бы подумала об этом Лесли, так умеющая ценить вещи? Разве не были мы близки, она и я? Мне бы хотелось, чтобы она была здесь.

— Отойти от сопла! — я выкрикнул это предостережение по привычке и нажал стартовый выключатель.

Воспламенители зажглись.

Тшик! Тшик! Тшик! и наконец — грохот зажженного в форсунках реактивного топлива. Температура сопла достигла нужной отметки, двигатель набрал обороты по своей крохотной шкале.

Как много значит привычка. Изучишь самолет однажды, глаза и руки помнят, как его поднять в воздух еще долго после того, как это стирается из памяти. Находись кто-нибудь в кабине и спроси, как запустить двигатель, я бы не смог ответить... Только после того, как мои руки выполнят последовательность действий по запуску, я бы смог объяснить, что они проделали.

Резкий запах горящего топлива проник в кабину... вместе с ним всплыли воспоминания о тысяче других полетов. Непрерывность. Этот день — часть отрезка времени жизни, проведенного большей частью в полетах.

Ты знаешь другое значение слова *полет*, Ричард? Бегство. *Спасение*. От чего я в эти дни спасаюсь, что ищу?

Я вырулил на взлетную полосу, увидел несколько машин, остановившихся около аэродрома для наблюдения. Многого они увидеть не могли. Самолет был так мал, что без дымовой системы для демонстрационных полетов его невозможно увидеть, пока он не покажется на дальнем конце взлетной полосы.

Взлет — это критический момент, помни. Плавно работай РУДом*, Ричард, осторожно набирай скорость. Ускорение 85 узлов, затем поднимай носовое колесо на один дюйм и дай самолету оторваться самому. Добавь оборотов — и ты погиб.

Вырулив по белой линии центра взлетной полосы, — фонарь закрыт и заперт, — я нажал на полную скорость, и маленькая машина двинулась вперед. Со своим крошечным двигателем самолет набрал скорость не больше, чем у индийской повозки, запряженной волами. Он проехал уже половину взлетной полосы, но все еще не проснулся... 60 узлов было слишком мало, чтобы взлететь. Много времени спустя мы достигли 85 узлов, оставив за собой большую часть взлетной полосы. Я оторвал носовое колесо от бетона, и через несколько секунд мы были в воздухе; едва

---

* РУД — рычаг управления двигателем.

отделившись от земли, низко и медленно летели, стараясь не зацепить деревья.

Шасси убрано.

Покрытые мхом ветки промелькнули на 10 футов ниже. Скорость полета достигла 100 узлов, 120, 150, и наконец машина проснулась, и я позволил себе расслабиться в кабине. На 180 малыш мог делать все, что я пожелаю. Все, что было нужно, — это скорость полета и чистое небо, и это было наслаждением.

Как важен полет для меня! Это прежде всего. Полет кажется волшебством, но это мастерство, которому обучаются и тренируются, — с партнером, которого можно изучить и полюбить. Знать правила, соблюдать законы, плюс дисциплина, которая самым любопытным образом дает свободу. Полет так похож на музыку! Лесли это понравилось бы.

Южнее протянулась полоса кучевых облаков, готовящихся к грозе. Еще десять минут, и мы скользнули по их гладкой поверхности; оторвались от края, исчезли бесследно и летели двумя милями ниже над пустыней.

Когда я был ребенком, я любил прятаться в траве и наблюдать за облаками; представлять себя взобравшимся на эту высоту и сидящим на такой вот кромке облаков, как эта, размахивать флагом и кричать мальчишке в траве: ПРИВЕТ, ДИКИ! и никогда не быть услышанным из-за высоты. В глазах — слезы: он хотел так много — пожить минутку на облаке.

Самолет, послушный моей воле, повернул вверх, затем направился к верхушкам облаков, затем — австрийское снижение, прыжок с неба. Мы погрузили наши крылья в густой туман, пробирались вперед. Можно быть уверенным, — за нами тучи становятся реже, трепещущий белый флаг облака обозначил место для прыжка. *Привет, Дики!* — подумал громче, чем прокричал. «Привет, Дики!» — кричу сквозь прошедшие тридцать лет ребенку на земле. Сохрани свою любовь к небу, дитя, и я обещаю: то, что ты любишь, найдет способ увлечь тебя от земли, в высоту, в ее жутковато-счастливые ответы на все вопросы, какие ты только можешь задать. Мимо нас, словно ракеты, летящие горизонтально, пронеслись с огромной скоростью пейзажи облаков. Слышал ли он?

Помню ли я, что слышал тогда это приветствие, которое минуту назад послал ребенку, наблюдающему из травы и из другого года? Возможно. Не слова, но абсолютную уверенность в том, что когда-нибудь полечу.

Мы замедлили полет, перевернулись на спину, нырнули прямо вниз. Какая мысль! Если б мы могли разговаривать друг с другом время от времени, —Ричард-сейчас, вдохновляющий Дики-тогдашнего, — соприкасаясь не в словах, а в глубоких воспоминаниях о событиях, которые еще только должны произойти. Что-то вроде радиопсихики, передающей желания и слышащей голос интуиции.

Как много можно было бы узнать, если бы мы могли побеседовать один час, побеседовать двадцать минут с самим собой — какими-мы-станем! Как много мы могли бы сказать самим себе — какими-мы-были!

Плавно-плавно, с нежнейшим прикосновением одного пальца к РУДу, маленький самолет вышел из пикирования.

На пределе скорости полета ничего неожиданного не предпринимают, иначе самолет превратится в горящие обломки, падающие в разных местах в болото.

Низкие облака промелькнули, словно клубы дыма от выстрелов салюта; внизу показалась и исчезла дорога.

Можно было бы провести и такой эксперимент! Передать привет всем Ричардам, пролетающим во времени вперед, мимо меня; найти способ услышать, что они хотят сказать! И разные варианты меня в разных вариантах будущего, где принимаются различные решения: тот повернул налево, я повернул направо. Что они должны были бы сказать мне? Лучше их жизнь или нет? Как они могли бы изменить ее, узная то, что они знают сейчас? И никто из них, подумал я, не упомянет Ричарда из других периодов его жизни, в далеком будущем или далеком прошлом Настоящего. Если все мы живем в Настоящем, *почему мы не можем общаться?*

К моменту, когда показался аэропорт, маленький самолет простил мне мое небрежение, и мы снова были друзьями. Труднее было простить себе самому, но так бывает обычно, всегда.

Мы сбавили скорость и вошли в зону посадки, на тот самый участок, который я увидел в тот день, когда вышел из автобуса и пошел к аэропорту. Могу ли я увидеть *его* сейчас, идущего там со своим свертком и новостью о том, что он миллионер? Что я должен сказать ему? О Господи, что я должен сказать!

Садиться было так же легко, как трудно — взлетать, BD-5 зашел на посадку, коснулся миниатюрными шасси земли, долго катился и выехал на последнюю полосу. Превосходно развернувшись, мы через минуту были в ангаре, — двигатель остановлен, турбина вращалась все медленнее и медленнее и наконец остановилась.

Я похлопал ее по изгибу фонаря кабины и поблагодарил за полет; обычай всякого летчика, который пролетал больше, чем она или он заслуживали.

Остальные самолеты смотрели с завистью. Они тоже хотели летать; им нужно было летать. Вот бедная Виджн, у нее течет масло из правого двигателя. Изоляция пересохла из-за долгого пребывания без движения.

Могу ли я *услышать* будущее самолетов, так же, как свое? Если б я попробовал и узнал ее будущее, я, должно быть, не стал бы грустить. Она могла бы стать самолетом-телезвездой, открывая каждую часть дико популярного телесериала: летящая на красивый остров; садящаяся на воду; сопровождаемая в док — сверкающая и красивая, без единой течи масла. Но она не могла бы иметь такое будущее без настоящего, в котором она существует сейчас, — стоит грязная в моем ангаре после того, как налетала со мной несколько сотен часов.

Так же как у меня — было бы впереди будущее, которое, вероятно, стало бы невозможным без того свободного одинокого настоящего, в котором я жил сейчас.

Я поднялся в дом, поглощенный мыслями о возможности контакта с другим самим собой в разных состояниях, — Ричардом-бывшим и Ричардом-который-еще-будет; мое «Я» в различные периоды моей жизни, на других планетах, в других гипотетических отрезках времени.

Искал бы кто-нибудь из них супругу? Нашел бы кто-нибудь из них ее?

Интуиция — в будущем/настоящем всегда-я — нашептывала в этот момент на лестнице:

— Да.

ДВАДЦАТЬ ТРИ

Я открыл буфет, достал из него баночку консервированного супа и немного макарон, собираясь быстро приготовить себе прекрасный итальянский завтрак. Быть может, он будет не похож на итальянский. Однако он будет горячим и питательным, что было важно для меня в связи с расследованием, которое я собирался провести.

Посмотри, Ричард, что сейчас окружает тебя. Разве то, что ты видишь, и является жизнью, к которой ты стремишься больше всего?

Я ужасно одинок, думал я, поставив кастрюлю с супом на плиту и забыв зажечь огонь. Я скучаю по Лесли.

Я услышал бряцанье своих защитных доспехов и вздохнул.

Не беспокойся, думал я, не переживай; я знаю, что ты собираешься сказать, и не могу найти изъяна в твоих рассуждениях. Совместная жизнь означает медленное самоубийство. Мне кажется, что я скучаю не по Лесли. Я скучаю по тому, что она олицетворяет для меня сейчас. Воин отступил.

Вместо него пришла другая идея — мысль совсем иного типа: *противоположностью одиночеству, Ричард, является не совместная жизнь, а душевная близость.*

Это слово свободно парило где-то поблизости, как серебристый пузырек, оторвавшийся от дна темного моря. Вот! Чего мне не хватает!

Моя многотелая совершенная женщина так же тепла, как лед в морозилке. Она — общение без заботы, секс без любви и дружба без обязательств.

Точно так же, как она не способна причинить страдание или страдать, точно так же она не может любить и быть любимой. Ей чужда *душевная близость.* А душевная близость... может ли она быть так же важна для меня, как сама свобода? Может быть, поэтому я провел с Лесли семь недель, тогда как с любой другой женщиной я не мог выдержать и трех дней?

Я оставил свой суп стоять холодным на плите, нашел кресло и сел в него так, что колени упирались в подбородок. Я смотрел из окна на озеро. Кучевые облака превратились в дождевые и закрыли солнце. Во Флориде лето, но можно сверять часы по грозам.

Через двадцать минут передо мной появилась стена дождя, и я едва мог разглядеть что-то снаружи.

Сегодня мне удалось кое-как поговорить с Диком, который все еще находится в прошлом; каким-то образом мне удалось передать ему послание. Но как мне встретиться с будущим Ричардом? Что он знает о душевной близости? Научился ли он любить?

Несомненно, что наши двойники из прошлого и будущего должны быть для нас гораздо более близкими друзьями, чем кто-либо другой... Кто может быть ближе к нам, чем мы сами в других воплощениях, мы сами в виде духов? А что, если все мы нанизаны внутри на одну золотую нить, которая во мне такая же, как и во всех других людях?

Я становился все тяжелее и тяжелее, расслабляясь в кресле, и в то же время поднимаясь над ним. Какое странное ощущение, думал я. Не сопротивляйся ему, не двигайся, не думай. Пусть оно унесет тебя туда, куда пожелает. Оно так сильно поможет тебе. Ты встретишь...

С моста, который был соткан из нежного серебристого света, я ступил на большую арену, вокруг которой полуокружностями тянулись ряды пустых мест. Свободные проходы расходились, как спицы от сцены в центре. Не на сцене, но возле нее виднелась одинокая фигура человека, который сидел, положив подбородок себе на колени. Должно быть, я издал какой-то звук, потому что он поднял глаза, улыбнулся, выпрямился и кивнул мне в знак приветствия.

— Ты не просто пунктуален, — сказал он, — ты пришел раньше!

Я не мог четко разглядеть его лица, но человек был приблизительно моего роста, одетый в то, что казалось мне снегозащитным костюмом. Это был черный нейлоновый цельный комбинезон с ярко-желтыми и оранжевыми нашивками на груди и вдоль рукавов. Карманы и кожаные ботинки на змейках. Знакомо.

— Так оно и есть, — ответил я ему как ни в чем не бывало. — Кажется, вот-вот должен пойти снег. — Где мы с ним находимся?

Он засмеялся.

— Снег уже пошел. Он уже в воздухе. Как ты относишься к тому, чтобы выйти отсюда?

— Я не против, — ответил я.

На траве парка, который окружал здание, стоял небольшой, похожий на паучка самолетик. Он, должно быть, весил не больше двухсот фунтов, если заполнить все его отсеки. У него было высоко расположенное крыло, обшитое оранжевым и желтым нейлоном. На его концах размещались тонкие яркие шайбы. Перед сиденьями находилось горизонтальное оперение, покрашенное в такие же цвета, сзади располагался небольшой мотор с толкающим винтом. Я видел множество аэропланов, но никогда не встречал ничего подобного этому.

На нем был не снегозащитный, а летный костюм, который гармонировал по цвету с аэропланом.

— Садись на левое сиденье, если хочешь. — Как он вежлив, как доверяет мне, если предложил занять место пилота!

— Я сяду справа, — сказал я и пробрался на сиденье для пассажира. Это было нелегко сделать, потому что все в этом аэроплане было очень маленьким.

— Как хочешь. Можешь управлять им, сидя с любой стороны. Управление стандартное, но, как видишь, здесь нет педалей. Для этого используется ручка. Горизонтальная стабилизация осуществляется чувствительным рулем высоты. Представь, что он так же чувствителен, как рычаг циклического шага на вертолете, и ты сможешь посадить его.

Он крикнул «От винта!», потянулся к рукоятке, которая висела над головой, потянул ее, и мотор заработал так же тихо, как электрический вентилятор. Он повернулся ко мне.

— Готов?

— Полетели, — сказал я.

Он толкнул вперед рычажок, который был не больше, чем в игрушечном самолетике, и машина устремилась вперед почти беззвучно, мы постепенно оторвались от земли, отклонились назад и набирали высоту, как большой скоростной аэроплан. Земля уходила вниз, зеленая поверхность травы удалялась со скоростью тысяча футов в минуту. Он толкнул ручку управления вперед, отпустил газ, и пропеллер тихонько заурчал на ветру у нас за спиной. Он отпустил рычаги и кивнул мне, что я могу продолжать полет.

— Теперь твоя очередь.

— Спасибо.

Это напоминало полет с парашютом — с одним только отличием, что мы не падали вниз. Мы двигались со скоростью, наверное, тридцать миль в час, судя по ветру. Это была маленькая чудная машина, которая напоминала кресло-качалку за восемь долларов, а не самолет. Стенки и пол кабины были прозрачны, и сквозь них открывался такой прекрасный вид, что все известные мне бипланы по сравнению с этим самолетиком казались глубокими могилами. Я повернул вверх и начал набирать высоту. Самолет был очень чувствителен к управлению, как он и предупреждал.

— Мы можем заглушить мотор? Мы можем парить на нем, как на планере?

— Конечно.

Он прикоснулся к переключателю на рукоятке газа, и мотор остановился. Мы бесшумно скользили через то, что должно было быть поднимающимся воздухом... я не мог заметить никакой потери высоты.

— Какой совершенный маленький аэроплан! Какой он красивый! Как бы мне тоже приобрести такой?

Он удивленно взглянул на меня.

— Разве ты еще не догадался, Ричард?

— Нет.

— Ты знаешь, кто я?

— Почти. — Я почувствовал, что меня охватывает страх.

— Просто для интереса, — сказал он, — пройди через стену, которая отделяет то, что ты знаешь, и то, о чем осмеливаешься говорить. Сделай это и скажи мне, чей это аэроплан и с кем ты сейчас летишь?

Я отвел ручку управления вправо, и аэроплан мягко развернулся и направился в сторону кучевого облака, которое находилось над потоком восходящего теплого воздуха. Это было моей второй натурой — искать возможности подняться вверх, когда мотор не работает. Я забыл, что нахожусь в легком, как пушинка, самолете, который не теряет высоты.

— Если бы мне пришлось угадывать, я бы сказал, что этот аэроплан будет моим в будущем, а ты — тот парень, которым я когда-нибудь стану. — Я не осмелился взглянуть на него.

— Не так уже плохо, — сказал он. — Я бы высказал такую же догадку.

— Догадку? Разве ты не знаешь?

— Все становится запутанным, когда начинаешь много об этом думать. Я — одно из твоих будущих, ты — одно из моих прошлых. Мне кажется, что ты Ричард Бах, переживающий сейчас денежный ураган, не правда ли? Новый известный автор? Девять аэропланов, не так ли? И безупречная идея, которую ты разработал для описания совершенной женщины? Ты всецело верен этой женщине, но она оставляет равнодушным?

Мы вошли правым крылом в восходящий поток, и я круто свернул в него.

— Не поворачивай слишком резко, — сказал он. — Ведь у этого самолета малый поворотный радиус, и ты можешь войти в поток, лишь слегка накренившись.

— Хорошо. — Эта радость-аэроплан будет моим! А я буду им. Сколько всего он, должно быть, знает!

— Послушай, — сказал я. — У меня есть несколько вопросов. Ты из моего далекого будущего? Двадцать лет?

— Ближе к пяти, хотя кажется, что пятьдесят. Я мог бы сэкономить тебе сорок девять из них, если бы ты меня слушал. Между нами существует некоторое различие. У меня есть ответы на все твои вопросы, но, клянусь, ты не будешь их слушать, пока тебя не разгладит Великим Катком Жизненного Опыта.

Мое сердце сжалось.

— Ты думаешь, что я испугаюсь того, что ты мне скажешь? Ты уверен в том, что я не буду слушать?

— А что, будешь?

— Кому же мне доверять, если не тебе? — сказал я. — Конечно же, я буду слушать!

— Ты сможешь меня выслушать, но ничего не сделаешь. Мы встретились сегодня, потому что нам обоим это интересно, но я сомневаюсь в том, что мои советы тебе помогут.

— Помогут!

— Не помогут, — сказал он. — Что-то похожее на этот аэроплан. В твоем времени у него еще нет названия, его еще не изобрели. Когда его изобретут, он будет назван сверхлегким, и это будет революционным достижением в области спортивной авиации. Но ты не сможешь купить эту машину в готовом виде, Ричард, или нанять того, кто построит ее для тебя. Тебе придется создать ее самому: по частям. Шаг первый, шаг второй, шаг третий. То же касается и ответов на твои вопросы, ты не примешь их, если я тебе выдам их бесплатно, если я слово в слово расскажу тебе, в чем их смысл.

Я знал, что он ошибается.

— Ты забыл, — сказал я, — как быстро я обучаюсь! Дай мне ответ и посмотри, что я сделаю с ним!

Он легонько постучал по ручке управления, давая мне понять, что хочет полетать некоторое время на нашем воздушном змее. В восходящем потоке мы поднялись еще на тысячу футов и находились уже почти под самым облаком. Поля, луга, леса, холмы, реки — все это простиралось под нами, как краски на бархатном холсте. Дорог не было. Поднимаясь вверх, мы слышали лишь тихое дуновение, шепот еле заметного ветерка.

Со спокойной улыбкой картежника, начинающего блефовать, он сказал:

— Ты хочешь найти свою родственную душу?

— Да! Я давно ищу ее, ты ведь знаешь!

— Твои защитные доспехи, — сказал он, — предохраняют тебя от всех тех женщин, которые со всей определенностью погубили бы тебя. Но если ты не перестанешь защищаться, ты оттолкнешь от себя и ту единственную, которая любит тебя, понимает тебя, спасает тебя от твоих собственных средств защиты. Для тебя существует только одна совершенная женщина. Она единственна, а не множественна. Ответ, который ты ищешь, состоит в том, чтобы отказаться от своей Свободы, своей Независимости и жениться на Лесли Пэрриш.

Он правильно поступил, когда взял управление самолетом в свои руки прежде, чем сказать это мне.

— Ты говоришь... ЧТО? — я задыхался от одной мысли об этом. — Ты... Ты говоришь... ЖЕНИТЬСЯ? Я не представляю себе... Ты знаешь, что я думаю о браке? Разве ты не помнишь, что я говорю в лекциях? Что после Войны и Религиозных Организаций, Брак приносит людям больше несчаст... ты думаешь, что я не верю в это? Отказаться от моей СВОБОДЫ!! И моей НЕЗАВИСИМОСТИ? Ты говоришь мне, что ответ на мои вопросы состоит в том, чтобы ЖЕНИТЬСЯ? Ты что... мне сказать... ЧТО?

Он рассмеялся. Я не видел во всем этом ничего смешного. Я посмотрел на горизонт.

— Ты действительно испугался, не правда ли? — спросил он. — Но в этом ответ, который ты ищешь. Если бы ты прислушался к тому, что ты знаешь, вместо того, чтобы бояться...

— Я не верю тебе.

— Возможно, ты прав, — сказал он. — Я — твое самое вероятное будущее, но не единственное. — Он повернулся на сиденье, протянул руку по направлению к мотору и потянул рычажок смесителя. — Но вполне может быть и так, я думаю, что моя жена Лесли когда-то будет и твоей женой тоже. Она сейчас спит в моем мире, точно так же, как твоя подруга Лесли

спит в твоем на другой стороне континента, вдали от тебя. Каждая из твоих многих женщин — и это то, чему ты научился у них, — демонстрирует, каким подарком судьбы является для тебя эта одна женщина. Ты понимаешь это? Тебе нужны еще какие-то ответы?

— Если все сводится к тому, о чем ты говоришь, — сказал я, — я не уверен в том, что они мне нужны. Отказаться от своей свободы? Мистер, вы не знаете, кто я такой. Обойдусь без ваших ответов. Увольте!

— Не беспокойся. Ты забудешь этот полет; ты не вспомнишь о нем еще долго.

— Не забуду, — сказал я. — У моей памяти железная хватка.

— Старина, — сказал он спокойно. — Я так хорошо тебя знаю. Ты не устаешь от своего упрямства?

— Смертельно устаю. Но если упрямство мне требуется для того, чтобы прожить свою жизнь так, как я хочу ее прожить, я буду упрямым и впредь.

Он засмеялся и дал самолету возможность соскользнуть с вершины восходящего потока. Мы медленно плыли над пересеченной местностью, и казалось, что мы летим не в самолете, а на воздушном шаре. Я не хотел обращать внимания на его ответы, они ужаснули, напугали и рассердили меня. Но детали сверхлегкого аэроплана отпечатались в моей памяти: алюминиевый каркас и арматура, выпуклая поверхность крыла, присоединение тросов из нержавеющей стали и даже забавное изображение птеродактиля, нарисованное на руле высоты. Я мог начать собирать его хоть сейчас, если я должен был это сделать.

Он нашел поток нисходящего воздуха и закружился в нем вниз подобно тому, как мы раньше поднимались в восходящем потоке вверх. Встреча должна была вскоре закончиться.

— Ладно, — сказал я. — Сразите меня еще какими-нибудь ответами.

— Я не думаю, что мне стоит это делать, — сказал он. — Я хотел предупредить тебя, но сейчас я больше не вижу в этом необходимости.

— Пожалуйста. Прости мне мое упрямство. Вспомни о том, кто я.

Он некоторое время молчал, а затем решил продолжить разговор:

— С Лесли ты будешь более счастлив, чем когда-либо раньше, — сказал он. — В этом тебе повезет, Ричард, потому что все остальное будет катиться прямо в ад. Вас вдвоем с ней будет преследовать правительство, чтобы вы выплатили ему деньги, которые ты будешь должен из-за плохой работы своих менеджеров. Ты не сможешь писать, потому что Департамент по налогообложению будет угрожать тебе конфискацией всего твоего имущества. Ты разоришься, станешь банкротом. Ты потеряешь свои аэропланы, все до последнего; свой дом, свои деньги, все. И ты ничего не сможешь делать в течение нескольких лет. Это будет самым приятным из всего, что когда-либо происходило с тобой. И все это когда-нибудь случится с тобой.

Пока я слушал, во рту у меня пересохло.

— Это один из ответов на мои вопросы?

— Нет. Ответ появится, когда ты проживешь все это.

Он пошел на снижение над лужайкой на вершине холма и посмотрел вниз. На краю поляны стояла женщина. Заметив нас, она помахала нам, летящим в аэроплане.

— Хочешь посадить его? — спросил он, предлагая мне рычаги управления.

— Здесь слишком мало места для того, чтобы приземляться в первый раз. Сделай это сам.

Он выключил мотор и спланировал вниз по окружности большого радиуса. Когда мы пролетели над последними деревьями, за которыми начиналась поляна, он ушел носом вниз, долетел до самой травы, а затем снова мягко поднял нос вверх. Наш сверхлегкий не начал набирать высоту, а проплыл несколько секунд в воздухе, коснулся колесами земли, прокатился некоторое расстояние и остановился рядом с Лесли, которая была еще более пленительна, чем та, которую я оставил в Калифорнии.

— Привет вам обоим, — сказала она. — Я решила, что встречу вас здесь вместе с вашим аэропланом. — Она потяну-

лась к другому Ричарду, чтобы поцеловать его, и потрепала его волосы. — Предсказываешь ему судьбу?

— Рассказал ему, что он найдет, что потеряет, — ответил он. — Он такой чудной, дорогая! Он подумает, что ты — сон!

Ее волосы были длиннее, чем тогда, когда я ее в последний раз видел, а лицо мягче. Она была одета в тонкий шелк лимонного цвета. Закрытая свободная блузка могла бы показаться слишком строгой, если бы шелк не был таким тонким. Широкий и яркий, как солнечный свет, пояс охватывал ее талию. Просторные брюки из белой парусины были без швов и доходили до самой травы, закрывая все, кроме носков ее босоножек. Мое сердце чуть не остановилось, мои защитные стены готовы были рассыпаться в этот момент. Если мне суждено провести свою жизнь на земле в обществе женщины, подумал я, пусть это будет эта женщина.

— Спасибо тебе, — сказала она. — Я специально оделась для этого случая. Не часто нам представляется возможность встретиться со своими предшественниками... не часто это случается в середине жизни. — Она обняла его, когда он вылез из аэроплана, а затем повернулась ко мне и улыбнулась. — Как ты себя чувствуешь, Ричард?

— Преисполненным зависти, — ответил я.

— Не завидуй, — сказала она. — Этот аэроплан когда-то будет твоим.

— Я не завидую аэроплану твоего мужа, — сказал я. — Я завидую ему, потому что у него такая жена.

Она покраснела.

— Ты — тот, кто ненавидит брак, не так ли? Брак — это «скука, застой и неизбежная потеря уважения друг к другу»!

— Может быть, не неизбежная.

— Это уже хорошо, — сказала она. — Как ты думаешь, твое отношение к браку изменится когда-нибудь?

— Если верить твоему мужу, то да. Я не мог этого понять, пока не увидел тебя.

—То, что ты увидел, не поможет тебе завтра, — сказал Ричард из будущего. — Эту встречу ты тоже забудешь. Тебе

придется самостоятельно научиться всему, делая открытия и совершая ошибки.

Она взглянула на него.

— В богатстве и в бедности.

Он едва заметно улыбнулся ей и сказал:

— До тех пор, пока смерть не сблизит нас еще больше.

Они подшучивали надо мной, но я любил их обоих.

Затем он сказал мне:

— Наше время здесь подошло к концу. И тебе уже есть что забывать. Полетай на аэроплане, если хочешь. А нам нужно спешить обратно в мир своего бодрствования, который так далек во времени от тебя, но так близок для нас. Я сейчас пишу новую книгу, и если мне повезет, первым делом после пробуждения я запишу этот сон на бумагу.

Он медленно протянул руку в направлении ее лица, будто желая коснуться его, и исчез.

Женщина вздохнула, грустя оттого, что время сна истекло.

— Он проснется, и я проснусь вслед за ним через минутку.

Она плавно сделала шаг в мою сторону и к моему изумлению нежно поцеловала меня.

— Тебе будет нелегко, бедный Ричард, — сказала она. — И ей тоже будет трудно. Той Лесли, которой я была. Вас ждут трудные времена! Но не бойтесь. Если хочешь, чтобы волшебство вошло в твою жизнь, откажись от своих защитных приспособлений. Волшебство во много раз сильнее, чем сталь!

Ее глаза были подобны вечернему небу. Она **знала**. *Как много всего она знала!*

Не переставая улыбаться, она исчезла. Я остался один на поляне с аэропланом. Я не полетел на нем снова. Я стоял на траве и запоминал все случившееся со мной, пытаясь навсегда запечатлеть в своем уме ее лицо, ее слова — пока вся окружающая обстановка не исчезла из виду.

Когда я проснулся, за окном было темно, стекло было усеяно дождевыми каплями, а на дальнем берегу озера виднелась изогнутая дугой линия вечерних огней. Я выпрямил ноги и сел в темноте, пытаясь вспомнить свой сон. Рядом с креслом был блокнот и ручка.

Мимолетное сновидение. Доисторическое летающее животное с разноцветными перьями, которое перенесло меня в мир, где я встретился лицом к лицу с женщиной, самой прекрасной из всех, когда-либо виденных мной. Она сказала лишь одно слово: «Волшебство». Это было самое красивое лицо...

Волшебство. Я знал, что во сне были еще какие-то события, но я не мог их вспомнить. Меня переполняло одно чувство — любовь, любовь, любовь. Она не была сном. Я прикасался к реальной женщине! Одетой в солнечный свет. Это была живая женщина, а я не могу найти ее! *Где ты*?

Чувство безысходности нахлынуло на меня, и я швырнул блокнот в окно. Он отскочил, рассыпался и, роняя страницы, упал на разложенные мной летные карты Южной Калифорнии.

— Сейчас, черт побери! Где ты СЕЙЧАС?

ДВАДЦАТЬ ЧЕТЫРЕ

Когда это случилось, я был в Мадриде, игриво шатаясь сквозь турне испанской репрезентации книги, давая интервью на языке, вызывающем у телегостей и репортеров улыбку. Почему бы и нет? Разве мне не было приятно, когда испанский или немецкий или французский или японский или русский посетитель Америки, отпихнув переводчика, дает его или ее интервью на английском? Ну, синтаксис слегка того, слова выбираются не совсем так, как местный бы их выбрал, но как прекрасно наблюдать, как эти люди храбро балансируют на тонкой грани, стараясь с нами говорить!

— События и идеи, о которых Вы пишете, сеньор Бах, вы в них верите, работают ли они на Вас?

Камера загадочно гудит, ожидая, когда я переведу вопрос для собственного понимания.

— Нет такого писателя во всем мире, — я говорил предельно медленно, — который или которая смогли бы писать книгу на идеях, в которые она или он не верили бы. Мы можем написать что-то настоящее, если только верим по-настоящему. Я не настолько еще совершенен... как сказать по-испански «избранный»... чтобы жить по идеям, чего мне сильно хотелось бы, но я совершенствуюсь с каждым днем.

Языки — большая пушистая подушка, проложенная между нациями, — то, что другие говорят, смазано и почти теряется в них, и когда мы говорим согласно их грамматике, пух забивает нам рот. Одно другого стоит. Какое удовольствие выразить идею фразами, пусть далекими словами, медленно, и послать ее в плаванье через бездну, к разноязыким человеческим сущностям.

Телефон в номере зазвонил поздно ночью, и, прежде чем я успел подумать по-испански, сказал «АЛЛО». Маленький, придавленный голос длинного-длинного расстояния:

— Привет, покоритель, это я.

— Вот так приятный сюрприз! Ну разве ты не прелесть, что позвонила!

— Боюсь, у нас тут несколько ужасных проблем, и я должна была позвонить.

— Что за проблемы? — Я не мог себе представить, какие проблемы могли бы быть столь важными для Лесли, чтобы позвонить в полночь в Мадрид.

— Твой бухгалтер старается до тебя добраться, — сказала она. — Тебе известно про IRS? Тебе никто не рассказывал? Твой деловой менеджер говорит что-нибудь?

Длинная линия оттрещалась и отшипелась.

— Нет. Ничего. Что такое IRS? Что происходит?

— Служба налоговой инспекции. Они хотят, чтобы ты уплатил им миллион долларов до понедельника или они аннулируют все, чем ты владеешь!

Это был удар такой силы, что это не могло быть правдой.

— Аннулируют все? — сказал я. — До понедельника? Почему понедельник?

— Они послали официальное уведомление три месяца тому. Твой менеджер тебе не сказал. Он говорит, что ты не любишь плохих новостей...

Она сказала так печально, что я понял — она не разыгрывает. Как я должен был поступить с деловым менеджером, финансовым менеджером... зачем я нанял этих профессионалов? На самом деле, я не нуждался в том, чтобы нанимать экспертов для такой простой вещи, как уплата подоходного налога в IRS. Я бы мог это делать сам.

— Я могу тебе чем-нибудь помочь? — сказала она.

— Я не знаю.

Какое странное должно быть ощущение, когда увидишь самолеты и дом опечатанными.

— Я сделаю все, как ты хочешь, — сказала она. — Я в состоянии. Я думаю, мне нужно увидеться с адвокатом.

— Хорошая идея. Позвони моему адвокату в Лос-Анджелесе. Посмотри, может, у него в конторе есть кто-нибудь, кто разбирается в тарифах. И не волнуйся. Это, должно быть, ошибка. Ты можешь себе представить, миллион долларов по тарифу? Все, что происходит, — это то, что я должен потерять миллион долларов и это будет не по тарифу. Провод треснет. Я поговорю с IRS, когда вернусь и увижу, что нужно предпринять, и мы покончим со всем этим делом.

— О'кей, — сказала она озабоченно. — Я позвоню твоему адвокату прямо сейчас. Поспеши домой, пожалуйста, как можно быстрей! — Голос у нее был напряженный и испуганный.

— Я должен остаться дня на два, не больше. Не волнуйся. Мы все это урегулируем, и я тебя скоро увижу!

— И ты не волнуйся, — сказала она. — Уверена, что смогу что-нибудь сделать...

Как странно, подумал я, залезая под одеяло в Мадриде. Она говорит об этом так серьезно! Неужели это так для нее важно, что она беспокоится!

Я подумал о менеджерах, которых нанял. Если все это было правдой, каждый из них должен быть уволен. Держу пари, что у этой женщины больше деловой смекалки в застежке для волос, чем у всех остальных вместе взятых.

Что ты знаешь — я не должен был покупать на веру незаслуживающее доверия. Или на большие оклады, или звания, или на положение, или на внушительный **счет.**

И когда усталые руки опустились, я внезапно осознал; не они, но мы испаряемся.

Ay, Richard, que tonto! Estoy un burro, estoy un burro estupido!

Интересно, подумал я. Меньше двух недель в Испании — и уже думаю на испанском языке.

ДВАДЦАТЬ ПЯТЬ

В картотеке на ее столе мое внимание привлекла надпись «Ричард». Я, решив, что это предназначено мне, принялся читать.

Лучащаяся синь спокойного рассвета
Росла с приходом дня, подобно счастью,
Все ярче, ярче голубые краски,
От самых нежных... до небесно-синих.
Полеты радости, порывы восхищенья
Быть выше высоты стремились.
Пока заката ласковые крылья
Не обняли нас розовой палитрой,
И мы соединились в ярко-красном
Прощании двоих влюбленных.
Душа Земли, Душа Небес,
Пронизанные красотой волшебной.
Настала ночь,
Малышка из ее владений, Луна,
Смеялась в стороне от темноты.
В ответ я подарила ей свой смех,
И вот о чем подумала тогда я:
Что путешествуя над миром,
Наполненное вот таким же
Искристо-золотистым смехом небо
Заботится о том, чтоб Вы,
Сияющие Голубые Глазки,
Могли бы видеть и могли бы слышать,
Что как-то незаметно мы втроем
Соединились в радости волшебной,
Образовался мир из нас троих,
Хотя мы порознь, но едины мы,
Ведь расстоянья не имеют смысла.

И я уснула
В мире,
Улыбки полном.

Я прочитал все это один раз, и снова, затем еще раз, медленно.

— Маленькая вуки, — окликнул я ее. — Кто написал стихотворение про малышку-Луну, смеющуюся в стороне от темноты? В картотеке на твоем столе. Это ты написала?

Лесли отозвалась из гостиной, где вокруг нее раскинулись горы различных инвестиционных бланков, прерии записей о расходах и доходах, реки погашенных чеков. Первопроходец в чужой стране, окруженный вагонами бумаги.

Лесли словно предчувствовала, что Департамент Налогообложения предъявит претензии. И теперь она работала с невероятной скоростью над подготовкой фактического материала, поскольку до четверга, на который были назначены переговоры, оставалось две недели.

— Прости, я не расслышала, — откликнулась она. — Да, это я написала. НЕ ЧИТАЙ ЭТОГО, ПОЖАЛУЙСТА!

— Слишком поздно, — ответил я достаточно тихо для того, чтобы она не услышала.

Порой нам интересно, сможем ли мы когда-либо узнать своих самых близких друзей, то, о чем они думают, что в их сердце.

А потом нам вдруг попадается на глаза секретный листок бумаги, где они передали чистоту своего сердца, подобную весне в горах. Я снова перечитал стихотворение Лесли. Оно было датировано днем, когда я уехал в Испанию, и теперь, на следующий день после моего возвращения, я, общаясь всего лишь с листом бумаги, узнал, что чувствовала она тогда. Оказывается, она поэт! И при том глубокий, благородный, смелый. Написанное могло задеть меня только в случае его глубины. То же касается полетов, фильмов, бесед, — незначительных на первый взгляд, но трогающих душу.

Кроме нее, я ни с кем бы не отважился вести себя естественно, быть таким же ребячливым, таким же глупым, таким же знающим, таким же сексуальным, таким же внимательным и нежным, каким я был на самом деле. Если бы слово «любовь» не было искажено лицемерием и собственничеством, если бы это слово означало то, что подразумевал под ним я, то я готов был признать, что люблю ее.

Я опять прочел стихи.

— Это прекрасное стихотворение, Лесли. — Прозвучало как-то слабо и неубедительно. Поняла ли она, что я имел в виду?

Ее серебряный голос прозвенел мне в ответ тяжелой цепью.

— Черт побери, Ричард, я же просила тебя не читать! Это сугубо личное! Когда я захочу, я сама позволю тебе все узнать! А теперь выйди из кабинета, *пожалуйста,* выйди оттуда и помоги мне!

Стихотворение тотчас же разлетелось в моей голове на мелкие черепки, словно глиняная тарелка, расстрелянная в упор. С неистовством молнии. Леди, кто ты такая, чтобы кричать на меня! ТОТ, кто когда-либо повышал на меня голос, виделся со мной в последний раз, в последний. Я не нужен тебе. Что ж, ты меня и не получишь. Прощай... Прощай... ПРОЩАЙ... *ПРОЩАЙ!*

После двухсекундной вспышки гнева я разозлился на самого себя. Я, так дороживший личной неприкосновенностью, осмелился прочесть стихотворение, которое, как дала понять мне Лесли, было очень личным. Как бы я почувствовал себя, если бы она поступила со мной точно так же? Непросто даже представить такое. Она имеет полное право вышвырнуть меня из своего дома. А я вовсе не хочу положить конец нашим отношениям, потому что никто и никогда не был мне так дорог, как она... Стиснув зубы и не проронив ни слова, я направился в гостиную.

— Я очень сожалею о случившемся, — сказал я виновато, — и приношу свои извинения. Это, действительно, беспардонный поступок, и я обещаю тебе, что он никогда не повторится.

Неистовство охладевало. Расплавленный свинец опустили в лед. Стихотворение по-прежнему напоминало рассеявшуюся пыль.

— Разве тебя это совсем не беспокоит? — Она была раздражена и доведена до отчаяния. — Ты не сможешь прибегнуть к помощи юристов, пока у них не будет необходимых материалов. И эта... каша!... Это и есть твои записи!

В ее руках мелькали бумаги, укладываясь в две стопки, одна — здесь, другая — там.

— Есть у тебя копии твоих налоговых квитанций? Ты знаешь, где эти квитанции?

Я понятия не имел. Если я и питал отвращение к чему-либо, кроме Войны, Организованной Религии и Бракосочетания, то, по-видимому, это были Финансовые Документы. Увидеть налоговую квитанцию было для меня все равно что столкнуться лицом к лицу с Медузой: я мгновенно каменел.

— Они должны быть где-то здесь, — произнес я неуверенно. — Сейчас я посмотрю.

Она сверилась со списком в блокноте, который лежал у нее на коленях, подняла вверх карандаш.

— Каков был твой доход за прошлый год?

— Не знаю.

— Приблизительно. Плюс-минус десять тысяч долларов.

— Не знаю.

— Ну, Ричард! Плюс-минус пятьдесят тысяч, сто тысяч долларов?!

— Честно, Лесли. Я и правда, в самом деле, — не знаю!

Она опустила карандаш и посмотрела на меня так, будто я был биологический экземпляр, извлеченный из арктических льдов.

— В пределах миллиона долларов, — произнесла она очень медленно и четко. — Если ты в прошлом году получил меньше, чем миллион долларов, скажи: «Меньше миллиона долларов». Если ты получил больше миллиона долларов, скажи: «Больше миллиона долларов».

Она говорила терпеливо, как с несмышленым ребенком.

— Может быть, больше миллиона, — пытался вспомнить я. — Но, возможно, и меньше. А может быть, два миллиона.

Ее терпение лопнуло.

— *Ричард! Пожалуйста! Ведь это не игра! Неужели ты не видишь, что я стараюсь помочь?*

— РАЗВЕ ТЫ НЕ ВИДИШЬ, ЧТО Я НЕ ЗНАЮ! Я НЕ ИМЕЮ НИ МАЛЕЙШЕГО ПОНЯТИЯ, СКОЛЬКО ДЕНЕГ Я ПОЛУЧИЛ, МНЕ БЕЗРАЗЛИЧНО ТО, СКОЛЬКО Я ПОЛУЧИЛ ДЕНЕГ! У МЕНЯ ЕСТЬ... У МЕНЯ БЫЛИ ЛЮДИ, КОТОРЫХ Я СПЕЦИАЛЬНО НАНЯЛ, ПОТОМУ ЧТО ОНИ РАЗБИРАЛИСЬ В ЭТОМ БАРАХЛЕ, Я ТЕРПЕТЬ НЕ МОГУ ВСЕ ЭТИ ЗАПИСИ, *Я НЕ ЗНАЮ СКОЛЬКО!*

Со стороны это смотрелось как сцена из спектакля «Я не знаю».

Она коснулась резинкой уголка своего рта, посмотрела на меня и после длительного молчания спросила:

— Ты и в самом деле не знаешь?

— Нет. — Я ощутил себя подавленным, непонятым, одиноким.

— Я верю тебе, — мягко сказала она. — Но как тебе удается не ориентироваться в пределах *миллиона долларов?*

Увидев выражение моего лица, она замахала рукой, как бы забирая свои слова обратно.

— О'кей, о'кей! Ты не знаешь.

Некоторое время я с отвращением рылся в папках. Бумаги, сплошные бумаги. И чего только в них нет. Считается, что цифры, написанные незнакомым почерком, отпечатанные на различных машинках, все еще имеют ко мне какое-то отношение. Инвестиции, товары, брокеры, налоги, банковские счета...

— Вот они, налоги! — воскликнул я с облегчением. — Целая папка налогов!

— Хороший мальчик! — похвалила она меня, словно я был кокер-спаниелем, отыскавшим утерянный браслет.

— Гав, — вырвалось у меня.

Бегло просматривая заголовки квитанций, проверяя отдельные записи, она не ответила мне.

Пока она читала, было тихо, и я зевал, не открывая рта. Я изобрел этот трюк на уроках английского в средней школе. Нужно ли было мне вникать в эти ненавистные бумажные дела, еще более убийственные, чем грамматика? Зачем? Я не забрасывал бумажные дела, я нанял людей, которые бы ими занимались! Почему, несмотря на то что они работают на меня и получают мои деньги, именно я должен расхлебывать всю эту кашу, суетясь в поисках налоговых бланков; почему Лесли вынуждена подхватывать груз, упущенный шестью высокооплачиваемыми служащими? Это несправедливо!

Если кто-то написал бестселлер, спел великолепную песню, поставил замечательный фильм, то вместе с чеками, письмами поклонников и мешками денег ему нужно вручить еще тяжелую серую книгу:

ВВОДНЫЕ ПРАВИЛА И ПРЕДОСТЕРЕЖЕНИЯ

Поздравляю с тем, что Вы сделали, чтобы заработать все эти деньги. Хотя Вам кажется, что они Ваши, и Вы думаете, что они — Ваша собственность, потому что Вы сделали для общества то, что Вы сделали, — лишь около десятой части из них будут принадлежать Вам непосредственно, ЕСЛИ ВЫ В СОВЕРШЕНСТВЕ ВЛАДЕЕТЕ ВЕДЕНИЕМ БУМАГ.

Остальное уйдет на агентов, налоги, юристов, бухгалтеров, государству, всяческим союзникам, служащим, которых придется нанять, чтобы вести все эти записи, и на уплату налогов по найму этих служащих.

Неважно, что вы не знаете, где искать таких людей, кому из них доверять, не представляете всех тех, кому придется платить, — платить вам придется все равно.

Начните, пожалуйста, со Страницы Один и читайте вплоть до страницы 923, стараясь заучить наизусть каждую строчку. Затем можете сходить пообедать, прихватив с собой какого-нибудь бизнесмена, поговорить с ним о делах, составить себе отчет и записать всех, кто с Вами обедал. Если Вы этого не сделаете, можете быть уверены, что потратили вдвое больше, чем та сумма, которую, как Вам казалось, Вы заплатили.

С этого момента Вы должны жить строго по правилам, изложенным в этой книге, и мы, Ваше государство, может быть, позволим Вам еще немного просуществовать. Иначе — оставь надежду всяк сюда входящий.

Даже не памфлет. Каждый, кто написал хотя бы песню, приводящую нас в восторг, должен быть компетентным бухгалтером, счетоводом, настоятелем дебетов и кредитов, выплачиваемых невидимым агентствам города, страны. Если один или два таких человека не годятся для такой работы, если они не одарены дисциплинированным умом, способным освоить аккуратное ведение записей, — их звезда будет выловлена сетью с небесного свода и заперта в тюремную камеру. Там им придется весь свой талант пустить на изучение тюремных порядков, на возню со всем этим однообразным барахлом, несмотря на то что по вкусу эта работа напоминает опилки; им придется провести годы в душном мраке, прежде чем их звезда снова сможет засиять, если к тому времени от нее останется хотя бы искра.

Столько энергии уходит впустую! Сколько новых фильмов, книг, песен остались ненаписанными, неснятыми, неспетыми, в то время как часы, месяцы, годы уходят на плюшевые крысиные норы адвокатов, бухгалтеров, советников, которым мы платим, уже отчаявшись получить помощь!

Спокойно, Ричард. Ты мельком взглянул на свое будущее. Если ты решишь остаться в этой стране, пристальное внимание к деньгам и ведению записей сдавит твое горло тяжелой цепью. Только попробуй дернуться, попытайся ее разорвать, и она тебя задушит. Прими ее легко и беззаботно, прохаживайся неспешно на привязи, соглашайся с каждым агентом, каждым бюро, какие попадутся на твоем пути, мило улыбайся. Поступай так — и тебе позволят дышать, а не вздернут на твоей цепи.

— Но моя *свобода!* — дернулся я. А-а-а-к! Хрип. Ужасный воротничок!

Теперь моя свобода состояла в выборе между побегом в другую страну и внимательным, аккуратным разбирательством со всей этой кучей осколков, что остались от моей империи. Ричард-тогда принял несколько решений вслепую, сделал несколько глупых ошибок, за которые расплачиваться приходится Ричарду-теперь.

Я смотрел, как Лесли изучает налоговые квитанции, покрывая страницу за страницей заметками для юристов.

Ричард-сегодня не занимается всей этой чертовщиной. Это делает Лесли-теперь, которая ни на йоту не виновата в том, что случилось. Лесли не летала на скоростных самолетах; у нее даже не было возможности предотвратить крах империи. Зато Лесли-теперь пытается собрать ее осколки, если это у нее получится. Какая награда за то, что у нее есть друг Ричард Бах!

А он после всего этого сердится на нее, потому что она повысила на него голос, когда он прочел ее сугубо личное стихотворение!

Ричард, — мысленно сказал я себе, — тебе никогда не приходило в голову, что ты и в самом деле бесполезный, никому не нужный сукин сын?

Первый раз в жизни я серьезно над этим задумался.

ДВАДЦАТЬ ШЕСТЬ

Все было как всегда, разве только она была чуть тише, чем обычно, но я этого не заметил.

— Не могу поверить, Лесли, что у тебя нет своего самолета. У тебя встреча в Сан-Диего — полчаса — и ты там! — Я проверил уровень масла в двигателе «Майерса 200», который в этот раз принес меня к ней на Запад, убедился, что крышки топливных баков плотно закрыты, колпачки одеты на них и защелкнуты замками.

Она что-то ответила почти шепотом. На ней был костюм песочного цвета, словно специально для нее сшитый. Расслабившись, она стояла на солнце у левого крыла моего «делового» самолета, однако вид у нее был слегка болезненный.

— Прости, вук, — сказал я, — я тебя не расслышал.

Она прокашлялась.

— Я говорю, что мне как-то удавалось до сих пор обходиться без самолета.

Я положил ее сумочку назад, уселся на левое сиденье и помог ей забраться на правое, потом закрыл изнутри дверь, не прекращая говорить.

— В первый раз, когда я увидел эту панель, я воскликнул: «Ого! Сколько тут всяких циферблатов, переключателей, приборов и всего прочего!» В кабине Майерса приборов больше, чем у его сородичей, но через некоторое время к ним привыкаешь, и все становится очень просто.

— Хорошо, — сказала она едва слышно. Она смотрела на приборную панель примерно так же, как я смотрел на съемочную площадку в тот день, когда она взяла меня с собой на MGM. В ее глазах, конечно, не было такого благоговения, но было видно, что видеть приборы ей приходилось нечасто.

7 – 4169

— ОТ ВИНТА! — закричал я, и она посмотрела на меня большими глазами, словно случилось что-то столь из ряда вон выходящее, что мне пришлось закричать.

Видно, не привыкла к самолетам, меньшим, чем реактивный лайнер, — подумал я.

— Все в порядке, — успокоил я ее. — Мы знаем, что возле самолета никого нет, но все же кричим *от винта!* или *берегись пропеллера!* или что-нибудь в таком роде, чтобы тот, кто это услышит, знал, что сейчас запустится наш двигатель, и ушел с дороги. Старая пилотская привычка.

— Замечательно, — кивнула она.

Я включил питание, топливная смесь достигла насыщения, ручку газа подвинул на полдюйма, включил топливный насос (я показал на топливный манометр, чтобы она увидела, что давление топлива выросло), включил зажигание и нажал кнопку стартера.

Пропеллер качнулся, и двигатель в тот же момент запустился — сначала четыре цилиндра, затем пять, шесть, и наконец он довольно заурчал, словно лев, который в очередной раз проснулся. По всей панели задвигались стрелки приборов: показатель давления масла, вакуумметр, амперметр, вольтметр, указатель курса, авиагоризонт, навигационные индикаторы. Засветились огоньки, обозначающие радиочастоты; в динамиках послышались голоса. Сцена, в которой я участвовал не менее десятка тысяч раз в том или ином самолете, с того момента, как окончил среднюю школу. И сейчас мне это нравилось не меньше, чем тогда.

Я принял предполетную информацию, пошутил с диспетчером о том, что мы Майерс, а не маленький Нэвион, отпустил тормоза, и мы порулили к взлетно-посадочной полосе. Лесли следила за тем, как другие самолеты рулят, взлетают, садятся. Она следила за мной.

— Я ничего не могу понять из того, что они говорят, — пожаловалась она. Ее волосы были тщательно зачесаны назад и заправлены под бежевый берет. Я ощущал себя пилотом некой компании, на борт к которому в первый раз поднялся ее очаровательный президент.

— Это авиа-язык, эдакий код, — пояснил я. — Мы его понимаем, потому что точно знаем, что будет сказано: номера самолетов, номера взлетно-посадочных полос, очередность взлета, направление ветра, информация о движении. Скажи я что-нибудь, чего диспетчер не ожидает: — Это Майерс Три, Девять, Майк, у нас на борту сандвичи с сыром, готовьте майонез, — он переспросит: — Что? Что? Повторите? — *Сандвичи с сыром* — это выражение не из авиаязыка.

В том, что мы слышим, подумал я, очень многое определяется тем, что мы ожидаем услышать, отсеивая все остальное. Я натренирован слушать авиа-переговоры; она натренирована слушать музыку, слышать в ней то, о чем я даже не догадываюсь. Может, и со зрением так же? Вдруг мы просто отсеиваем видения, НЛО, духов? Вдруг мы отсеиваем незнакомые вкусы, отбрасываем неугодные нам ощущения, а потом обнаруживаем, что внешний мир предстает перед нами таким, каким мы ожидаем его увидеть? На что бы он был похож, если бы мы видели в инфракрасном и ультрафиолетовом свете или научились бы видеть ауру, ненаступившее еще будущее, прошлое, что тянется за нами хвостом?

Она вслушивалась в эфир, пытаясь разгадать внезапно прорывающиеся диспетчерские переговоры, и на минуту я задумался, как широк спектр тех небольших приключений, в которые мы с ней попадали.

Кто-то другой в этот момент увидел бы аккуратную красивую деловую женщину, готовую обсуждать вопросы финансирования фильмов, экономии и перерасхода средств, графики и места съемок.

Я же, прищурив глаза, мог увидеть ее такой, какой она была часом раньше — только что вышедшая из ванной, облаченная лишь в теплый воздух двух фенов, она уставилась на меня, когда я вошел в ее дверь, и засмеялась секундой позже, когда я врезался в стену.

Какая досада, подумал я, что такие радости всегда заканчиваются ярлыками, обидами, спорами — словом, полным набором всех прелестей супружества, невзирая на то, женат ты или нет.

Я нажал кнопку микрофона на штурвале.

— Майерс Два Три Девять Майк готов выйти на Два-Один.

— Три Девять Майк, взлет разрешаю; поторопитесь, борт заходит на посадку.

— Майк принял, — ответил я. Я наклонился в сторону президента компании и проверил, плотно ли закрыта дверца. — Готова? — сказал я.

— Да, — ответила она, глядя прямо перед собой.

Урчание двигателя переросло в рев мощностью в триста лошадиных сил. Самолет понесся по полосе, и нас вдавило в сиденье. Расчерченный линиями асфальт за окном превратился в размытое пятно, на смену которому пришла уплывающая вниз Санта-Моника.

Я перевел рычаг шасси в положение «убрано».

— Колеса сейчас пошли вверх, — пояснил я Лесли, — а сейчас закрылки... видишь, они втягиваются в крылья. Теперь мы несколько сбавим обороты для набора высоты, и в кабине станет чуть тише...

Я сдвинул несколько вперед ручку газа, потом ручку шага винта, затем регулятор насыщенности топливной смеси, чтобы привести в норму температуру выхлопных газов.

На панели зажглись три красные лампочки. Шасси полностью вошли на свои места и зафиксировались. Рычажок шасси в нейтральное положение, чтобы выключить гидравлический насос. Самолет стал набирать высоту со скоростью чуть меньше тысячи футов в минуту. Это, конечно, не Т-33, тот поднимается гораздо быстрее, но он и расходует не шесть галлонов топлива в час.

Внизу проплыла береговая линия, сотни людей на пляже.

Если сейчас откажет двигатель, — отметил я про себя, — нам хватит высоты, чтобы вернуться и приземлиться на площадке для гольфа или даже прямо на полосе.

Мы сделали плавный широкий разворот над аэропортом и взяли курс на первый промежуточный пункт на маршруте в Сан-Диего. Наш путь пролегал над Лос-анджелесским международным аэропортом, и Лесли указала на несколько лайнеров, заходящих на посадку.

— Мы у них на пути?

— Нет, — ответил я. — Над аэропортом есть коридор; мы находимся в нем. Самое безопасное для нас место — над взлетно-посадочными полосами, так как, видишь, все большие лайнеры взлетают с одной стороны полосы, а заходят на посадку с другой. Диспетчеры называют их «жемчужной цепочкой». Ночью, когда горят бортовые огни, они становятся цепочкой бриллиантов.

Я снизил обороты, чтобы перейти в полетный режим, двигатель заработал еще тише.

В ее глазах появилось вопросительное выражение, когда я стал крутить различные ручки, и я принялся объяснять, что происходит.

— Сейчас мы выровнялись. Видишь, стрелка спидометра движется? Она дойдет примерно вот досюда, это где-то сто девяносто миль в час. Этот циферблат показывает нашу высоту. Маленькая стрелка означает тысячи, а большая — сотни. Какая у нас высота?

— Три тысячи... пятьсот?

— Скажи без вопросительной интонации.

Она прильнула ко мне, чтобы взглянуть на альтиметр прямо.

— Три тысячи пятьсот.

— Правильно!

Тысячей футов выше в коридоре нам навстречу плыла «Сессна 182».

— Видишь ее? Она идет на высоте четыре тысячи пятьсот в противоположном направлении. Мы придерживаемся определенных правил, чтобы в воздухе держаться друг от друга на достаточном расстоянии. Несмотря на это, указывай мне на любой самолет, который ты заметишь, даже если ты знаешь, что я тоже его вижу. Мы всегда стараемся смотреть по сторонам, замечать других, сами стараемся быть заметными. У нас на брюхе и на кончике хвоста установлены мигающие лампочки, чтобы другим было легче нас заметить.

Она кивнула и принялась искать глазами самолеты. Воздух был спокоен, словно гладь молочного озера. Если сбросить со счета урчание двигателя, то мы могли бы с тем же успехом лететь в низкоскоростной космической капсуле вокруг Земли. Я потянулся вниз и подкрутил триммер на приборной панели.

— Чем быстрее летит самолет, тем больше нужно направлять его вниз с помощью триммера, иначе он начнет подниматься. Хочешь повести его?

Она отпрянула так, словно подумала, что я собираюсь вручить ей двигатель.

— Нет, вуки, спасибо. Я ведь не знаю как.

— Самолет летит сам. Пилот просто указывает ему, куда лететь. Мягко, аккуратно. Возьмись рукой за штурвал прямо перед собой. Легонько, просто тремя пальцами. Вот так, хорошо. Я обещаю, что не дам тебе сделать ничего плохого.

Она с опаской коснулась пальцами штурвала, словно это был капкан, готовый сжать ее руку.

— Все, что тебе нужно сделать, — это нажать легонько на правую половину штурвала.

Она вопросительно на меня посмотрела.

— Ну, давай. Поверь мне, самолету это нравится. Нажми легонько на правую половину.

Штурвал под ее пальцами сдвинулся на полдюйма, и Майерс, как и полагается, накренился вправо, приготовившись к развороту. Она затаила дыхание.

— А теперь нажми на левую половину штурвала.

Она проделала это с таким выражением, словно ставила физический эксперимент, исход которого был абсолютной загадкой. Крылья выровнялись, и я был награжден улыбкой, в которой светилась радость открытия.

— Теперь потяни штурвал немного на себя...

К тому времени, как на горизонте показался аэропорт Сан-Диего, она завершила свой первый летный урок, указывая мне на самолеты размером с пылинку, до которых было не меньше пятнадцати миль. У нее были не только прекрасные глаза, но и острое зрение. Лететь с ней было одно удовольствие.

— Ты станешь хорошим летчиком, если пожелаешь когда-нибудь этим заняться. Ты обращаешься с самолетом нежно. Большинство людей, когда их просишь в первый раз делать все мягко, от волнения дергают за рычаги управления так, что бедный самолет начинает брыкаться и вставать на дыбы... Если бы я был самолетом, мне бы понравилось, как ты мной управляешь.

Она искоса взглянула на меня и снова принялась выискивать летающие объекты. Мы стали спускаться к Сан-Диего.

Когда мы вернулись в тот вечер домой, в Лос-Анджелес, после такого же спокойного полета, как и утром, она рухнула на кровать.

— Позволь открыть тебе тайну, вуки, — сказала она.

— Позволяю. И что за тайна?

— Я ужасно боюсь летать! УЖАСНО!!! Особенно на крошечных самолетах. Вплоть до сегодняшнего дня, если бы кто-то ворвался ко мне, приставил к моему виску пистолет и сказал: «Либо ты влезаешь в этот самолет, либо я нажимаю на спусковой крючок», — я бы ответила: «Жми на крючок!» Просто не верю, что сегодня я летала. Была до смерти напугана, но летела!

— Что? — изумился я. — Боишься? Почему ты мне этого не сказала? Мы могли бы оседлать Банту... — Я не мог поверить. Женщина, которая мне так дорога, *боится самолетов?*!

— Ты бы возненавидел меня, — сказала она.

— Я бы не возненавидел тебя! Я бы подумал, что ты просто глупишь, но не стал бы тебя ненавидеть. Многим полет не доставляет удовольствия.

— Дело не в том, что он не доставляет мне удовольствия, — сказала она. — Я *не выношу* полет! Даже на крупном самолете, на реактивном. Я летаю лишь на самых больших самолетах, и только когда это абсолютно необходимо. Я захожу, сажусь, хватаюсь за поручни кресла и стараюсь не закричать. И это еще до того, как запустят двигатели!

Я нежно обнял ее.

— Бедняжка! И ты ни слова не сказала! Значит, садясь в Майерс, ты считала, что пошел счет последним минутам твоей жизни, да?

Она кивнула, уткнувшись носом в мое плечо.

— Что за храбрая, отважная девочка!

Она снова кивнула.

— Но теперь все позади! Этот страх улетел прочь, и куда бы нам с этого момента ни пришлось путешествовать, мы будем летать, ты будешь учиться летать и у тебя будет свой маленький самолет.

Она кивала головой вплоть до «куда бы нам с этого момента ни пришлось путешествовать». На этом месте она замерла, высвободилась из моих объятий и посмотрела на меня взглядом, полным муки, в то время как я продолжал говорить. Глаза размером с блюдце, подбородок дрожит. Мы оба рассмеялись.

— Но, Ричард, правда! Я не шучу! Я боюсь полетов больше, чем чего-бы то ни было! Теперь ты знаешь, что для меня значит мой друг Ричард...

Я направился на кухню, открыл холодильник и вынул оттуда мороженое и фадж.

— Это стоит отметить, — сказал я, чтобы скрыть свое смущение от ее слов: «Теперь ты знаешь, что для меня значит мой друг Ричард...» Чтобы преодолеть такой страх к полетам, требуется доверие и привязанность такой силы, как сама любовь, а любовь — это пропуск к катастрофе.

Всякий раз, когда женщина говорила мне, что она меня любит, нашей дружбе грозил конец. Неужели Лесли, мой очаровательный друг, исчезнет для меня в огненном смерче ревности и чувства собственности? Она никогда не говорила, что любит меня, и я не скажу ей этого и за тысячу лет.

Сотни аудиторий я предупреждал:

— Когда кто-нибудь говорит вам, что любит вас, остерегайтесь!

Мои слова незачем было принимать на веру, каждый мог убедиться в их справедливости на примерах из собственной жизни: родители, которые дубасят своих детей с криками о том, как они их любят, жены и мужья, уничтожающие один другого словесно и физически в острых, как нож, склоках, любя при этом друг друга. Непрекращающиеся оскорбления, вечное унижение одним человеком другого, сопровождающееся утверждениями, что он его любит. Без такой любви мир вполне может обойтись. Зачем такое многообещающее слово распинать на кресте обязанностей, увенчивать терниями долга, вздергивать на виселице лицемерия, спрессовывать под грузом привычного. После слова «Бог», «любовь» — самое затасканное слово в любом языке. Высшей формой отношений между людьми является дружба, а когда появляется любовь, дружбе приходит конец.

Я нашел для нее хот-фадж. Разумеется, она не имела в виду любовь. «Теперь ты знаешь, что для меня значит...» является признаком доверия и уважения, указывает на те заоблачные выси, которых могут достичь друзья. Она не могла иметь в виду любовь. Только не это! Пожалуйста! Как бы я не хотел ее потерять!

ДВАДЦАТЬ СЕМЬ

Звезды всегда неизменные друзья, думал я. Усыпанный созвездиями купол; я изучил его, когда мне было десять лет. Эти созвездия, видимые планеты и несколько звезд, мы с ними друзья и сегодня, словно минула всего лишь ночь с тех пор, как мы познакомились. Светящаяся мягкая зелень, разбуженная скольжением яхты по полночной глади, изгибалась и вилась, крошечные искрящиеся водовороты и вихри, вспыхнув на мгновение, растворялись в темноте.

Идя под парусом вдоль западного побережья Флориды на юг, от Сейнибел к островам Киз, я повел яхту правее, чтобы мачта была направлена как раз на созвездие Ворона — эдакий парус из звезд. Маловат парус, с ним не поплывешь слишком быстро.

Спокойный ночной бриз, восток-северо-восток.

Интересно, есть ли здесь акулы? Не хотелось бы оказаться за бортом, — подумалось по инерции. И вслед за этим: а я и в самом деле не хотел бы оказаться за бортом?

Каково это — тонуть? Люди, которые едва не утонули, утверждают, что это не так уж плохо; по их словам, в какой-то момент наступает состояние умиротворения. Много людей были на грани смерти, но возвратились к жизни. Они говорят, что смерть — это самый прекрасный момент в жизни и теперь они не боятся умереть.

Нужны ли мне бортовые огни, когда здесь, кроме меня, никого нет? Только попусту расходуется энергия, садятся батарейки.

Тридцать один фут — самый подходящий размер для яхты. Немного больше — и уже потребуется команда. Хорошо, что команда мне не нужна.

Один, один, один... Значительную часть нашей жизни мы проводим наедине с собой. Лесли права. Она говорит, что я держу ее на дистанции.

Я держу на дистанции всех, вук! Это не значит, что именно тебя. Просто я никому не позволяю слишком приблизиться ко мне. Не хочу ни к кому привязываться,

«Почему?» — в ее голосе звучала досада. Это происходило все чаще и чаще. Ни с того ни с сего она могла обидеться на меня из-за пустяка, и наша беседа внезапно обрывалась. «Что такого ужасного в том, чтобы привязаться к кому-либо?»

А что, если, возлагая чересчур большие надежды на одну женщину, потом ее потеряешь? Допустим, что я знаю ее, затем вдруг оказывается, что она совершенно не такая, и я вынужден возвращаться к чертежной доске и все начинать заново. В конце концов приходишь к мысли, что никого нельзя узнать глубоко, разве только самого себя, да и то весьма приближенно. Единственное, во что я согласен поверить, — это в то, что все — такие, какие они есть. И если вдруг они время от времени буквально взрываются от гнева, лучше всего немного отступить, чтобы остаться целым. Это же очевидно, как вчерашний день, не так ли?

«Но тогда я стану не так независим, как мне бы хотелось», — ответил я вслух.

Она наклонила голову и пристально на меня посмотрела. — «Ты сказал мне самую истинную правду?»

Бывают моменты, подумал я, когда присутствие лучшего друга, умеющего читать мысли, и в самом деле становится в тягость. — «Мне, пожалуй, пора. Как раз время уехать и побыть одному, хотя бы недолго».

«Вот-вот, — вырвалось у нее. — Давай, беги! Все равно, хоть ты и здесь, тебя здесь нет. Я не чувствую тебя. Ты здесь рядом — а я не чувствую тебя».

«Лесли, я не знаю, что с этим поделать. Я думаю, что мне пора. В любом случае, яхту нужно перегнать к Ки-Уэст. Вернусь во Флориду, посмотрю, как там дела».

Она нахмурилась. «Ты говорил, что не мог провести с одной женщиной более трех дней, тебя душила скука. Мы месяцами были вместе, мы плакали, когда приходилось расставаться! Мы оба были счастливы, как никогда. Что произошло, что изменилось?»

Ворон покинул свое место на мачте, и, слегка повернув штурвал влево, я вернул его в прежнее положение. Н-да, если удерживать его так всю ночь, к утру окажешься где-то около Юкатана, — подумал я, — а вовсе не на пути в Ки-Уэст. Следуй неизменно за одной и той же звездой и обнаружишь, что не только сбился с пути, но и вовсе потерялся.

Черт возьми, Ворон, ты что, на ее стороне? Я так тщательно разрабатывал эту замечательную систему, эту первоклассную модель совершенной женщины, и все шло как по маслу, пока не вмешалась Лесли, задавая вопросы, о которых я не осмеливался даже думать, а еще меньше — отвечать. Конечно, леди, я бы хотел Вас любить, что последует за этим с Вашей стороны?

А что, если бы я сейчас упал за борт? Океан бы отозвался зеленым фосфорическим всплеском. Вот еще секунду надо мной проплывает моя яхта, в следующее мгновение до нее уже не дотянуться, еще немного, и она исчезает в темноте; огоньки, разбуженные ею, меркнут.

Я поплыл бы к берегу — вот что бы было. Он едва ли в десяти милях отсюда. Если я не смогу проплыть десять миль в теплой воде, то, пожалуй, заслуживаю роли утопленника.

Ну, а за тысячу миль? Тогда как?

Когда-нибудь, Ричард, — сказал я себе, — ты научишься сдерживать свои дурацкие мысли. Они — словно вопросы настырного мальчика, с которыми он пристает к приземлившемуся на его луг бродячему пилоту.

— Мистер, а что Вы будете делать, если мотор заглохнет?

— Ну, тогда я просто спланирую и приземлюсь, мой друг. Самолет прекрасно планирует, и для этого ему мотор не нужен.

— Ну а что вы будете делать, если крылья отвалятся?

— Если отвалятся крылья, мне, конечно же, придется выпрыгнуть с парашютом.

— Ага, а что, если парашют не раскроется?

— Тогда я постараюсь упасть в стог сена.

— Ну а что, если кругом одни камни?

Дети — они сама беспощадность. И я был таким. Такой я и поныне...

Ну а что, если бы я все-таки был за тысячу миль от берега? Какой я все же любопытный! Ребенок, живущий во мне, хотел бы прямо сейчас сбегать и разузнать, что там — по ту сторону смерти. Пожалуй, на это у меня еще будет время. Я вполне справился со своей миссией, написав книги, но, возможно, один-два урока все еще поджидают меня здесь, по эту сторону смерти.

Как любить женщину, например. Ричард, помнишь, как ты оставил жизнь бродячего пилота, чтобы найти настоящую любовь, родную душу, лучшего друга на все времена. Кажется, что это было так давно. Каковы шансы, что все, что я узнал о любви — неверно, что *есть* одна женщина в целом мире?

Подул ветер. Яхта накренилась на правый борт. Я отпустил Ворона и взял по компасу курс на Ки-Уэст.

Интересно, почему так много пилотов любят ходить под парусом? Самолеты обладают свободой в пространстве, яхтам присуща свобода во времени. Дело не в них самих, а в той раскрепощенности, которую они олицетворяют. Не самолет привлекает нас, а сила и мощь, которые ощущаешь, управляя его полетом. Не кеч*, сверкающий своими парусами, а ветер, приключения, проникновенная чистота жизни, которой требует море, требует небо.

Жизнь, неподвластная принуждению извне. Хочешь — можешь плавать на яхте годами.

Яхтам подвластно время. Самолет, как ни старайся, не удержишь в воздухе дольше нескольких часов. Не изобрели еще самолеты, которые чувствовали бы себя во времени так же свободно, как яхты.

Общаясь с другими женщинами, я оставался свободен. Чем Лесли лучше? Они не предъявляли мне претензий за то, что я не подпускаю их близко к себе, что ухожу, когда вздумается, почему же она это делает? Разве она не знает? Если быть слишком долго вместе, исчезает даже вежливость. Мы проявляем больше учтивости по отношению к посторонним, чем к собственным женам и мужьям. Люди, связанные друг с другом узами, — словно голодные собаки, грызутся за жалкие объедки. Даже мы. Ты повысила

* Двухмачтовое парусное судно. — *Прим. перев.*

на меня голос! Я пришел в твою жизнь вовсе не затем, чтобы злить тебя. Если такой, какой я есть, я тебя не устраиваю, просто скажи, и я уйду! Если быть вместе слишком долго, не остается ничего, кроме оков, обязанностей, ответственности,— ни восторженности, ни приключений — нет уж, спасибо!

Прошло несколько часов, и далеко на юге появилось едва заметное зарево. Не зарево рассвета. Это высоко в небе от уличных огней Ки-Уэста светился туман.

Как ни крути, а под парусом плывешь слишком медленно, подумал я. В самолете все просто: надоело быть здесь — он мгновенно унесет тебя за тридевять земель. Из яхты, если надоест, даже приземлиться и выйти нельзя. Не спустишься, если забрался слишком высоко, не поднимешься, если оказался слишком низко. У кораблей всего только одна высота. Никаких перемен. Скучно. Перемены несут приключения, неважно, яхт они касаются или женщин. Какие еще есть приключения, кроме перемен?

У нас с Лесли сложились определенные правила дружбы; полное равенство, свобода, вежливость, уважение, никто ни о ком не делает поспешных выводов. Правила для нас обоих, без исключений. Если они больше не устраивают Лесли, почему бы ей не сказать мне об этом? Дело принимает чересчур серьезный оборот.

Она, конечно, скажет: «Неужели, Ричард Бах, в твоей жизни не найдется места ни для чего, кроме правил?» Если бы я мог просто сказать «нет» и уйти от нее! Если бы можно было прямо сейчас поговорить с ней об этом!

Если бы яхты были хоть чуточку быстрее, если бы они могли летать!

Несчастный, жалкий мир. Мы отправляем людей на Луну, но не в состоянии построить летающую яхту.

ДВАДЦАТЬ ВОСЕМЬ

— Ты готов, вуки? — спросила она.

Я снова провожу с ней слишком много времени, подумал я. Слишком много. Она словно микросхема. Все, чего она касается, приходит в порядок, все становится просто и ясно. Я по-прежнему ослеплен ее красотой. Жизнерадостная, нежная, любящая... Но мои правила гласят, что, проводя слишком много времени с одной женщиной, я разрушаю себя. А с ней я провожу слишком много времени.

— Так ты готов? — переспросила она. На ней был ворсистый костюм янтарного цвета, шею облегал золотистый шелк. Волосы она зачесала назад в расчете на длительную деловую встречу.

— Вполне, — ответил я.

Странно. Она вырывает меня из цепких щупалец империи, взвалив на себя обязанности всех уволенных мною дельцов.

Стэн, до конца сохранявший спокойствие, уходя, выразил сожаление, что я потерял так много денег. «Что ж, так иногда бывает, — сказал он. — Рынок оборачивается против нас».

Юрист, нанятый Стэном, приносил извинения за то, что не представил документы к последнему сроку, назначенному налоговой инспекцией. Он считал, что они поступили несправедливо ...Он опоздал всего лишь... на две недели с подачей апелляции, и они уже отказались ее рассматривать. По его словам, если бы не это, он бы сумел доказать, что я не задолжал им ни цента.

Гарри, бизнес-менеджер, виновато улыбаясь, говорил, что дела с налоговой инспекцией выглядели довольно неприятно. Все это нравилось ему не намного больше, чем мне, и он приложил все усилия, чтобы держать меня в неведении как можно дольше. Между тем он был бы не против, если бы я выплатил ему выходное пособие в размере месячного оклада.

Я чувствовал к деньгам, счетам, налогам такое дикое отвращение, что, если бы не Лесли, мне, пожалуй, пришлось бы сбежать в Антарктиду или Ботцвезоландию. Любую бумагу, на которой я видел цифры, мне хотелось разорвать в клочья.

— Пока, — сказала она, когда я сел в машину.

— Пока?

— Ты снова не здесь, Ричард. Пока.

— Прости, — откликнулся я. — Думаешь, мне следует принять антарктическое гражданство?

— Еще нет, — ответила она. — Разве что после этой встречи. Если у тебя не появится миллион долларов плюс заинтересованность.

— Никак не пойму! Откуда у меня взялось столько долгов?

— Может, у тебя их и нет, — возразила она, — но все сроки упущены, и теперь поздно что-либо оспаривать. Проклятие! Это просто выводит меня из себя! Как бы мне хотелось быть с тобой до того, как стало слишком поздно. Они могли бы, по крайней мере, поставить тебя в известность!

— На некоем другом уровне я знал об этом, вук, — сказал я. — Какая-то часть меня желала, чтобы все рухнуло. Все шло как-то не так, в этом не было счастья.

— Для меня неожиданность, что ты знал об этом.

Ричард! — возопил мой внутренний голос. — Ничего подобного! В этом было счастье! Вспомни хотя бы все самолеты, которые у тебя были и есть до сих пор! А совершенная женщина? Конечно же, это приносило тебе счастье!

— Какая ложь. Империя рухнула. Деньги, расклеенные вокруг, топорщатся, словно обои от неумелых рук дилетантов, наихудшим из которых оказался я сам. Я имел представление о жизни империи, и была она не чем иным, как взбитыми сливками со сложной душисто-мышьяковой небрежностью в качестве приправы. Теперь яд начинал действовать.

— Это должно выглядеть иначе, — сказала она. — Ты поступил бы гораздо благоразумнее, если бы не нанимал никого. Всего лишь оставался бы таким, как прежде.

— А я и был таким, как прежде. Меня окружали игрушки, однако я оставался самим собой. Тот, кем я был прежде, никогда не смог бы заниматься счетоводством.

— Хм, — вырвалось у нее.

Мы расположились вокруг рабочего стола Джона Маркуорта, юриста, нанятого Лесли, когда я был в Испании. Горячий шоколад пришелся очень кстати, словно кто-то знал, что встреча затянется. Лесли открыла атташе, вынула свои записи, но представитель закона обратился ко мне.

— Как я понял, в двух словах Ваша проблема в том, что вместо ожидаемого дохода Вы обнаружили потерю капитала?

— Я думаю, проблема в том, что я нанял специалиста по финансовым делам, который разбирался в деньгах еще меньше, чем я, то есть меньше нуля, — принялся объяснять я. — Деньги, которые он вкладывал, это были не просто цифры на бумаге, а настоящие деньги и они — пуфф! — и растворились в рыночной круговерти. На бланках налоговой инспекции нет графы для «пуфф». Мне кажется, в двух словах, это выглядит так. Если честно, я не знаю, что этот парень там обнаружил. Я немножко надеялся, что вы мне проясните это, вместо того чтоб задавать вопросы. В конце концов, это я плачу вам деньги, поскольку считается, что вы в этом специалист...

Взгляд Маркуорта становился все более странным. Он взял свой шоколад и смотрел поверх чашки, будто надеялся, что она защитит его от несущего бред клиента.

Тут вмешалась Лесли, или я услышал мысленно ее голос, умоляющий меня сидеть на месте и, по возможности, сохранять спокойствие.

— Насколько я поняла, — заговорила она, — убытки налицо. Адвокат Ричарда, занимавшийся налогами... финансовый директор Ричарда подвел его... Вовремя не ответил налоговой инспекции. Правительство восприняло этот факт как отказ от платежей. А теперь к тому же требует миллион долларов. У Ричарда нет миллиона долларов наличными, чтобы выплатить им сразу. Поэтому вопрос стоит так: можно ли будет рассрочить выплату денег? Сможет ли он выплатить некоторую сумму и дать слово, что остальное будет вносить по мере распродажи имущества? Дадут ли они ему время на это?

Адвокат повернулся к Лесли с заметным облегчением:

— Почему бы и нет? Это весьма распространенное явление в подобных ситуациях, и называется оно — предложение компромисса. Как насчет диаграмм, которые я просил Вас принести?

Я смотрел на нее и восхищался тем, что в юридической конторе она чувствовала себя как дома.

Лесли выложила на стол адвоката бумаги с расчетами.

— Здесь сообщается о наличных деньгах на сегодняшний день. Вот это — состав имущества, подлежащего распродаже, и наконец вот здесь предложен Проект прихода денег на последующие пять лет, — объяснила она. — На диаграмме показано, что в промежутке между этим и новым приходом Ричард сможет выплатить всю сумму за два, самое большее — за три года.

Пока я бороздил под парусом морской простор, — подумал я, — Лесли изучала диаграммы налоговых платежей! Так и не став богатым, я был уничтожен... Почему же она относится к этому с таким участием?

Вскоре эти двое принялись анализировать мои проблемы так, словно меня вовсе не было в комнате. А меня и не было. Я ощущал себя москитом в банковском склепе. Я не мог отыскать выход, чтобы прорваться сквозь совершенно несносную тупость проблем, связанных с возможностью ареста несостоятельного должника, с его имуществом, распродажей этого имущества, перечнями платежей. На дворе светило солнце. Мы могли бы прогуляться, купить печенье, посыпанное шоколадом...

— У меня есть более подходящая структура выплат на последующие пять лет, — говорил Маркуорт. — Цифра «три» требует коррективы на случай, если доход Ричарда не совпадет с запланированным вами. Если он сможет заплатить раньше — что ж, замечательно. Но не забывайте, что он взвалит на себя тяжкий груз текущих налогов, которые бывают при доходе подобного рода. И хотелось бы гарантий, что до конца пути у него не возникнут дополнительные проблемы.

Лесли одобрительно кивнула, и они продолжили беседу, разрабатывая детали. Между ними на столе кудахтал калькулятор, выдавая числа. Лесли делала записи, и они маршировали сверху вниз по блокноту в голубую линейку.

— Я могу увидеть все это их глазами, — сказала она напоследок. — Они не принимали в счет людей, нанятых Ричардом, или же им было безразлично — знает он или нет о том, что это продолжается. Они требуют своих денег. С сегодняшнего дня они будут получать их на выгодных условиях, если только подождут еще самую малость. Как вы думаете, они подождут?

— Это хорошее предложение, — заключил адвокат. — Что-то мне подсказывает, что они примут его.

За время, потраченное нами, опасность миновала. Когда-то я обнаружил на собственном счету миллион долларов с помощью одного-единственного телефонного звонка. Накопить такую скромную сумму за пять лет — что может быть проще? Продать дом во Флориде, продать самолеты — не все, но один или два из них, заработать на съемках кинофильмов — просто.

И теперь для наведения порядка в моей жизни у меня были Лесли и профессиональный знаток налогов из Лос-Анджелеса, и никакая упругая хворостина не заставила бы меня покориться.

На море был шторм, меня накрыло, захлестнуло с головой. Эта женщина прыгнула в пучину и вытащила меня. Спасла мою финансовую жизнь. Полные надежды, мы покинули офис адвоката.

— Лесли? — вырвалось у меня, когда мы выходили из здания и я придерживал для нее открытую дверь.

— Да, Ричард? — откликнулась она.

— Спасибо.

— Не стоит благодарности, вуки, — ответила Лесли. — Совершенно не стоит!

ДВАДЦАТЬ ДЕВЯТЬ

— Ты не смог бы приехать, вуки? — В ее голосе, долетавшем до меня из телефонной трубки, звучала слабость. — Боюсь, что мне понадобится твоя помощь.

— Прости, Лесли, я буду занят вечером.

Почему мне было так неловко говорить ей все это? Я знаю правила. Я создаю правила. Без них мы не можем оставаться друзьями. По-прежнему было больно говорить, хотя и по телефону.

— Вук, я чувствую себя просто ужасно, — призналась она. — У меня головокружение и слабость, и мне было бы намного легче, если бы ты был здесь. Станешь ли ты моим доктором, пришедшим, чтобы вылечить меня?

Ту часть моего существа, которая желала прийти на помощь, я запихнул в чулан и запер дверь на замок.

— Я не могу. Вечером у меня свидание. Завтра — пожалуйста, если ты не против...

— У тебя свидание? Ты выбираешься на свидание, когда я нездорова и нуждаюсь в тебе? Ричард, я не могу поверить...

Должен ли я был добавить еще что-нибудь? Наша дружба не была собственнической. Она была открытой, основанной на нашей взаимной свободе, когда каждый из нас мог уйти от другого куда бы то ни было, как только пожелает, по какой-либо причине или при ее отсутствии. Теперь же я был напуган. Длительное время я не встречался в Лос-Анджелесе ни с какой другой женщиной. Мне казалось, что мы катимся к само собой разумеющейся женитьбе, что мы забываем о том, что наше время-порознь необходимо нам так же, как время-вместе.

Свидание должно было состояться. Если я обязан быть с Лесли только потому, что нахожусь в Лос-Анджелесе, то что-то не так в нашей дружбе. Если я променял свою свободу на то, чтобы быть с той, которую я выбрал, то наше стремление к единению потерпело крах. Я заклинал ее понять меня.

— Я могу побыть с тобой до семи, — предложил я ей.

— До семи? Ричард, ты не слышишь меня? Ты *нужен* мне. Мне необходима твоя помощь прямо сейчас!

Почему она давила на меня? Было бы гораздо лучше, если бы она сказала, что чувствует себя вполне превосходно и что надеется, что я хорошо проведу время. Поступила бы наперекор себе. Разве подобные вещи ей не известны?

Это роковая ошибка! Я не поддамся давлению и не позволю превратить себя в собственность никому, нигде, ни при каких условиях!

— Извини. Если бы я знал об этом раньше. Сейчас уже поздно что-то отменять. Я не вижу в этом смысла и не хочу этого делать.

— Неужели она так много для тебя значит? — спросила она. — Кто она такая? Как ее зовут?

Лесли ревновала!

— Дебора.

— Неужели Дебора так много значит для тебя, что ты не можешь позвонить ей и сказать, что твоя подруга Лесли больна, и спросить, не против ли она перенести ваше неотложное свидание на завтра, или на следующую неделю, или на следующий год? Неужели она такой важный для тебя человек, что ты не можешь ей позвонить и все это сказать?

В ее голосе звучала боль. Но сделать то, о чем она просила, означало уязвить мою независимость. И ее сарказм тоже не помог.

— Нет, — сказал я. — Она не такой важный человек. Для меня важен принцип, который она воплощает, — что мы свободны проводить время с тем, кого выбираем...

Она залилась слезами.

— Будь *проклята* твоя свобода, Ричард Бах! Я работаю не покладая рук, чтобы твою проклятую империю не смели с лица Земли, я ночей не сплю, все беспокоюсь, что есть еще какой-то выход, который я не продумала, о котором никто не знает... чтобы спасти тебя... потому что ты так много значишь... Я так устала от этого, что едва могу подняться на ноги, и ты не побудешь со мной, когда я в тебе нуждаюсь, потому что у тебя свидание с какой-то Деборой, с которой ты едва познакомился, которая воплощает какой-то идиотский принцип?

Сквозь стальную стену толщиной в метр я промолвил.

— Да, это так.

В телефонной трубке надолго воцарилась тишина. Ее голос стал другим. Ревность и боль исчезли, она сказала тихо и спокойно:

— Прощай Ричард. Приятного свидания.

И пока я говорил:

— Спасибо, что ты понимаешь, как важно... — она повесила трубку.

ТРИДЦАТЬ

Ее телефон не отвечал ни на следующий день, ни днем позже. А еще через день я обнаружил вот это письмо:

Среда, вечер, 21/12

Дорогой Ричард!

Я не знаю, как и с чего начать. В поисках пути я долго и трудно думала, и мне приходили в голову самые разные идеи...

В конце концов, меня посетила одна мысль, музыкальная метафора, которая помогла мне отчетливо ощутить если не удовлетворение, то хотя бы понимание. И этим образом я хочу поделиться с тобой. Поэтому, пожалуйста, побудь со мной на этом очередном уроке музыки.

Наиболее распространенной формой больших классических произведений является сонатная форма. Это — основа почти всех симфоний и концертов. Соната состоит из трех главных частей: экспозиция или вступление, в котором показаны и представлены друг другу маленькие идеи, темки, фрагментики; развитие, в котором эти крошечные идеи и мотивы тщательно исследуются, углубляются, часто путешествуют от мажора (радости) к минору (грусти) и наоборот, они совершенствуются и соединяются в сложные сплетения, пока наконец на смену им не придет финал, и он является итогом, чудесным выражением полной, зрелой завершенности, которой достигли крошечные идеи в процессе развития.

Какое отношение все это имеет к нам, спросишь ты, если, конечно, еще не догадался сам.

Я вижу, что мы зациклились на вступлении. Поначалу все было естественно и просто восхитительно. На этом этапе каждый проявляет то лучшее, что скрыто в нем; озорство, обаяние, он желаем и желает, интересуется и интересует. В этот период ты ощущаешь, что тебе невероятно хорошо и что ты способен любить, как никогда ранее, потому что не нуждаешься в мобилизации всей своей защиты. Поэтому в объятиях твоего партнера находится душевное создание, а не гигантский кактус. Это время наслаждения двоих, и, без сомнения, каждый изо всех сил пытается превратить свою жизнь в сплошные вступления.

Но вступления не могут продолжаться бесконечно, просто невозможно переживать их вновь и вновь. Вступление должно развиваться и совершенствоваться — или же скончаться от однообразия. Ничего подобного, не согласишься ты. Можно уходить прочь в погоне за переменами, обретать их, находить других людей, другие места, чтобы возвращаться к прежним отношениям, как если бы они начинались сначала, и постоянно штамповать новые и новые вступления.

Мы прошли затянувшийся ряд повторяющихся вступлений. Иногда нас разделяли неотложные дела — и это было необходимо, — но при этом таким близким людям, как мы с тобой, вовсе не следовало напускать на себя строгость и суровость. Некоторыми вещами управлял ты, стараясь предоставить самому себе все больше возможностей для возврата к желанной новизне.

Очевидно, стадия развития для тебя — проклятие. Потому что здесь ты можешь внезапно обнаружить, что у тебя есть всего лишь коллекция жестко ограниченных идей, которые, как ни старайся, нельзя воплотить, или, — что даже хуже для тебя, — что ты творишь ростки чего-то замечательного — симфонии. А в этом случае предстоит потрудиться; достичь глубины, бережно соединяя отдельные части целого, чтобы они обогатились сами и обогатили друг друга. Я думаю, что эта аналогия соответствует тому моменту в написании книги, когда ты либо берешься за раскрытие главной темы, либо отказываешься от нее.

Без сомнения, мы зашли гораздо дальше, чем ты когда-либо предполагал. И мы остановились как раз в тот момент, когда, как мне казалось, нам предстояли новые закономерные и прекрасные шаги. Я видела, что наше с тобой развитие постоянно откладывается, и пришла к выводу, что в раскрытии нашего творческого потенциала мы не пойдем дальше судорожных по-

пыток, так никогда и не воспользовавшись поразительным сходством наших интересов, — независимо от того, сколько времени мы будем вместе, нам будет чего-то недоставать. Поэтому наше развитие, которым мы так дорожим и о возможности которого знаем, становится невозможным.

Мы оба видим, что впереди нас ждет что-то чудесное, но отсюда мы туда не попадем. Я столкнулась с прочной стеной защиты, а тебе нужно строить еще и еще. Я стремлюсь к совершенству и полноте дальнейшего развития, а ты ищешь всяческие способы; чтобы избегать их в наших отношениях. Мы оба надломлены. Ты — не в состоянии вернуться, я — не в силах идти вперед. И все то ограниченное время, которое ты предоставил нам, мы находимся в состоянии постоянной борьбы, нас окружают сплошные тучи и мрачные тени.

Постоянно чувствовать твое сопротивление мне и тому растущему между нами чуду, будто мы с ним такие страшные, испытывать при этом всякие формы противодействия, когда некоторые из них просто безжалостны, — все это причиняет мне порой невыносимую боль.

У меня сохранились записи того времени, когда мы были вместе. Я долго и честно вглядывалась в них. Они опечалили меня и даже привели в замешательство, но все же помогли посмотреть правде в глаза. Я мысленно возвратилась в начало июля и последующие семь недель. В самом деле, это было счастливое время. Это было вступление, прекрасное вступление. Затем нас разделяли жесткие и надуманные преграды и в такой же степени жесткое уклонение-сопротивление с твоей стороны, когда ты возвращался вновь.

Что в отдалении и отдельно, что вместе и отдельно — все равно мы будем слишком несчастливы. Я ощущаю себя живым существом, которое много плачет, существом, которое даже обязано плакать, потому что вроде бы счастье нужно выстрадать. А я знаю, что мне еще рано превращать жизнь в сплошное страдание.

Когда ты, узнав о моей болезни, сказал, что «не видишь смысла» в отмене своего свидания, правда обрушилась на меня с силой снежной лавины. Со всей честностью глядя в лицо фактам, я знаю, что даже при огромном желании не смогу продолжать все это. Не смогу смириться и в дальнейшем.

Надеюсь, ты не будешь рассматривать это кок разрыв соглашения, но скорее как продолжение многих и многих концов, начало которым положил ты. В попытке заинтересовать тебя той радостью, которую доставляет внимание, я признаю свое поражение.

Ричард, мой драгоценный друг, я произношу эти слова мягко, даже с нежностью и любовью. За мягкими тонами нет затаенного гнева. Эти тона искренни. Я не обвиняю тебя, не упрекаю, не придираюсь, а лишь пытаюсь достичь понимания и прекратить боль. Я рассказываю тебе о том, что вынуждена была признать: у нас с тобой никогда не будет развития, а уж тем более всей полноты отношений, достигших своего расцвета.

Если хоть что-нибудь в моей жизни и заслуживает того, чтобы отказаться от установленных ранее моделей и выйти за все известные ограничения, — то это не что иное, как эти самые отношения. Я вполне могла бы оправдываться за свое чувство подавленности, поскольку в попытке реализовать эти отношения прошла через многое. Но вместо этого я горжусь собой и счастлива, что пока у нас была исключительная и необыкновенная возможность, я ее осознавала и делала все возможное, в полном смысле этого слова, чтобы оберегать ее.

Теперь мне этого достаточно. В этот ужасный момент, когда все кончено, я могу честно сказать, что, попытавшись дать нам несбывшееся замечательное будущее, я не смогу больше предпринять ничего нового.

Невзирая на боль, я счастлива, что на этом особом пути узнала тебя, и время, проведенное с тобой, сохраню бережно, словно сокровище. Общаясь с тобой, я выросла и многому научилась. Знаю, что и сама привнесла в тебя немало положительного. Друг для друга мы, пожалуй, самые яркие люди из всех, с кем когда-либо соприкасались.

Только что мне пришло в голову, что можно провести аналогию еще и с шахматами. В этой игре каждая сторона сразу начинает преследовать свою независимую цель, хотя она и зависима от другой стороны. К середине игры страсти накаляются, оба игрока ослаблены потерями своих шахматных фигур. Затем наступает конец игры, когда одна из сторон парализует другую, заманивая ее в ловушку.

Ты смотрел на жизнь как на шахматную игру, и за это я благодарна тебе. Мне виделась соната. Из-за этих различий погибли и король и королева, и оборвалась мелодия.

Я все еще твой друг, и знаю, что ты тоже остался моим другом. Я отправляю эти строки с сердцем, полным проникновенной, нежной любви и огромного уважения. Ты знаешь, что именно так я относилась к тебе. Но в моем сердце поселилась глубокая печаль, поскольку возможность, такая многообещающая, такая необъективная и прекрасная, должна уйти неосуществленной.

Leslis

Я стоял, глядя сквозь окно в никуда. В голове гудело. Она заблуждается. Конечно же, она заблуждается, эта женщина не понимает, кто я такой и как смотрю на вещи. Слишком плохо, отметил я про себя. Затем смял ее письмо и выбросил прочь.

ТРИДЦАТЬ ОДИН

Прошел час, за окном ничего не изменилось. Зачем я пытаюсь себя обмануть? — подумал я. Ведь она права, и я знаю, что она права, даже если я никогда этого не признаю, даже если никогда о ней больше не вспомню.

Ее рассказ о симфонии и шахматах... почему я этого не увидел? Я всегда был так чертовски умен, кроме разве что истории с налогами, всегда был проницательнее кого бы то ни было; как же ей удается видеть то, что не вижу я? Или я не такой совершенный, как она? Ну, хорошо, если она такая умная, где же ее система, ее защита, спасающая от боли?

Я ищу свою Соверш...

К ЧЕРТУ твою Совершенную Женщину! Она — выдуманная тобой, утыканная поддельными перьями всевозможных цветов курица весом с полтонны, которой никогда не взлететь! Все, что она может, — это бегать туда-сюда, хлопать крыльями и пронзительно кудахтать, но никогда, никогда она не сможет оторваться от земли, никогда не сможет запеть. Ты, которого бросает в ужас при одной мысли о свадьбе, знаешь ли ты, что женат на *этом* чучеле?

Передо мной предстала картина: маленький я рядом с курицей на свадебной фотографии. Так оно и есть! Я обвенчался с идеей, которая оказалась неверной.

Но ограничение моей свободы! Если я останусь с Лесли, меня одолеет скука!

С этого момента я разделился пополам: на того меня, который был до сих пор, и другого, нового, который пришел его уничтожить.

— Меньше всего тебе стоит беспокоиться по поводу скуки, ты, сукин сын, — сказал вновь пришедший. — Ты что, не видишь, что она умнее тебя? Ей ведомы миры, которых ты даже коснуться боишься. Давай, заткни мой рот кляпом и отгородись от меня стеной, ты же всегда так поступаешь с любой частью себя, которая осмеливается сказать, что твои всемогущие теории неверны! Ты свободен это сделать, Ричард. И ты свободен провести остаток своей жизни в поверхностных привет-как-дела? с женщинами, которые так же боятся близости, как и ты. Подобное притягивает подобное, приятель. Если у тебя не найдется крупинки здравого смысла, чтобы вознести молитву за то, что тебе досталась эта жизнь, ты будешь таскаться со своей вымышленной близкой и перепуганной Совершенной Женщиной, пока не умрешь от одиночества.

Ты жесток и холоден как лед. Ты носишься со своей дурацкой шахматной доской и своим дурацким небом; ты загубил великолепную возможность, выстроив эту свою идиотскую империю; и теперь от нее осталась лишь куча осколков, на которые государство — на все это *государство* наложило свою лапу!

Лесли Пэрриш была возможностью в тысячу раз более чудесной, чем любая империя, но ты до смерти испугался ее потому, что она умнее, чем ты когда-либо был или будешь; и теперь ты намерен вышвырнуть из своей жизни и ее.

Или это она вышвыривает из своей жизни тебя? Она не пострадает от этого, приятель, потому что она не проиграла. Ей будет грустно, она немного поплачет, потому что она не боится плакать, когда умирает что-то, что могло бы стать прекрасным, но она все это переживет и станет выше всего этого.

Ты тоже все это переживешь, не пройдет и полутора минут. Лишь захлопни поплотнее свои чертовы стальные двери и никогда больше о ней не вспоминай. Вместо того чтобы стать выше, ты покатишься вниз, и очень скоро твои подсознательные попытки совершить самоубийство увенчаются блестящим успехом. Тогда наступит жалкое пробуждение, и ты поймешь, что в твоих руках была жизнь из огня и серебра, искрящаяся сиянием бриллиантов, а ты взял грязную кувалду и разнес ее вдребезги. Перед тобой самый важный в твоей жизни выбор, и ты это знаешь. Она решила, что не будет мириться с твоим глупым первобытным страхом, и в это мгновение она счастлива, что освободилась от тебя, повисшего было на ней мертвым грузом.

Ну, вперед, поступай, как ты всегда поступаешь: беги прочь. Беги в аэропорт, запускай двигатель самолета и взлетай, лети в ночь. Лети, лети! Давай, найди себе хорошенькую девочку с сигаретой в одной руке и стаканом рома в другой и посмотри, как она вытрет о тебя ноги по дороге в лучший мир, чем тот, от которого ты пытаешься убежать. Беги, глупый трус. Беги, чтобы я замолчал. В следующий раз ты увидишь меня в день своей смерти, и тогда расскажешь, каково ощущение, когда тобой сожжен единственный мост...

Я захлопнул дверь перед самым его носом, и в комнате воцарилось спокойствие, как на море в штиль.

— Ну и ну, — сказал я громко, — не слишком ли мы эмоциональны?!

Я достал письмо, стал снова его читать, выпустил его из рук, и оно скользнуло в мусорную корзину. Если я не нравлюсь ей таким, как я есть, — тем лучше, что она это сказала. Очень жаль... если бы только она была другой, мы могли бы быть друзьями. Но я терпеть не могу ревности! Она что, думает, что я — ее собственность; она будет решать, когда и с кем мне проводить свое время? Я ей ясно сказал, кто я, что я думаю и в чем она может мне доверять, даже если сюда и не входит полное притворства «я тебя люблю», которое ей от меня надо. Никаких «я тебя люблю» от меня, мисс Пэрриш. Я останусь верен себе, даже если это будет стоить мне всех тех брызжущих радостью и счастьем моментов, которые были у нас с Вами.

Одного я никогда не делал, дорогая Лесли, — я никогда не врал тебе и не пытался тебя обмануть. Я жил в соответствии со своими принципами так, как говорил тебе. Если теперь оказывается, что это тебе не подходит, значит, так тому и быть. Я приношу свои извинения, и лучше бы ты мне раньше об этом сказала — это избавило бы нас от лишних мучений.

Снимаюсь завтра на рассвете, решил я. Закину все что нужно в самолет и улечу куда-нибудь, где еще не был. В Вайоминг, может быть, в Монтану. Оставлю самолет налоговой инспекции, если они его найдут, и скроюсь. Возьму где-нибудь напрокат биплан, исчезну.

Изменю имя. Винни-Пух ведь жил под фамилией Сандерс, — я тоже смогу. Это будет замечательно, Джеймс Сандерс. Им останутся банковские счета, самолеты и все остальное — что захотят. Никто никогда не узнает, что случилось с Ричардом Бахом. Это будет такое облегчение!

Свои новые произведения, если они вообще будут, я буду писать под новым именем. Я вполне смогу, если захочу. Брошу все. Может быть, Джеймс Сандерс направится в Канаду, а оттуда — в Австралию. Может, старый Джим забредет в лесную глушь Альберты, или направится к югу в Санбэри, или в сторону Уиттлси, на крыльях Тайгер Мот'а. Он сможет изучить Австралию, покатает несколько пассажиров, — вполне достаточно, чтобы как-то прожить.

А потом...

Потом...

Что потом, мистер Сандерс? Кто, по-вашему, виновен в смерти Ричарда Баха — государство или Вы? Вы хотите убить его только потому, что Лесли отпустила его на все четыре стороны? Что, без нее его жизнь будет такой пустой, что его смерть ничего не будет значить для Вас?

Я надолго задумался. Было бы здорово улететь, сменить имя, убежать. Но то ли это, чего я больше всего хочу?

— *Это твоя высшая истина?* — спросила бы она.

— Нет.

Я сел на пол и прислонился спиной к стене.

— Нет, Лесли, это не моя высшая истина. Моя высшая истина в том, что я проделал немалый путь, чтобы найти возможность научиться любить другого человека. Моя высшая истина в том, что Совершенная Женщина в лучшем случае подходит, чтобы немного поболтать, немного позаниматься сексом — мимолетные увлечения, лишь оттягивающие наступление одиночества. Это не та любовь, которую имел в виду ребенок у калитки тогда, давным-давно.

Я знал, в чем состоит главное, когда был ребенком и когда перестал бродяжничать: найти единственную на веки вечные родственную мне душу, ангела-в-облике-женщины, учиться вместе с ней и любить ее. Ту женщину, что бросит вызов моей адской натуре, заставит меня изменяться, расти, побеждать там, где раньше я бежал прочь.

Может быть, Лесли Пэрриш — не эта женщина. Может, она не родственная душа, что нашла меня, когда я искал ее. Но только она одна... у нее одной ум Лесли и фигура Лесли; это женщина, которую не нужно жалеть, не нужно спасать, не нужно никому представлять где бы то ни было. И вдобавок, она так чер-ртовски умна, что самое худшее, что может случиться, — это что я слишком многому научусь, прежде чем она меня оставит в следующий раз.

Если человек достаточно жесток, — подумал я, — если он сопротивляется течению жизни, даже его родственная душа отступает, оставляя его в одиночестве. И новой встречи придется ждать до следующей жизни.

Ну а что, если я *не* убегу? Что мне терять, кроме сотен тонн стальных оков, которые якобы делают меня неуязвимым? Возможно, расправив освобожденные от брони крылья, я смогу летать так, чтобы меня не сбили. *В следующий раз* я возьму фамилию Сандерс и направлюсь в Порт-Дарвин!

Этот... дерзкий критик, которого я запер, — он был прав. Я открыл двери, извинился, выпустил его на свободу: но он не сказал больше ни слова.

Передо мной действительно был самый важный в жизни выбор, — ему не пришлось это повторять.

Может, это тест, подготовленный сотней других аспектов меня с других планет и из других времен? Может, они собрались сейчас и наблюдают за мной сквозь одностороннее стекло, надеясь, что я избавлюсь от оков, или наоборот, желая, чтобы я остался прежним? Может, они заключают пари на то, как я поступлю?

Если они где-то и были там за своим стеклом, то вели себя ужасно тихо. У меня даже шум в голове стих. Прямо передо мной дорога разветвилась на две, ведущие в разных направлениях.

Два будущих, две разные жизни: в одной Лесли Пэрриш, в другой — моя столь безопасная Совершенная Женщина.

Выбирай, Ричард. Сейчас. Снаружи спускается ночь. Которая из них?

ТРИДЦАТЬ ДВА

— Алло? — она перевела дыхание. Ее голос буквально тонул в звуках гитар и ударных.

— Лесли? Это я, Ричард. Я знаю, что теперь уже поздно, но, может, у тебя найдется немного времени поговорить?

Молчание. Музыка звучала вовсю, и я ждал, что она повесит трубку. Пока я там мучился над выбором, — подумал я, — выбор оказался уже сделан — такие, как я, больше не представляют для Лесли интереса.

— Хорошо, — сказала она наконец. — Только выключу музыку. Я танцевала.

В трубке стало тихо, потом она вернулась к телефону.

— Привет.

— Привет. Я получил твое письмо.

— Хорошо.

Сам того не осознавая, я ходил туда-сюда с телефоном в руках.

— Ты и вправду хочешь все прекратить?

— Не все, — ответила она, — я надеюсь, мы еще поработаем вместе над фильмом. Я буду считать тебя своим другом, если тебя это устраивает. Я только хочу прекратить обиды.

— У меня никогда не было желания тебя обижать.

Я вообще не могу тебя обидеть, — продолжил я мысленно. — Тебя невозможно обидеть, если ты прежде сама не почувствуешь себя обиженной...

— От этого не легче, — возразила она. — Мне кажется, я не гожусь для открытых отношений. Поначалу это было нормально, но потом мы были так **счастливы** вместе! Нас двоих окружала атмосфера такой солнечной радости! Зачем разрушать ее в угоду людям, которые ничего не значат или в угоду абстрактным принципам? Это просто бессмысленно.

— Почему бессмысленно?

— У меня была кошка. Ее звали Амбер. Большая пушистая персидская кошка. Все время, что я была дома, мы с Амбер проводили вместе. Она вместе со мной обедала, мы вместе слушали музыку, ночью она спала у меня на плече. Потом у Амбер появились котята. Они были такие замечательные. Она их любила, проводила с ними почти все время, я их тоже любила и тоже проводила с ними почти все свободное время. Теперь мы с Амбер были не одни, нам нужно было заботиться о котятах, согревать их своей любовью. Никогда потом, до самой ее смерти, мы не были так близки.

— *Глубина близости к другому человеку обратно пропорциональна количеству прочих людей в нашей жизни?* — спросил я. Потом, испугавшись, что она увидит в этом насмешку: — Ты полагаешь, мы с тобой должны быть единственными друг для друга?

— Да. Поначалу я примирилась с обилием твоих подружек. Когда ты был один, твое дело было, как себя вести. Но когда появилась Дебора, — *принцип Деборы,* как ты бы сказал, — я вдруг поняла, что твой гарем перемещается на запад, и для меня в нем тоже уготовано место. Я не хочу этого, Ричард.

Знаешь, чему я научилась, будучи с тобой? Я узнала, что **возможно,** и теперь я должна придерживаться того, что, по моему мнению, у нас было. Мне хочется быть в очень близких отношениях с тем, кого я буду уважать и любить, кем буду восхищаться, с тем, кто испытывает ко мне такие же чувства. Так или никак. Я поняла, что ты ищешь не то, что я. Ты не хочешь того, чего хочу я.

Я перестал ходить и уселся на подлокотник дивана. За окном сгустилась темнота.

— А чего я хочу, по-твоему? — спросил я.

— В точности того, что у тебя есть. Многие женщины, которых ты едва знаешь, которым можно не уделять слишком много внимания. Эдакий поверхностный флирт, использование друг друга, никаких шагов к любви. Я так представляю себе ад. Ад — это место, время, сознание, Ричард, в которых нет места любви. Ужас! Избавь меня от этого.

Она говорила так, будто все уже решила, и будто я тоже непреклонно стоял на своем. Словно не было никакой надежды что-то изменить. Она ни о чем не просила, просто говорила о самом сокровенном, зная, что я никогда не соглашусь.

— Я испытывала глубочайшее уважение к тебе и восхищалась тобой, — продолжила она. — Я считала тебя самым чудесным человеком, которого мне когда-либо доводилось знать. Теперь я начинаю видеть в тебе то, чего видеть не хочу. Боюсь, мне придется перестать тобою восхищаться.

— Меня пугало то, Лесли, что мы начинаем становиться собственностью друг друга. Для меня свобода не менее важна, чем...

— Свобода делать что? — резко оборвала она меня. — Свобода пренебрегать близостью? Свобода не любить? Свобода искать убежище от радости в беспокойстве и однообразии? Да, ты прав... Если бы мы остались вместе, я бы не хотела, чтобы у тебя была такая свобода.

Хорошо сказано! — подумал я, словно это были не слова, а шахматный ход.

— Ты замечательно это показала, — сказал я вслух. — Я понял, о чем ты говоришь. До сих пор я этого не понимал. Спасибо.

— На здоровье, — ответила она.

Я взял трубку в другую руку. Когда-нибудь некий умелец создаст телефон, который можно держать одной рукой дольше минуты.

— Мне кажется, мы многое можем друг другу сказать. Не могли бы мы встретиться и поговорить?

Пауза. Затем она ответила:

— Я, пожалуй, не хочу. Я не против разговора по телефону, но встречаться с тобой пока не хочу. Я надеюсь, ты понимаешь.

— Да, конечно. Нет проблем, — заверил я ее. — Ты уже хочешь закончить разговор?

— Нет. По телефону я могу поговорить еще.

— Видишь ли ты возможность сохранить нашу близость? Я никогда не встречал никого похожего на тебя, но твоя дружба, мне кажется, означает сердечное письмо и обмен рукопожатиями в конце каждого финансового года.

Она засмеялась.

— Ну, все не так уж плохо. Рукопожатие раз в полгода. Даже четыре раза в году — мы ведь были такими близкими друзьями! И то, что наша любовная история закончилась, Ричард, не значит, что она потерпела крах. Мне кажется, каждый из нас чему-то научился.

— Возможно, свобода, о которой я говорил, — начал я, — значительная ее часть, возможно, это свобода меняться, становиться другим день ото дня. Но если двое людей изменяются в разных направлениях...

— Если мы будем изменяться в разных направлениях, — возразила она, — у нас все равно не будет никакого будущего, ведь правда? Я думаю, двое людей могут изменяться вместе, вместе расти и обогащать друг друга. Один плюс один, если только это те единицы, может равняться бесконечности. Но часто люди тянут друг друга вниз; один из них хочет взлететь, словно воздушный шар, а другой виснет на нем мертвым грузом. Мне всегда было интересно, а что, если оба — и женщина, и мужчина — стремятся вверх, как шары?!

— Тебе известны такие пары?

— Несколько, — ответила она.

— Ну, сколько?

— Две, три...

— Я не знаю ни одной, — заметил я. — Нет... пожалуй, одну знаю. Из всех моих знакомых — единственная счастливая пара. А все остальные... Либо она — сама радость, а он — мертвый груз, либо наоборот, либо они — два груза. Два воздушных шара встречаются весьма редко.

— Мне кажется, у нас бы это вышло, — сказала она.

— Это было бы здорово.

— Да.

— Как по-твоему, что нам для этого нужно? — спросил я. — Что нам поможет вернуться друг к другу и жить по-прежнему?

Я почувствовал, что ей хочется сказать: «Ничего», — но она этого не сказала, это было бы слишком поспешно. Она задумалась, я ее не торопил.

— Нам уже ничто не поможет вернуться к прежним временам. И я этого не хочу. Я изо всех сил пыталась измениться, пыталась даже ходить на свидания с другими мужчинами, когда тебя не было, чтобы посмотреть, смогу ли я противопоставить твоей Совершенной Женщине своего Совершенного Мужчину. Все это было бессмысленно, глупо. Лишь напрасная трата времени.

— Я — не одна из твоих девочек, Ричард, — продолжала она неспешно. — Я менялась до тех пор, пока мне этого хотелось. Если ты желаешь быть со мной рядом, твоя очередь меняться.

Я оторопел.

— В каком направлении ты предлагаешь мне меняться?

В худшем случае она предложит что-то такое, что я не смогу принять, — подумал я, — но эта ситуация будет не хуже, чем та, в которой мы находимся.

Она немного подумала.

— Я бы предложила любовь, в которой будем только ты и я. Возможность проверить, получится ли у нас быть двумя шариками.

— Это значит, что я буду не свободен... И перестану видеться со всеми своими подругами?

— Да. Со всеми женщинами, с которыми ты обычно спишь. И никаких других любовных историй.

Теперь настал мой черед замолчать, а ее — слушать тишину в телефонной трубке. Я чувствовал себя кроликом, которого охотники загнали в угол. Все известные мне мужчины, которые принимали такие условия, потом об этом сожалели. В каждом из них прострелили не одну дырку, и выжить им удалось только чудом.

Но ведь как я преображался, когда был с Лесли! Лишь с ней я был таким, каким больше всего хотел быть. Я совершенно ее не стеснялся, не чувствовал никакой неловкости. Я ею восхищался, учился у нее. И если она хочет научить меня любить, я могу хотя бы предоставить ей такую возможность.

— Мы такие разные, Лесли.

— Мы разные, мы же и одинаковые. Ты думал, что тебе нечего будет сказать женщине, которая не летала на самолетах. Я не могла себя представить рядом с мужчиной, который не любит музыку. Может, важно не столько быть похожими друг на друга, сколько проявлять любознательность? Поскольку мы разные, нас ждут радость знакомства с миром друг друга, возможность дарить друг другу свои увлечения и открытия. Ты будешь учиться музыке, я стану учиться летать. И это только начало. Мне кажется, так может продолжаться бесконечно.

— Давай подумаем, — сказал я. — Давай об этом подумаем. Каждый из нас по себе знает, что такое супружество и почти-супружество, у каждого остались шрамы, каждый обещал себе, что больше не повторит такой ошибки. По-твоему, мы не сможем быть вместе, кроме как... кроме как став мужем и женой?

— Предложи другой вариант, — сказала она.

— Мне и так было очень даже неплохо, Лесли.

— Очень даже неплохо — этого мало. Я сама по себе смогу быть более счастливой, и для этого мне не придется выслушивать твои извинения, когда ты будешь уходить, пытаясь от меня отделаться, возводя между нами новые стены. Либо я буду единственной твоей возлюбленной, либо не буду ею вообще. Я попробовала жить половинчато, как ты, — это не срабатывает — для меня.

— Это так сложно, в супружестве столько ограничений...

— Я так же, как и ты, Ричард, ненавижу супружескую жизнь, которая делает людей тупыми, заставляет их обманывать, сажает их в клетки. Я избегала замужества дольше, чем ты, — с момента моего развода прошло уже 16 лет. Но тут я отличаюсь от тебя. Я считаю, что существует другой тип супружеской жизни, когда каждый из нас чувствует себя более свободным, чем если бы он был один. Шансов, что ты это увидишь, очень мало, но мне кажется, что у нас это могло бы получиться. Час назад я бы сказала, что шансов нет вообще. Я не думала, что ты позвонишь.

— Да ну, брось. Ты ведь знала, что я позвоню.

— Не-а, — возразила она. — Я была уверена, что ты выбросишь мое письмо и улетишь куда-нибудь на своем самолете.

Прямо читает мои мысли, подумал я. Я снова вообразил эту картину — как я убегаю в Монтану. Полно действия, новые места, новые женщины. Но даже думать об этом было скучно. Я уже не раз так поступал, — продолжал я мысленно, — и знаю, что это такое, знаю, что все это очень поверхностно. Нет стимула двигаться дальше, меняться. Такие поступки ничего не значат для меня. Итак, я улечу... и что?

— Я бы не улетел, не сказав ни слова. Я бы не бросил тебя, когда ты на меня сердишься.

— Я на тебя не сержусь.

— Хм... — ответил я. — Ну, по крайней мере достаточно сердишься, раз решилась разорвать самую замечательную дружбу, которая у меня когда-либо была.

— Послушай, Ричард, в самом деле: я не сержусь на тебя. В тот вечер я была в бешенстве, я чувствовала к тебе отвращение. Потом пришло отчаяние, и я стала плакать. Но чуть погодя я перестала плакать, долго о тебе думала и поняла в конце концов, что ты поступаешь наилучшим для себя образом и что ты будешь таким, пока не изменишься, причем ты должен сделать это сам — никто за тебя этого не сделает. Как же я могу на тебя сердиться, когда ты ведешь себя лучшим образом?

Я почувствовал, как теплая волна ударила мне в лицо. Какая нестандартная, великолепная мысль!

В такой момент она поняла, что я поступаю наилучшим с моей точки зрения образом! Кому еще в целом мире удалось бы это понять? Меня заполнило уважение к ней, породившее в то же время подозрения по отношению к себе.

— Хорошо, а что, если я поступаю не лучшим для себя образом?

— Тогда я на тебя сержусь.

Она почти рассмеялась, когда это сказала, и я несколько расслабился на своем диване. Если она может смеяться, то еще не конец света, пока еще не конец.

— Может быть, нам заключить контракт? Согласовать друг с другом, а затем четко и ясно изложить, какие изменения нам нужны?

— Не знаю, Ричард. Это звучит так, словно ты играешь в игрушки, а здесь все гораздо серьезнее. Я больше не хочу твоих игр, повторяющихся отговорок, твоих старых защитных приемов. Если тебе снова нужно будет от меня обороняться, а мне — доказывать, что я — твой друг, что я тебя люблю, что не хочу делать тебе больно, разрушать тебя, не собираюсь замучить тебя до смерти однообразием и скукой, — это будет уже слишком. Мне кажется, ты достаточно хорошо меня знаешь, и знаешь, что ты по отношению ко мне чувствуешь. Если ты боишься, — что ж, значит, боишься. Пусть так оно и будет, меня это устроит; правда, устроит. Давай на этом и расстанемся. Мы — друзья, идет?

Я задумался над ее словами. Я так привык, что я прав, что побеждаю в любовных спорах. Но как я ни старался найти в ее рассуждениях слабое место, у меня это не получалось. Ее аргументы рушились только в том случае, если она меня обманывала, пыталась обвести вокруг пальца, уязвить, погубить. Но в это я не мог поверить. Я был уверен, что как она поступает с другими, так может поступать и со мной. Но я никогда не видел, чтобы она обманывала кого-то или желала кому-нибудь зла, даже тем, кто проявил по отношению к ней жестокость. Все это она прощала.

Если бы я в этот момент позволил себе что-то сказать, то я, наверное, сказал бы, что люблю ее.

— Ты тоже поступаешь наилучшим для себя образом, так ведь? — спросил я.

— Да, это так.

— Не удивляет ли тебя, что мы с тобой будем исключением из общего правила, ведь буквально никто вокруг нас не умеет сохранять близость? Без того, чтобы кричать, хлопать дверьми, терять уважение друг к другу, вешать друг на друга ярлыки, погрязать в однообразии?

— Не кажется ли тебе, что ты особенный человек? — ответила она вопросом на вопрос. — А я, как по-твоему?

— Я никогда не встречал никого, похожего на нас, — сказал я.

— Если я на тебя рассержусь, то, по-моему, ничего плохого нет в том, чтобы покричать или хлопнуть дверью. Даже запустить в тебя чем-нибудь, — если слишком уж рассержусь. Но это не значит, что я перестала тебя любить. Правда, для тебя это не имеет смысла, ведь так?

— Никакого. Нет такой проблемы, которую мы не смогли бы разрешить, спокойно и рационально обсудив ее. Если мы будем не согласны друг с другом, что плохого в том, чтобы сказать: «Лесли, я не согласен, вот мои соображения по этому поводу?» А ты в ответ: «Хорошо, Ричард, твои аргументы убедили меня, что твой вариант лучше». Тут и конец разногласиям. И не нужно будет подметать осколки посуды и чинить поломанные двери.

— Хорошо бы так, — сказала она. — Я кричу, когда боюсь, когда мне кажется, что ты меня не слышишь. Может, ты слышишь мои слова, но не *понимаешь*, что я имею в виду, и я боюсь, что ты сделаешь что-нибудь такое, что будет во вред нам обоим, о чем мы вместе потом будем сожалеть. Я вижу, как этого избежать, но ты не слышишь меня, поэтому приходится говорит весьма громко, чтобы ты услышал!

— Ты говоришь, что если я услышу сразу, то тебе не придется кричать?

— Да. Очевидно не придется, — ответила она. — Даже если у меня и вырвется крик, через пару минут я овладею собой и успокоюсь.

— А я в это время буду дрожать, как шарик, зацепившийся за карниз...

— Если не хочешь гнева, Ричард, то не серди меня! Я весьма спокойный и уравновешенный человек. Я не мина, которая взрывается от малейшего прикосновения. Но ты — один из самых больших эгоистов, которых я когда-либо знала! Если бы не мой гнев, ты бы давно уже по мне потоптался, — он дает нам обоим возможность ощутить, что когда хватит — значит, хватит.

— Я давным-давно говорил тебе, что я эгоист, — подтвердил я. — Я обещал, что всегда буду поступать в соответствии со своими интересами, и я надеялся, что и ты будешь поступать так же...

— Оставь свои определения при себе, пожалуйста! — прервала она меня. — Ты сможешь когда-нибудь стать счастливым, только если тебе как-то удастся научиться *не* всегда думать только о себе. Пока в твоей жизни не найдется места для человека, который был бы для тебя не менее важен, чем ты сам, ты всегда будешь одинок, будешь кого-то искать...

Мы говорили уже много часов, словно наша любовь была до ужаса напуганным беглецом, который взобрался на карниз на высоте двадцатого этажа. Он стоял там с широко раскрытыми глазами, намереваясь спрыгнуть в тот момент, когда мы остановились, пытаясь его спасти.

Надо продолжать разговор, подумал я. Пока мы разговариваем, он не спрыгнет с карниза и не полетит с криком на мостовую. Но мы оба не хотели, чтобы он остался жив, если он не станет здоровым и сильным. Каждый комментарий, каждая идея, которую мы обсуждали, словно ветром обдавала карниз. Одни порывы ветра раскачивали наше совместное будущее так, что оно нависало над улицей, другие, наоборот, прижимали его обратно к стене.

Сколько всего погибнет, если беглец упадет! Те светлые часы, выпавшие из общего течения времени, когда мы были так дороги друг другу, когда я, затаив дыхание, восхищался этой женщиной.

Все они обратятся в ничто, хуже, чем в ничто, — они обернутся этой ужасной потерей.

— Если хочешь найти того, кого полюбишь, — сказала она мне однажды, — то секрет состоит в том, чтобы сначала найти того, кто тебе понравится. — Мы с ней были лучшими друзьями до того, как полюбили друг друга. Она мне нравилась, я ею восхищался, я доверял ей, да, *доверял* ей! И теперь столько всего хорошего оказалось на чаше весов.

Если наш беглец соскользнет вниз — вместе с ним погибнут вуки, погибнет Поросенок, жующий мороженое, погибнет волшебница, погибнет секс-богиня; не будет больше Банты, навсегда исчезнут шахматы, фильмы и закаты. Я не увижу больше, как ее пальцы порхают по клавишам фортепиано. Я никогда больше не буду слушать музыку Иоганна Себастьяна, никогда не услышу таинственной гармонии его произведений, потому что я узнал об этом от нее. Не будет больше экзаменов по узнаванию композитора. Я никогда больше не смогу смотреть на цветы без мысли о ней, и ни с кем мы не будем так же близки. Я стану строить новые стены, увенчанные сверху стальными шипами, затем новые стены внутри этих, и снова шипы, шипы...

— Тебе *не нужны твои стены,* Ричард! — разрыдалась она. — Если мы больше друг друга не увидим, неужели ты так и не поймешь, что стены не защищают? Они изолируют тебя!

Она пытается мне помочь, — подумал я, — даже в эти последние минуты, когда мы вот-вот расстанемся, эта женщина старается меня научить чему-то. Как же мы можем расстаться?

— И Поросенок, — всхлипывала она в трубку, — я не могу — не могу представить... что Поросенок погиб... Каждый год, одиннадцатого июля, я обещаю... я буду делать мороженое с хот... с хот-фаджем... и вспоми... моего милого Поросенка...

Ее голос сорвался, и я услышал, как она уткнула телефонную трубку в подушку. О, нет, Лесли, — мысленно вырвалось у меня. В трубке осталась лишь густая тишина подушечных перьев. Неужели наша волшебная страна должна исчезнуть, неужели это чудо, которое случается только раз в жизни, — всего лишь мираж, и ему суждено раствориться в дыму каждодневной суеты? Кто нас на это обрек?

Если бы кто-то чужой попытался нас разлучить, мы бы выпустили когти и разорвали его в клочья. Но в нашем случае нет такого чужака, точнее, этот чужак — я! Что, если мы родные души? — спросил я себя мысленно, пока она плакала. Что, если мы всю жизнь искали именно друг друга? Мы соприкоснулись, ощутили на миг, какой может быть земная любовь, и что, теперь из-за моих страхов мы расстанемся и никогда больше не увидим друг друга? И мне придется до конца дней своих искать ту, что я уже однажды нашел, но испугался и не сумел полюбить?

Это невероятное совпадение! — думал я дальше. — Мы встретились, когда никто из нас не был связан ни супружескими узами, ни обещаниями вступить в брак, когда никто не был по горло загружен делами. Мы не путешествовали, не искали приключений, не были заняты в съемках, не писали книг — словом, не посвящали себя неотрывно одному занятию. Мы встретились на одной и той же планете, в одну и ту же эпоху, в одном возрасте, мы выросли в рамках одной культуры. Если бы мы встретились на несколько лет раньше, ничего этого не случилось бы — да мы *ведь и встретились* раньше, но за порогом кабины лифта наши дороги разошлись — время еще не настало. И теперь уже никогда не настанет.

Я медленно ходил взад-вперед, описывая полукруг на привязи телефонного провода. Если я через десять или двадцать лет передумаю и решу возвратиться к ней, где она будет тогда? Что, если через десять лет я вернусь, полный раскаяния, и узнаю, что она уже миссис Пэрриш-Кто-нибудь? Что, если я, возвратившись, не найду ее, ее дом пуст, она переехала и не оставила нового адреса? Что, если она умрет, и ее погубит нечто такое, что никогда не погубило бы ее, если бы я не сбежал?

— Прости меня, — она вытерла слезы и снова вернулась к телефону. — Я веду себя глупо. Иногда мне хочется владеть собой, как ты это умеешь. Ты говоришь «прощай» так, словно это вообще для тебя ничего не значит.

— Все зависит от того, кто нами управляет, — оживился я, радуясь перемене темы. — Если мы позволим, чтобы нами командовали эмоции, то в такие моменты особого удовольствия не получишь.

Она вздохнула.

— Какое там удовольствие!

— Когда ты представляешь себе свое будущее, словно уже пришло завтра, или будто прошел месяц, что ты чувствуешь? — спросил я. — Я пробовал, и мне не лучше без тебя. Я вообразил, как я буду жить один — не с кем поговорить по телефону девять часов кряду и получить счет на сотню долларов за этот разговор... Мне так тебя не хватает!

— Мне тоже тебя не хватает, Ричард, — сказала она. — Но как ты заставишь заглянуть за поворот того, кто его еще не достиг? Единственная жизнь, которую стоит прожить, — волшебная. Нас ждет это волшебство! Я бы все отдала, чтобы ты только увидел, что нас ждет... — Она на секунду замолчала, думая что бы еще к этому добавить. — Но если ты не видишь этого будущего, значит, его и нет, так ведь? Несмотря на то что я его вижу, это будущее не существует.

В ее голосе звучала усталость и покорность неизбежному. Она была уже готова повесить трубку.

То ли это произошло потому, что я устал, или был панически испуган, или и то и другое, — мне никогда не узнать. Без всякого предупреждения что-то дернулось у меня внутри, вырвалось на свободу, и это что-то отнюдь не чувствовало себя счастливым.

— РИЧАРД! — раздался его крик. — ЧТО ТЫ ДЕЛАЕШЬ? *ТЫ ЧТО, СОВСЕМ СОШЕЛ С УМА?* Там, на карнизе, — это не просто некий призрак, это ТЫ! Это твое будущее, и если оно упадет, ты превратишься в ЗОМБИ, в живого мертвеца, попусту транжирящего время, пока ты наверняка себя не убьешь! Ты играл с ней в эти игры по телефону целых девять часов, ЗАЧЕМ, ПО-ТВОЕМУ, ТЫ ОКАЗАЛСЯ НА ЭТОЙ ПЛАНЕТЕ, — ЧТОБЫ ЛЕТАТЬ НА САМОЛЕТАХ? Ты здесь для того, самонадеянный ублюдок, чтобы научиться ЛЮБИТЬ! Она — твой учитель, но через двадцать пять секунд она повесит трубку, и ты больше никогда ее не увидишь! Что ты сидишь, ты, идиот, сукин сын! У тебя осталось десять секунд! Две секунды! *ГОВОРИ!*

— Лесли, — сказал я, — ты права. Я заблуждался. Я хочу меняться. Мы попробовали жить по-моему — не вышло. Давай попробуем по-твоему. Никаких стен между нами, никакой Совершенной Женщины. Только ты и я. Давай посмотрим, что получится.

В трубке было тихо.

— Ты уверен? — спросила она. — Ты уверен или просто так говоришь? Потому что если просто так, то все будет еще хуже. Ты это знаешь, правда?

— Да, я знаю. Я уверен. Можем ли мы об этом поговорить?

Снова тишина.

— Ну конечно, вуки. Вешай трубку и приходи ко мне, позавтракаем.

— Разумеется, солнышко, — сказал я. — Пока.

После того как она повесила трубку, я сказал в затихший телефон:

— Я люблю тебя, Лесли Пэрриш.

Эти слова, сказанные в полном уединении, так что никто их не услышал, — слова, которые я так презирал и никогда не произносил, — были истинны, как сам свет.

Я положил трубку на рычаг аппарата.

— ПОЛУЧИЛОСЬ! — закричал я на всю комнату. — ВСЕ ПОЛУЧИЛОСЬ!

Беглец спустился с карниза и был в безопасности, он снова был у нас в руках. Я чувствовал себя как планер, который запустили в стратосферу.

В этот момент, — подумал я, — альтернативный я пошел по другому пути, повернул налево у развилки, где я пошел направо. Где-то в другом времени тот-Ричард бросил трубку, поговорив с той-Лесли час, а может десять, или он вообще ей первым не позвонил. Он выбросил ее письмо в мусорную корзинку, поехал на такси в аэропорт, взлетел и, забравшись на уровень девять-тысяча-пять, взял курс на северо-восток, в Монтану. Дальше мне не удалось за ним проследить — все заполнил сплошной мрак.

ТРИДЦАТЬ ТРИ

— Я не могу это сделать, — сказала она. — Я стараюсь, Ричи; я боюсь до смерти, но я стараюсь. Я начинаю вращение, мой планер несется отвесно вниз, — и я теряю сознание! А когда я снова прихожу в себя, планер летит горизонтально, а Сью спрашивает: «Лесли! С тобой все в порядке?» — Она взглянула на меня подавленно и без всякой надежды. — Как она может научить меня? Как я могу научиться вращаться, если я теряю сознание?

Голливуд исчез за горизонтом на расстоянии четырехсот миль к западу от нас, мой дом во Флориде был продан, и мы жили в трейлере, который затерялся на десяти тысячах квадратных миль полыни и гор в пустыне Аризоны, возле аэродрома для планеров. Планерный центр Эстрелла. Облака на закате здесь будто пропитаны реактивным топливом и подожжены бесшумной спичкой. А планеры стоят, как гладкие цельные губки, вбирающие свет, стекающий красными и золотыми красками на песок.

— Милый маленький вук, — сказал я ей. — Ты знаешь это, я знаю это, и нам бесполезно пытаться с этим бороться; не существует ничего, что Лесли Пэрриш не могла бы сделать, если она твердо решит сделать это. И вот мы берем простую маленькую вещь, такую, как умение штопорить на планере. У этой вещи нет никаких шансов устоять. Ты же можешь *управлять* этим летательным аппаратом!

— Но ведь я в обмороке, — сказала она мрачно. — Когда находишься без сознания, управлять самолетом довольно трудно.

Я сходил и принес из трейлера маленький веник, который нашел там в нашем небольшом шкафу. Она сидела на краю кровати.

— Вот этот веник — твоя ручка управления, — сказал я. — Давай сделаем все вместе. Мы будем кружиться прямо здесь на земле до тех пор, пока тебе не наскучит.

— Мне не скучно, мне страшно!

— Тебе не будет страшно. Итак, представь себе, что веник — это ручка, а твои ноги находятся на педалях. Сейчас ты летишь высоко в небе, горизонтально и вперед. Теперь ты отводишь ручку назад медленно-медленно, а нос планера при этом уходит вверх. Затем планер начинает замедляться и почти останавливается так, как тебе нужно. И тут ты возвращаешь ручку назад, и нос уходит вниз. А ТЕПЕРЬ ты до упора нажимаешь на правую педаль, вот так, а ручку держишь в прежнем положении. Дальше сидишь и считаешь обороты: раз... два... три... считаешь, сколько раз пик Монтесумы обернется вокруг кабины. На счет «три» выравниваешь левую педаль и в то же самое время подаешь ручку вперед, чуть дальше среднего положения. Тут планер перестанет вращаться, и его нос плавно поднимется вверх до горизонтального положения. И это все. Разве это так трудно?

— Здесь, в трейлере, не трудно.

— Сделай это еще несколько раз, и в воздухе тоже будет не трудно, вот увидишь. Со мной когда-то случилось то же самое, и я знаю, о чем сейчас говорю. Я тоже ужасно боялся штопора. Итак, еще раз. Вот мы летим горизонтально. Ты отводишь ручку назад...

Штопор — это самый сложный урок во всем курсе основ полета. Такой страшный, что правительство много лет назад выбросило его из списка требований, предъявляемых к ученикам летных курсов... они доходили до штопора и заканчивали обучение. Но чемпион страны по планеризму Ласло Хорват, которому принадлежит Эстрелла, настаивал на том, чтобы каждый ученик изучил выход из штопора, прежде чем он перейдет к свободной программе. Сколько пилотов погибло, потому что они попали в «штопор» и не смогли выйти из него? Слишком много, считал он, и этого не должно происходить в его полетном центре.

— Теперь ты *хочешь,* чтобы планер пошел вниз, — объяснял я ей. — Это то, что *должно* произойти. Ты *хочешь,* чтобы нос был направлен прямо вниз, а мир закружился вокруг тебя! Если этого не происходит, ты делаешь что-то не так. Еще раз...

Для Лесли серьезным испытанием было столкновение с этим страхом и преодоление его, когда она училась летать на аэроплане, у которого не было даже мотора для стабилизации движения.

У меня тоже было испытание, но не связанное со страхом. Я пообещал, что научусь у нее любви, откажусь от своего устоявшегося идеала Совершенной Женщины и дам возможность Лесли подойти к себе так близко, как она меня подпустит. Каждый из нас доверял доброте другого — в этом спокойном месте не было колючек и кинжалов.

Идея поселиться в трейлере среди пустыни была моей. Если мы не выдержим изоляции от мира, то я предпочитал, чтобы наши отношения быстро зашли в тупик и мы быстро расстались. Как можно проверить друг друга лучше, чем живя вместе в маленькой комнатке под пластиковой крышей и не имея собственного дома для отступления? Можно ли предложить более серьезное испытание для двух закоренелых индивидуалистов? Если мы сможем найти радость в этом, живя так месяцами, то ясно, что мы имеем дело с чудом.

Но вместо ожидаемого раздражения мы расцвели, оказавшись вместе.

Мы вместе бегали наблюдать восход солнца, гуляли по пустыне с определителями растений и справочником туристов, летали на планерах, разговаривали по двое, по четверо суток без перерыва, изучали испанский язык, дышали свежим воздухом, фотографировали закаты солнца и начали решать задачу всей жизни: понять одно-единственное человеческое существо, находящееся рядом с тобой. Откуда мы пришли? Чему научились? Как нам создать какой-то другой мир, если нам суждено его создать?

К ужину мы надевали свои лучшие наряды и ставили на освещенный свечами стол вазу с цветами пустыни. Мы разговаривали и слушали музыку, пока свечи не сгорали до конца.

— Двое начинают скучать, — сказала она однажды вечером, — не тогда, когда они долго находятся физически в одном месте. Они скучают, если далеки друг от друга ментально и духовно.

Очевидная для нее, эта мысль так поразила меня, что я ее записал. До сих пор, думал я, мы не могли пожаловаться на скуку. Но никогда не знаешь, что может случиться в будущем...

Настал день, когда я стоял на земле и наблюдал ее схватку с драконом. Я видел, как буксирный самолет с ревом тянул в небо ее тренировочный планер, для новых занятий штопором. Через несколько минут белый крестик планера отделился от троса, которым он был связан с буксировщиком, и спокойно заскользил в одиночестве. Он замедлился, замер в воздухе и — шух! — нос пошел вниз, а крылья закружились, как бледное кленовое семечко, которое падало, падало — а затем мягко замедлилось, вышло из пике и заскользило в воздухе, чтобы через некоторое время вновь остановиться и завращаться вниз.

Лесли Пэрриш, которая так долго была невольницей у своего страха перед легким планером, сегодня справляется с полетом на легчайшем из них, заставляя его делать самое сложное: вращаться то влево, то вправо, полуповорот и выход из пике, три поворота — выход из пике. И так на всем протяжении вниз до минимальной высоты, затем подлет к посадочной полосе и приземление.

Планер коснулся земли, заскользил мягко на своем единственном колесе по направлению к белой линии, прочерченной известью на взлетной полосе, и остановился за несколько футов от нее. Крылья постепенно наклонились вниз к земле. Она справилась со своей задачей. Я выбежал навстречу ей на взлетную полосу и на расстоянии услышал торжествующий возглас, доносящийся из кабины.

Радость инструктора была беспредельной:

— Ты смогла! Ты штопорила сама, Лесли! Ура!

Затем фонарь кабины быстро открылся, и вот она сидит, улыбается и робко смотрит на меня, ожидая, что же я скажу. Я поцеловал ее улыбку.

— Великолепный полет, вук, великолепное вращение! Как я горжусь тобой!

На следующий день она занималась по свободной программе.

Как восхитительно стоять и со стороны наблюдать, как твой самый дорогой друг выступает на спуске без тебя! Новый характер поселился теперь в ее теле и пользуется им для того, чтобы победить хищный страх, который таился и пугал ее десятилетиями. Теперь этот характер был заметен по ее лицу. В голубых, как море, глазах были золотые искорки, которые танцевали, как электричество в силовой установке. В ней сила, думал я. Ричард, никогда не забывай этого: ты смотришь не на обычную леди, это незаурядное человеческое существо, никогда не забывай этого!

Я справлялся со своим испытанием не так успешно, как она.

Иногда время от времени без всякой причины я бывал неприветлив с ней, молчал и отталкивал ее, сам не понимая почему.

В таких случаях она обижалась и говорила так:

— Ты был груб со мной сегодня! Ты разговаривал с Джеком, когда я приземлилась, я подбежала к тебе, а *ты повернулся ко мне спиной,* будто бы меня не было вообще! Как будто я была, но ты не хотел, чтобы я была!

— Помилуй, Лесли! Я не знал, что ты там. Мы разговаривали. Неужели ты считаешь, что все должно прекращаться, когда ты появляешься?

На самом деле я знал, что она подошла, но ничего не сделал, будто она была листком, упавшим с дерева, или ветерком, просвистевшим мимо. Почему меня раздражали ее слова?

Это случилось вновь между прогулками, музыкой, полетами и светом свечей. По привычке я строил вокруг себя новые стены, скрывал свой холод за ними и использовал свои старые способы защиты против нее. На этот раз она не сердилась, ей было грустно.

— О, Ричард! Неужели ты обременен демоном, который так ненавидит любовь? Ты ведь обещал *устранять* препятствия между нами, а не строить новые!

Она вышла из трейлера и принялась в одиночестве ходить в темноте туда-сюда вдоль всей взлетной полосы. Она прошагала так целые мили.

Я не обременен демоном, думал я. Стоит только раз поступить необдуманно, и она говорит, что во мне демон. Почему это ее так задевает?

Не говоря ни слова, погрузившись в свои мысли, она возвращалась и часами писала в своем дневнике.

Шла неделя практических занятий перед соревнованиями, в которых мы решили участвовать. Я был пилотом, а Лесли — командой наземного обслуживания. Мы поднимались в пять часов утра, чтобы помыть, почистить и привести в готовность планер, прежде чем утренняя температура воздуха поднимется до ста градусов. Нужно было откатить его в очередь на взлетной полосе и заполнить его крылья водой, служившей балластом. Стоя на солнце, она держала вокруг моей шеи лед, завернутый в полотенце, до самой последней минуты перед вылетом.

После взлета она поддерживала со мной контакт по радио из автомобиля, пока ездила в город за продуктами и водой, всегда готовая подобрать меня и планер, если я вынужден буду приземлиться за сотню миль в пустыне. Когда я приземлялся, она ждала меня с прохладительными напитками и помогала мне оттянуть планер на ночь под навес. Затем она превращалась в Мэри Кинозвезду, которая подавала ужин при свечах и слушала отчет о моих дневных приключениях.

Когда-то она говорила мне, что плохо переносит жару, но теперь, глядя на нее, нельзя было сказать этого. Она проработала, как пехотинец в пустыне, без отдыха подряд пять дней. Мы преуспевали в занятиях, и в этом была ее большая заслуга. Она так же хорошо справлялась с обязанностями наземного партнера, как и с любыми другими, которые соглашалась взять на себя.

Почему я избрал именно этот момент, чтобы отдалиться от нее? Сразу после того, как она встретила меня на земле, меня снова окружили мои стены. Я начал разговор с несколькими другими пилотами и не заметил, как она ушла. Мне пришлось самому откатить аэроплан. Это была нелегкая работа на солнце, но мне облегчила ее моя злость в связи с ее уходом.

Когда я вошел в трейлер, она лежала на полу, притворяясь уставшей.

— Привет, — сказал я, переводя дух после работы. — Благодарю за помощь.

Ответа не последовало.

— Это как раз то, что мне нужно после трудного полета.

Молчание. Она лежала на полу, отказываясь произнести хотя бы одно слово.

Наверное, она заметила, что я сержусь на нее, прочла мои мысли вновь. Меня охватила ярость.

Как глупо играть в молчание, думал я. Если ее что-то беспокоит, если ей не нравится то, что я делаю, почему бы ей просто не подойти ко мне и не сказать прямо обо всем? Если она не хочет разговаривать — я тоже не буду.

Я переступил через ее тело на полу и включил кондиционер. Затем я растянулся на кровати, открыл ни к чему не обязывающую книгу и читал ее, думая, что для нас нет перспективы в будущем, если она будет продолжать в том же духе.

Через некоторое время она зашевелилась. Еще спустя несколько минут поднялась и, бесконечно уставшая, побрела в ванную. Я слышал, как насос накачивает воду. Она выливала ее, хотя знала, что мне пришлось тащить каждую каплю из города и вручную заполнять бак трейлера. Она хотела заставить меня поработать еще больше. Шум вытекающей воды прекратился. Я отложил книгу. Ее очарование, прелесть нашей жизни в пустыне — неужели все это разъедает кислота моего прошлого? Неужели я не могу научиться прощать ее грехи? Она меня неправильно поняла и обиделась. Я могу быть достаточно великодушным, чтобы простить ее, не правда ли? Из ванной ничего не слышно; малышка, наверное, плачет. Я прошел по узкому коридорчику и постучал в дверь дважды.

— Мне жаль, вуки, — сказал я, — я прощаю тебя...

— ЧЧЧЧТТТТОООО-О-О!!! —Завопил зверь внутри. Бутылка разлетелась от ударов о деревянные стены; пузырьки, зубные щетки, расчески с силой разлетались в стороны.

— ТЫ, ПРОКЛЯТЫЙ (ХРЯСЬ!) ИДИОТ! Я (ШЛЕП!) НЕНАВИЖУ ТЕБЯ! ЧТОБ Я ТЕБЯ БОЛЬШЕ НИКОГДА НЕ ВИДЕЛА! Я ЛЕЖУ (ШМЯК!) НА ПОЛУ, ОН, ПРОКЛЯТЬЕ, ПРОХОДИТ МИМО. Я ЧУТЬ НЕ УМЕРЛА ОТ ТЕПЛОВОГО УДАРА, РАБОТАЯ С ТВОИМ ДУРАЦКИМ ПЛАНЕРОМ! А ТЫ ОСТАВИЛ МЕНЯ ЛЕЖАТЬ НА ПОЛУ, А САМ *ЧИТАЛ* КНИГУ! ЕСЛИ БЫ

Я *УМЕРЛА*, ТЫ БЫ ДАЖЕ НЕ ЗАМЕТИЛ! (ШЛЕП!) ЛАДНО! МНЕ ТОЖЕ НАПЛЕВАТЬ НА ТЕБЯ, РИЧАРД ИДИОТСКИЙ БАХ!! ПРОВАЛИВАЙ, ИДИ К ЧЕРТЯМ ОТСЮДА, Я ХОЧУ БЫТЬ САМА! ТЫ СЕБЯЛЮБИВАЯ... СВИНЬЯ! (ХРЯСЬ!)

Никогда; никто; за всю; мою; жизнь; не; говорил; так; со; мной. И никогда я не видел, чтобы кто-нибудь поступал так. Она *ломала* все, там внутри!

Исполненный отвращения и ярости, я выскочил из трейлера, хлопнув дверью, и подбежал к Майерсу, стоящему на солнце. Жара была беспощадной, как потревоженные муравьи; но я едва ли заметил ее. Что с ней случилось? И ради нее я отказался от своей Совершенной Женщины! Какой я дурак!

Когда я странствовал, я очень просто излечивался от толпофобии: сразу же покидал ее, улетал и оставался наедине с собой. Это было таким эффективным средством, что я стал его использовать и против личнофобии, от которой оно излечивало так же хорошо. Как только кто-то переставал мне нравиться, я покидал его, и впоследствии больше не думал о нем.

В большинстве случаев этот метод выручал меня — уход был быстродействующим средством против всех, кто досаждал мне. Исключением, конечно, в одном случае из двух миллиардов был случай, когда тебе причиняет боль твоя родная душа.

Я чувствовал себя будто вздернутым на дыбу. Мне хотелось бежать, бежать, бежать. Прыгай в аэроплан, заведи мотор, не обращай внимания на погоду, не обращай внимания ни на что, просто взлетай, поворачивайся носом в любом направлении, дави до упора на газ и ПОШЕЛ! Приземлись где-нибудь, где нужно, заправляйся топливом, снова заводи мотор, взлетай и ПОШЕЛ!

Никто не имеет права кричать на меня! Ты можешь кричать на меня только один раз. И никогда больше ты не получишь возможности делать это, потому что я сразу и навсегда *ухожу*. Хлопнуть дверью, уйти — и все кончено!

И вот я стоял, уже касаясь пальцами блестящей ручки дверцы кабины аэроплана.

Но на этот раз мой ум не позволил мне бежать. Мой ум кивал мне: да, да... она рассердилась на меня. У нее есть причины, чтобы сердиться на меня. Я снова сделал что-то, не подумав.

Я отправился в пустыню, пошел, чтобы остудить свой гнев, свою обиду.

Это одно из моих испытаний. Я докажу себе, что могу учиться, если не убегу. В действительности, у нас нет проблем. Она просто чуть-чуть... более эмоциональна, чем я.

Некоторое время я шел, до тех пор, пока не вспомнил, как изучал на занятиях по гражданской обороне, что человек может умереть, если слишком долго будет находиться на солнце.

Может быть, **она** *была на солнце слишком долго?* А упала на пол не назло, а от жары?

Гнев и обида исчезли, Лесли потеряла сознание от жары, а я считал, что она притворяется! Ричард, кто бы мог подумать, что ты окажешься таким дураком?

Я быстро направился назад к трейлеру. По пути я увидел пустынный цветок, не похожий на те, что мы видели раньше, быстро выкопал его из песка и завернул в страницу из своего блокнота.

Когда я вошел, она лежала на кровати и плакала.

— Мне очень жаль, вуки, — сказал я спокойно, поглаживая ее волосы. — Мне очень жаль. Я не знал, что...

Она не отвечала.

— Я нашел цветок... Я принес тебе цветок из пустыни. Как ты думаешь, он хочет воды?

Она села, вытерла слезы и грустно посмотрела на маленькое растение.

— Да. Он хочет воды.

Я принес чашку, чтобы посадить его, и стакан воды, чтобы напоить его.

— Спасибо тебе за этот цветок, — сказала она через некоторое время. — Спасибо за то, что ты извинился. И еще, Ричард, постарайся запомнить: если ты хочешь, чтобы кто-то остался в твоей жизни, — *никогда* не относись к нему равнодушно!

Поздно во второй половине дня в пятницу она приземлилась, счастливая после полета. Она сияла и была прекрасна; она находилась в воздухе больше трех часов и села не потому, что не смогла найти восходящий поток, а потому, что планер был нужен другому пилоту. Она поцеловала меня, довольная и голодная, рассказывая мне, чему научилась.

Слушая ее, я перемешал салат, подбрасывая его над тарелкой, и разделил его на две части.

— Я наблюдал снова, как ты приземлилась, — сказал я. — Как Мэри Кинозвезда перед камерой. Ты коснулась земли легко, как воробышек!

— Как бы мне хотелось, — сказала она, — чтобы у меня не было всех этих просчетов в последнем заходе. Или чтобы я не уходила в полынь в конце взлетной полосы. Ты слишком хорошего мнения обо мне.

И тем не менее она гордилась своим приземлением, я видел это. Когда ее хвалили, она часто переводила разговор на что-то близкое, но не совсем идеальное, чтобы смягчить шок от комплимента, который теперь легче было принять.

Сейчас, кажется, можно сказать ей, подумал я.

— Вук, мне кажется, что я хочу немножко полетать.

Она сразу поняла, что я имею в виду, испуганно взглянула на меня и дала мне возможность изменить свое намерение в последнюю минуту, говоря со мной сразу на двух уровнях.

— Сейчас летать не стоит. Воздушные потоки везде уже остыли.

Вместо того чтобы отступить, я перешел в наступление.

— Я не имею в виду полет на планере. Я хочу уехать. После завтрашних соревнований. Как ты на это смотришь? Мне нужно побыть одному некоторое время. И тебе тоже, правда?

Она положила вилку и села на кровать.

— Куда ты летишь?

— Еще не знаю. Это неважно. Куда угодно. Мне просто, наверное, нужно побыть одному недельку-другую.

Пожалуйста, пожелай мне удачи, думал я. Пожалуйста, скажи, что ты сама тоже хочешь побыть одна. Может быть, вернуться и сказать что-нибудь для телевидения в Лос-Анджелесе?

Она посмотрела на меня, и на ее лице отразился вопрос.

— За исключением нескольких конфликтов, мы провели здесь самое счастливое время в жизни, мы более счастливы сейчас, чем когда-либо раньше, и вдруг ты хочешь сбежать куда-то и побыть одному? Действительно ли ты стремишься к одиночеству или хочешь встретиться с одной из своих женщин, чтобы потом снова вернуться ко мне?

— Это несправедливо с твоей стороны, Лесли! Я пообещал меняться — и я уже изменился. Я пообещал, что других женщин не будет, и их нет. Если бы мы не выдержали нашего испытания, если бы я захотел увидеть кого-то другого, я бы сказал тебе. Ты ведь знаешь, что я достаточно жесток, чтобы сделать это.

— Да, я знаю. — Красивые тени и полутени на ее лице не выражали ничего... ее ум сортировал, перебирал со скоростью света: причины, предлоги, возможности, альтернативы.

Я считал, что ей следовало быть готовой к этому рано или поздно. Мой циничный разрушитель — этот змей, обитающий в моем уме, — сомневался в том, что наш эксперимент продлится больше, чем две недели, а мы уже жили в трейлере больше шести месяцев, и ни дня разлуки. Со времени моего развода, — думал я, — никогда я не проводил с одной женщиной больше шести дней. Как бы то ни было, пришло время сделать перерыв.

— Лесли, послушай. Что плохого в том, чтобы нам расстаться на некоторое время? Ведь самое убийственное из всего, что случается в браке...

— О боже мой, он снова за свое! Если я должна выслушивать снова всю эту тираду о причинах, по которым ты не любишь... — она подняла руку, чтобы остановить меня. — ...Я знаю, что ты терпеть не можешь слова «любовь», потому что весь его смысл исковеркан, как ты мне говорил уже сотню раз. Ты никогда не говоришь его, но я воспользуюсь им сейчас!.. Вся эта тирада о причинах имеется у тебя потому, что ты не любишь никого, кроме неба и своего аэроплана! Если я должна буду снова это выслушивать, я начну кричать!

Я сидел спокойно, пытаясь поставить себя на ее место и понять ее ошибку. Что может быть плохого в том, чтобы устроить друг другу каникулы? Почему идея о временной разлуке так сильно пугает ее?

— Для того чтобы кричать, тебе придется повысить голос, — сказал я с улыбкой; думая про себя, что если я могу шутить, когда речь идет о моих священных правилах, то значит, мы приближаемся к не таким уж и плохим временам.

Но она отказывалась улыбаться.

— Пошел ты со своими идиотскими правилами! Долго ли ты — о Боже! — долго ли ты еще будешь носиться с ними?

Меня охватил гнев.

— Если бы они были неправильны, я бы не стал тебе ничего говорить о них. Неужели ты не видишь? Они значат очень много для меня; они истинны для меня; я очень долго жил с их помощью! И пожалуйста, выбирай слова, когда говоришь со мной.

— Ты еще будешь указывать, как мне говорить! Я могу, черт побери, говорить все, что мне, черт побери, захочется!

— Ты, конечно, свободна говорить так, Лесли, но я не обязан слушать...

— О, снова эта твоя глупая гордость!

— Если и есть что-то, чего я не выношу, — то это такое обращение!

— А если есть что-то, чего я не выношу, то это когда меня ПОКИДАЮТ! — Она закрыла лицо руками, а ее волосы опустились, как золотой занавес, и спрятали от меня ее страдание.

— Покидают? — спросил я. — Вук, я не собираюсь покидать тебя! Я только хотел...

— Собирайся! И я не выношу... быть покинутой... — Слова тонули в рыданиях, за золотым занавесом.

Я встал из-за стола, сел рядом с ней на кровать и придвинулся к съежившемуся комочку ее тела. Она не оттолкнула меня, она не переставала плакать.

В этот момент она превратилась в ту маленькую девочку, которая была когда-то, и никогда не исчезала, и которая чувствовала себя покинутой, покинутой, покинутой всеми после развода родителей. После этого она встречалась с ними и любила их обоих, но раны, полученные ею в детстве, никогда не *заживали*.

Лесли добилась всего в своей жизни сама, всегда жила в одиночестве и была счастлива одна. А теперь она подумала, что после стольких месяцев, проведенных вместе со мной, она полностью потеряла всю ту свою независимость, которая связывалась у нее с самостоятельностью. У нее тоже были стены, и вот я натолкнулся на них.

— Я здесь, вук, — сказал я. — Я здесь.

Она права, когда говорит о моей гордости. Я сразу же становлюсь таким отчужденным, защищая себя при первых же признаках приближения бури, что забываю о том, через какой ад она прошла. Как бы сильна и сообразительна она ни была, она попрежнему чего-то боялась.

В Голливуде она всегда была в центре внимания в гораздо большей степени, чем я когда-либо в своей жизни. На следующий день после нашего девятичасового разговора она оставила друзей, помощников, студию, политику; покинула их всех, даже не попрощавшись, без объяснений, не зная, вернется ли она когданибудь или же это не случится никогда. Она просто уехала. Глядя на запад, я мог разглядеть вопросительные знаки, кружащиеся над городом, который она оставила позади: «Что же случилось с Лесли Пэрриш?»

Теперь она в центре огромной пустыни. Вместо ее любимого старого кота, который мирно умер, ей создают теперь комфорт не-такие-уж-спокойные гремучие змеи, скорпионы, пески и скалы, а живет она ближе всего к ласковому и неистовому миру полетов. Она поставила на карту все и отбросила прочь Голливуд. Она доверяет мне в этом суровом месте; ее ничто не защищает, кроме этой теплой ауры, которая окружает нас обоих, когда мы счастливы вместе.

Рыдания стали утихать, но она, прижавшись ко мне, все еще была напряжена, как пружина.

Я не хотел, чтобы она плакала, но что я мог поделать с ее слабостями! Мы согласились на этот эксперимент, состоящий в том, чтобы провести вместе так много времени. Мы не договаривались, что не можем расстаться на несколько недель. Когда она привязывается ко мне и отрицает мою свободу быть там, где и когда я захочу, она сама становится причиной моего ухода. Она так проницательна, но почему она не понимает этот простой факт? Как только мы становимся тюремщиками — наши узники хотят сбежать.

— О, Ричард, — сказала она устало бесцветным голосом. — Я хотела, чтобы это у нас получилось, быть вместе. А ты этого хотел?

— Да, хотел.

Хотел, но при условии, что ты позволишь мне быть самим собой, — добавил я мысленно.

— Я никогда не становился между тобой и твоими желаниями. Почему же ты не можешь?

Она расплакалась и молча уселась на другом конце кровати. Слез больше не было, но в воздухе повис тяжелый груз наших разногласий, наши острова находились так далеко друг от друга.

И вот тут случилась странная вещь: я знал, что этот момент уже был раньше. Кроваво-красное небо на западе, силуэт карликового дерева, виднеющийся сразу за окном. Лесли, подавленная весом различий между нами, — это все уже происходило в точности так же в какое-то другое время. Я хотел уехать, а она спорила со мной. Она плакала, а затем смолкла и сказала: «А ты этого хотел?» И я сказал: «Да, хочу». И следующее, что она спросила, было: *«Ты уверен в этом?»* Она уже говорила эти слова раньше и собиралась сказать их сейчас. Она подняла голову и взглянула на меня.

— Ты уверен в этом?

Я перестал дышать.

Слово в слово я знал свой ответ. Мой ответ когда-то был таким:

— Нет. Честно говоря, я *не* уверен...

И тут все померкло: слова, закат, дерево — все поблекло. Вслед за этим коротким видением другого сейчас пришла глубокая грусть. Это была такая тяжелая печаль, что я ничего не мог увидеть из-за слез.

— Ты уже стал лучше, — сказала она медленно. — Я знаю, что сейчас ты отличаешься от того, кем был в декабре. Чаще всего ты ласков, и мы живем вместе так хорошо. Я вижу, что наше будущее, Ричард, так прекрасно! Почему ты хочешь убежать? Ты видишь это будущее, но не хочешь его, или после всего того, что было, ты совсем не видишь его?

В трейлере была почти полная темнота, но никто из нас не поднялся, чтобы включить свет.

— Лесли, я только что увидел нечто совсем другое. Не случалось ли это раньше?

— Ты имеешь в виду, что этот момент уже был раньше? — спросила она. — «Deja vu»?

— Да. Когда ты знаешь слово в слово все, что я собираюсь сказать. У тебя не было такого чувства?

— Нет.

— А у меня было. Я точно знал, что ты должна произнести, и ты это произнесла.

— А что произошло потом?

— Не знаю, это ощущение померкло. Но я был ужасно печален.

Она протянула руку и легонько похлопала меня по плечу. Несмотря на темноту, я уловил на ее лице тень улыбки.

— Верно тебе служит.

— Я попробую догнать его. Дай мне десять минут...

Она ничего не возразила. Я улегся на ковер на полу, закрыл глаза.

Один глубокий вдох (выдох).

Мое тело полностью расслаблено...

Еще один глубокий вдох (выдох).

Мое сознание полностью расслаблено...

Еще один.

Я стоял на пороге двери, которая распахнулась в иное время...

Трейлер. Закат. Лесли свернулась клубком на дальнем конце кровати, окруженная защитной оболочкой. Все так реально, как в трехмерном фильме.

— Ох, Ричард, — сказала она устало бесцветным голосом. — Я хотела, чтобы это у нас получилось, быть вместе. А ты этого хотел?

— Да, хотел.

Хотел, но при условии, что ты позволишь мне быть самим собой, — добавил я мысленно.

— Я никогда не становился между тобой и твоими желаниями. Почему же ты не можешь?

Она расплакалась и молча уселась на том конце маленькой кровати. Слез больше не было, но в воздухе повис тяжелый груз наших разногласий, наши острова находились так далеко друг от друга.

— Ты уверен? **Уверен** *ли ты, что этого хотел?*

— Нет! Если быть с тобой честным, то я **не** *уверен. Я не думаю, что мне удастся взлететь при помощи всех этих пут, я чувствую себя так, словно угодил в веревочные сети. Пойдешь сюда — тебе не нравится, пойдешь туда — ты начинаешь на меня кричать. Мы такие разные, иногда ты меня просто пугаешь. Я честно участвовал в этом эксперименте, но если ты не хочешь позволить мне уйти и побыть наедине с самим собой пару недель... Я не уверен, что я хочу, чтобы у нас вышло. Не вижу особой перспективы.*

Она вздохнула. Даже в темноте было видно, как вокруг нее вздымаются ввысь стены: я был вне их.

— Я тоже не вижу особой перспективы, Ричард. Ты говорил мне, что ты — эгоист, а я не послушала. Мы попробовали — не получилось. Все должно быть по-твоему, в точности по-твоему, так, да?

— Боюсь, что так, Лесли. — Я едва не назвал ее «вуки», и в тот момент, когда это слово ускользнуло, я понял, что больше уже никогда его не произнесу. — Я не могу жить без свободы...

— Хватит твоей свободы, я прошу. Хватит футляров. Мне не нужно было давать себя уговорить на эту еще одну совместную попытку. С меня хватит. Будь тем, кто ты есть.

Я попытался приподнять часть груза.

— Ты сама летала на планерах. Ты теперь больше не будешь бояться полетов.

— Это правда. Спасибо, что ты мне в этом помог. — Она встала, включила свет, посмотрела на часы. — Сегодня вечером

есть рейс в Лос-Анджелес, правда? Не подбросишь ли ты меня в Финикс, чтобы я на него успела?

— Если ты этого хочешь. Или мы можем вернуться своим ходом, в Майерсе.

— Нет. Спасибо. Вечерний рейс меня вполне устроит.

Она за десять минут собрала свои вещи, запихнула их в два чемодана, захлопнула крышки.

Мы не сказали друг другу ни слова. Я поставил чемоданы в машину и стал ждать ее в ночной пустыне. Низко на западе висела тоненькая четвертинка Луны. «Малышка-Луна смеялась в стороне от темноты», — так она когда-то написала. И вот та же самая Луна, проделав несколько оборотов, стала мрачной и угрюмой.

Я вспомнил наш девятичасовый разговор по телефону, когда мы едва спасли нашу обычную жизнь. Что я делаю? Это же самая замечательная, мудрая и красивая женщина из всех, кого я встречал в своей жизни, а я увожу ее прочь!

Но путы, Ричард. Ты ведь честно старался.

Я почувствовал, как целая жизнь, полная счастья, любопытства, учебы и радости, жизнь с этой женщиной, сдвинулась с места, наполнилась ветром, словно гигантский серебряный парус в свете луны, трепыхнулась, затем ее снова подхватил ветер и унес, унес, унес...

— Закроешь трейлер? — спросила она. Трейлер был теперь моим домом, не ее.

— Все равно.

Она оставила дверь не запертой.

— Я поведу? — спросила она. Ей никогда не нравилось, как я вожу машину, ей казалось, что я делаю это слишком невнимательно и рассеянно.

— Какая разница, — ответил я. — Я сижу за рулем, я и поведу.

Мы ехали молча, все сорок миль ночной дороги в аэропорт в Финиксе. Я припарковал пикап, и пока она сдавала свой багаж, я стоял рядом молча, желая, чтобы кто-нибудь сказал то, что так и не было сказано, потом направился вместе с ней к выходу.

— Не беспокойся, — сказала она. — Дальше я сама. Спасибо. Мы останемся друзьями, хорошо?

— Хорошо.

— Прощай, Ричард. Когда едешь, будь...

Внимательнее, — хотела сказать она, будь внимательнее. Теперь уж нет. Теперь я могу ездить как пожелаю.

— Прощай.

— До свидания. — Я наклонился, чтобы ее поцеловать, но она отвернулась.

У меня перед глазами висела серая пелена. Я сделал нечто непоправимое, словно выпрыгнул из самолета на высоте двух миль.

Она еще была в пределах досягаемости; я мог коснуться ее руки, если бы пожелал.

Она пошла вперед.

А сейчас уже поздно.

Разумный человек взвешивает, принимает решение, ведет себя в соответствии с ним. Бессмысленно возвращаться назад и переигрывать ситуацию. Однажды она так со мной поступила, — и ошиблась. Не стоит даже заводить разговор о том, чтобы повторить это еще раз.

Но, Лесли, — подумал я, — я так хорошо тебя знаю, как же ты можешь меня покинуть! Я знаю тебя лучше, чем любой в этом мире, а ты знаешь меня. Ты мой самый лучший в этой жизни друг; как же ты можешь оставить меня! Разве ты не знаешь, что я люблю тебя? Я никогда никого не любил, но люблю тебя!

Почему я не смог ей этого сказать. Она все еще уходила, так ни разу и не оглянувшись. Потом она прошла в двери и скрылась из вида.

У меня в голове возник какой-то звук, похожий на шум ветра, словно тихий шум пропеллера, полный терпеливого ожидания, что я вернусь, сяду в самолет и завершу свою жизнь.

Я долго еще смотрел на двери, стоял и смотрел, словно она могла возвратиться, выбежать из-за них со словами:

9 – 4169

— Ох, Ричард, какие же мы с тобой дураки, какие глупые, что так поступаем друг с другом!

Она этого не сказала, и я не побежал за двери, чтобы ее остановить.

Приходится признать, что мы одиноки на этой планете, — подумал я, — каждый из нас совершенно одинок, и чем скорее мы это признаем, тем лучше для нас.

Многие люди живут в состоянии одиночества: и женатые и неженатые, постоянно ищут и не находят, в конце концов забывая, что они вообще ищут. Так я жил раньше, так придется жить снова. Но никогда, Ричард, никогда не позволяй никому подойти к тебе так близко, как ты позволил ей.

Я неспешно вышел из аэропорта, сел в пикап, не спеша отъехал от терминала.

Вот в западном направлении поднялся в воздух «ДС-8», может, она там?

За ним последовал «Боинг-727», еще один. Вот они круто идут вверх на взлете; вот убираются шасси, втягиваются закрылки, вот разворачиваются и ложатся на курс.

В этот момент она летела в моем небе, как же это случилось, что я остался на земле?

Выбрось это из головы. Выбрось из головы, подумаешь об этом позже. Позже.

На следующий день мой планер оказался восемнадцатым в очереди на взлет. Крылья заполнены водным балластом, комплект необходимого снаряжения но борту, фонарь закрыт и заперт, камеры разворота проверены.

Так пусто было в трейлере всю эту бессонную ночь, так абсолютно тихо!

Неужели она и вправду уехала? Как-то даже не верится...

Я откинулся на сиденье, проверил органы управления, кивнул технику снаружи, даже не зная, как его зовут, мол, все в порядке, покачал педалями: вправо-влево, вправо-влево. Поехали, буксировщик, поехали.

Словно тебя запускают из катапульты, в замедленном варианте. Усилились треск и рев самолета, к которому тянулся трос, мы проползли пару футов, затем покатились все быстрее и быстрее. С набором скорости ожили элероны, рули высоты и направления, и вот мы уже поднялись на фут и несемся над полосой, пока самолет завершает свой взлет и начинает набирать высоту.

Вчера вечером я допустил ошибку, когда сказал то, что сказал, и позволил ей уехать. Теперь, наверное, уже поздно просить ее вернуться?

Еще пять минут мы набирали высоту, следуя за буксирным тросом, затем — небольшой нырок, чтобы его натяжение ослабло, и я освободил его защелку.

Невдалеке от аэропорта есть неплохой воздушный поток, и в нем было полно планеров. Первый, кто поднялся в воздух, находит поток, а остальные тянутся за ним, словно лемминги, огромной спиралью из блестящего белого стекловолокна — целое стадо планеров, поднимающихся кругами все выше и выше в восходящем потоке теплого воздуха.

Осторожно, Ричард, гляди по сторонам! Заходи в поток снизу, следуй по кругу в том же направлении, что и все. Столкновение в воздухе может испортить тебе весь день.

Сколько я ни летал, а по-прежнему волнуюсь, хлопочу, как наседка, когда в одном месте собирается столько самолетов.

Крутой разворот. Быстрый разворот. Если попасть в самую сердцевину потока, он вынесет тебя наверх, словно на скоростном лифте... пятьсот футов в минуту, семьсот, девятьсот. Не лучший поток в Аризоне, но для первого подъема за сегодняшний день вполне сойдет.

Станет ли она со мной разговаривать, если я ей позвоню? А даже если и станет, что я ей скажу?

— Лесли, мне ужасно жаль?

— Давай пусть все снова будет по-старому?

Все это я уже говорил, я уже затаскал это «мне жаль».

На противоположной от меня стороне потока был «AS-W 19», точная копия моего собственного планера, на его крыльях и хвосте было написано CZ. Внизу под нами в поток вместе вошли еще три планера; вверху, над головой, их еще как минимум деся-

ток. Снизу это смотрелось так, словно завод по выпуску планеров попал в смерч — эдакая бесшумно кружащаяся, парящая в воздухе скульптура.

Хотел ли я отвозить ее в аэропорт? Было ли «мне-нужно-побыть-одному» той пилюлей, которую, как я знал, она не проглотит? Был ли я в этой истории трусом? Могут ли родственные души встретиться, а затем навсегда расстаться?

Очень медленно я обошел на подъеме CZ — признак того, что я летаю хорошо, несмотря на всю мою усталость. Наши полеты проходили в треугольнике со стороной 145 миль, а под ним раскинулась раскаленная безлюдная земля, которая и есть пустыня. Когда стоишь на земле, кажется, будто вокруг — сплошная смерть, но в воздухе достаточно восходящих потоков, чтобы планер мог держаться на них хоть целый день.

Смотри в оба, Ричард! Будь внимателен. Сверху надо мной поднималась «Либелла», затем «Циррус» и «Швайцер 1-35». Я могу обойти на подъеме Швайцер, может быть Циррус, но Либеллу — нет. Скоро мы будем уже наверху, ляжем на курс, там будет попросторнее.

И что теперь? Проводить остаток своей жизни, летая на планерах? Как теперь такому эксперту по отступлениям, как я, убежать от жизни без женщины, для встречи с которой он был рожден? Лесли! Мне так жаль!

Безо всякого предупреждения мне в глаза ударил яркий луч света. Вспышка; брызги плексигласовых осколков: кабину швырнуло вбок; мне в лицо ударил ветер; яркий красный свет.

Я повис на привязных ремнях, затем меня вдавило в сиденье — перегрузка, поначалу попытавшаяся меня вышвырнуть, теперь решила меня раздавить.

Кабина понеслась со скоростью пули. Время буквально поползло.

Ричард, тебя ударили! От твоего планера почти ничего не осталось, и если ты хочешь жить, то выбирайся из его обломков и дергай поскорее парашютный фал.

Я почувствовал, как планер перевернул и он, разваливаясь на части, понесся вниз.

В красной пелене передо мной мелькали то скалы, то небо. Обломки разорванного в клочья крыла облаком вертелись вокруг меня. Небо — земля — небо... Кажется, мне не добраться до замков на привязных ремнях.

С опытом совершенства не прибавилось.

Медленно оценивает происходящее.

А, привет, приятель! Не подашь ли ты мне руку? Говорят, я влип в аварию. А я не влип. Просто перегрузки такие большие... Я не могу...

Говорит *не могу,* а подразумевает *не хочу.*

Я **хочу...**

Я отстегнусь...

Слушает наблюдателя в последние секунды.

Любопытный конец жизни.

ВСЕ!

В тот момент, когда я отстегнулся, кабина исчезла. Я ухватился за фал парашюта, дернул его, перевернулся, чтобы увидеть землю до того, как парашют раскроется... слишком поздно. Мне очень жаль, вук. Так жа...

Чернота.

Очнувшись на полу трейлера, я моргнул глазами, открыл их и уставился в темноту.

— Лесли...

Я лежал на полу, тяжело дыша, мое лицо было влажным от слез. Она сидела там же, на кровати.

— С тобой все хорошо? — спросила она. — С тобой все в порядке?

Я поднялся с пола, устроился рядом с ней, придвинувшись как можно ближе, и крепко ее обнял.

— Я не хочу покидать тебя, маленькая вуки, я никогда не покину тебя, — сказал я. — Я люблю тебя.

Она едва заметно пошевелилась. Наступила тишина, и казалось, что навсегда.

— Ты... что? — переспросила она.

ТРИДЦАТЬ ЧЕТЫРЕ

Уже после двух часов ночи, позабыв о разногласиях, мы лежали на нашей двуспальной кровати и разговаривали о цветах, изобретениях и о том, какой могла бы быть наша идеальная жизнь. Я вздохнул и сказал:

— Помнишь мое старое определение? Что родная душа — это тот, кто всегда соответствует всем нашим потребностям?

— Да.

— Тогда я полагаю, что мы — не родные души.

— Почему? — спросила она.

— Потому что у меня нет потребности спорить, — сказал я, — у меня нет потребности бороться.

— Откуда ты знаешь? — сказала она мягко. — Откуда ты знаешь, может, это единственный способ для тебя чему-нибудь научиться? Если бы борьба не была нужна тебе для того, чтобы извлечь урок, ты бы не создавал так много проблем! Иногда я не понимаю тебя, пока ты не рассердишься... и разве не бывает так, что ты не знаешь, что я имею в виду, пока я не начинаю кричать? Всегда ли соблюдается правило, что мы можем учиться только с помощью приятных слов и поцелуев?

Я удивленно заморгал:

— Я думал, что общение родных душ совершенно в любой момент, поэтому *как же они могут ссориться*? Ты хочешь сказать, вуки, что в *этом* совершенство? Ты хочешь сказать, что, даже когда мы сталкиваемся, — это волшебство? Что столкновение материализует понимание между нами, которого не было раньше?

— Да-а, — сказала она в золотистых сумерках, — жизнь с философом...

ТРИДЦАТЬ ПЯТЬ

На следующий день в полетном списке мой планер оказался двадцать третьим в очереди на взлет, предпоследним. Крылья заполнены водой для балласта, спасательное снаряжение на борту, опознавательные знаки установлены и поворотные устройства проверены. Лесли передала мне карты, список радиочастот, поцеловала меня, пожелала удачи и опустила вниз фонарь кабины. Я зафиксировал ее изнутри. Я откинулся в полулежачее кресло пилота, проверил рычаги управления, утвердительно кивнул, послал ей последний воздушный поцелуй, покачал педали из стороны в сторону. Теперь вперед, буксировщик, вперед!

Каждый взлет отличается от других, но в то же время каждый является таким же замедленным катапультным взлетом с самолетом в качестве буксира. Сильный поток мелкого мусора и рев от самолета впереди, когда он натягивает буксирный трос. Мы сдвигаемся вперед на несколько футов, затем быстрее, быстрее. Скорость дает возможность управлять с помощью элеронов, педалей, рулей высоты, и вот планер отрывается колесами от земли и ждет, пока буксировщик закончит разгон и начнет подниматься вверх.

Лесли проказничала сегодня утром, щедро окатывая меня ледяной водой, когда я меньше всего этого ожидал. Она была счастлива, и я тоже. Какая это была бы трагическая ошибка — стремиться к тому, чтобы покинуть ее!

Через пять минут подъем закончился, я спикировал, чтобы ослабить натяжение троса, и, потянув за рычаг, легко отцепился от буксировщика.

Вблизи аэродрома был один хороший восходящий поток теплого воздуха, густо заполненный планерами. Я изнемогал от жары в кабине. Впереди был целый вихрь планеров. Но я был одним из последних на взлете и не мог целый день ожидать подъема. Я был нетерпелив, но внимателен. Смотри по сторонам, думал я, будь начеку!

Крутой разворот. Быстрый разворот. Я оказался в центре потока воздуха и начал быстро подниматься вверх... пятьсот футов в минуту, семьсот. Смотри по сторонам.

Моя шея ныла от быстрых поворотов то влево, то вправо, высматривания, рассчитывания, «Швайцер» скользнул ниже меня, круто повернув.

Она права. Я действительно создаю проблемы. У нас были неприятные мгновения, но разве у кого-то их нет? Приятные мгновения великолепны, они просто... *Смотри по сторонам!*

«Циррус» вверху слишком резко повернул и круто пошел вниз, приблизился ко мне на тридцать футов, его крыло, как гигантское лезвие, устремилось к моей голове. Я рванул ручку вперед, уходя вниз и в то же время уклоняясь от планирующего подо мной.

— Вот как ты собрался летать! — сдавленно пробормотал я. — Ты собираешься меня потеснить!

Я снова вернулся в круговорот поднимающихся планеров и посмотрел на верхнюю часть этого цилиндра диаметром с полмили. Немногие пилоты, думал я, когда-либо видят такое. Когда я смотрел, вверху началось какое-то странное движение. Это был планер, *идущий штопором!* вниз среди других планеров! Я видел и не мог поверить своим глазам... как это *глупо и опасно* — делать *штопор*! среди такого большого числа аэропланов!

Я прищурился от солнца. Планер не пикировал для развлечения, он падал, потому что потерял крыло.

Смотри! Не один падает — два! Два планера, потеряв управление, опускались прямо вниз по направлению к моей кабине.

Я дернул ручку влево, нажал до отказа на левую педаль и устремился прочь, подальше от опасности.

Дальше за моим правым крылом пронеслись, беспорядочно кувыркаясь, два столкнувшихся планера. Вслед за ними пролетело целое облако обломков, ленивых осенних листьев, кружащихся на лету.

Радио, которое молчало минутами, вдруг закричало:

— *Воздух!* Внимание, воздух! *Прыгайте! Прыгайте!*

И что пользы им говорить, — думал я, — по радио, чтобы они прыгали? Когда твой аэроплан развалился на куски, разве мысль о парашюте не приходит в голову довольно быстро?

Среди обломков падающих планеров было тело человека, неуклюже падающее вниз. Оно падало довольно долго, затем нейлон замелькал за ним, наполняясь воздухом. Он был жив; он потянул за кольцо раскрытия парашюта. Хорошо сработано, парень!

Парашют раскрылся и беззвучно поплыл в направлении скал.

— Появилось два парашюта! — сказало радио. — Внимание, земля, появилось два парашюта! Опускаются за три мили к северу. Можете отправить туда джип?

Я не мог увидеть другой парашют. Тот, который я видел, скомкался, когда пилот достиг земли.

Все еще летели части разбитых планеров, среди них один обломок с половиной крыла все кружился и кружился медленно вокруг своей оси.

Никогда я не видел столкновения в воздухе. На расстоянии оно выглядело мирным и тихим. Это мог быть новый спорт, изобретенный скучающими пилотами, если бы только не эти куски аэропланов, несущиеся вниз. Ни один пилот не станет заниматься таким спортом, при котором для забавы нужно разбивать аэропланы. Радио снова затрещало:

— Кто-нибудь видит пилотов?

— Да. Оба в поле зрения.

— Как они? Вы можете сказать, что с ними все о'кей?

— Да. С ними обоими все в порядке. Кажется, что все в порядке. Оба на земле, машут руками.

— Слава Богу!

— Хорошо, парни, давайте будем повнимательнее здесь, наверху. Здесь много аэропланов в малом пространстве...

Четыре пилота в нашей группе, думал я, — женщины. Каково оно, быть женщиной, летать здесь, на высоте, и слышать, как к тебе обращаются «парни»?

Вдруг мороз пробежал у меня по коже в жаркой кабине. *Я видел это вчера!* Какое стечение обстоятельств... единственное воздушное столкновение, которое я видел, случилось на следующий день после того, как я лежал на полу в трейлере и наперед воображал его!

Нет, я не воображал, это был я, потерявший в полете крыло! Это мог быть я, лежащий сейчас где-то в пустыне, и не такой удачливый, как те двое, влезающие в джип и мечтающие о том, чтобы описать свои увлекательные приключения.

Если бы Лесли покинула меня прошлой ночью, если бы я был перед взлетом уставшим и расстроенным сегодня, а не отдохнувшим и спокойным, — это вполне мог быть я.

Я изменил курс, хотя вокруг небо было необычайно пустынно. После всего случившегося планеристы не будут летать большими группами, когда воздушных потоков хватает на всех.

Уйдя носом вниз, мой тихий самолетик устремился на полной скорости по направлению к горной гряде. Возле самих скал мы попадали в новый поток восходящего воздуха и кружились, быстро набирая высоту.

Это вчерашнее видение, думал я, оно ли спасло меня?

Теперь я в безопасности, конечно.

Сделав выбор в пользу любви, не избрал ли я при этом жизнь вместо смерти?

ТРИДЦАТЬ ШЕСТЬ

Она свернулась кольцом в колее дороги, свернулась и приготовилась укусить наш пикап, который приближался к ней по ухабам со скоростью десять миль в час. Я остановил машину и потянулся за микрофоном.

— Привет, вук, слышишь меня?

Последовала небольшая пауза, и она ответила мне по радио из трейлера.

— Да. Почему ты остановился?

— Здесь змея, перегородила дорогу. Можешь найти книги по змеям? Я тебе ее опишу.

— Минутку, солнышко.

Я подал автомобиль вперед, свернув в сторону, чтобы быть рядом с животным. Змея лизала воздух своим черным языком, выражая недовольство. Когда я заводил мотор, она сместила положение своих колец и зашипела, как в пустую банку: *Я предупреждаю тебя...*

Какая смелая змея! Мне бы такую смелость. Я бы стоял, сжав кулаки, один на один с танком в три дома высотой и шесть шириной, хмурился и говорил: Не смей двигаться дальше, я предупреждаю тебя...

— Нашла книги по змеям, — сказала она по радио. — Теперь будь осторожен. Сиди в кабине и не открывай дверь, о’кей?

Да, сказала змея. Слушай ее и будь внимателен. Это моя пустыня. Ты заигрываешь со мной, и я убью твой автомобиль. Я не хочу этого, но если ты меня заставишь, мне ничего другого не останется делать. Желтые глаза, не мигая, смотрели на меня, язык словно пробовал воздух. Лесли не могла сдерживать любопытство:

— Я выхожу, чтобы посмотреть.

— Нет! Лучше оставайся там у себя. Здесь, в песке, может быть целое гнездо. Хорошо?

Молчание.

— Лесли?

Молчание.

В зеркальце заднего обзора я увидел фигуру, выходящую из трейлера и направляющуюся ко мне. Одного не хватает нам в этих современных отношениях мужчины и женщины, думал я, — послушания.

— Извини меня, — сказал я змее. — Я сейчас вернусь.

Я отъехал назад по дороге и остановился перед ней. Она села в кабину справа с книгами «*Полевой справочник по пресмыкающимся и земноводным Северной Америки*» и «*Справочник натуралиста клуба Сьерры. Пустыни Юго-Запада*».

— Где змея?

— Ждет нас, — сказал я. — Слушай, я хочу, чтобы ты оставалась в кабине. Я не хочу, чтобы ты выглядывала из машины, слышишь?

— Я не буду, если ты не будешь.

Мы почувствовали, что приближается какое-то приключение.

Змея не сдвинулась с места и шипением снова остановила пикап.

Снова вернулись? Хорошо, но дальше вы не поедете, ни на дюйм дальше, чем в прошлый раз.

Лесли наклонилась надо мной, чтобы посмотреть.

— Привет! — сказала она весело и оживленно. — Здравствуй, змейка! Как дела у тебя сегодня?

Нет ответа. Что вы обычно говорите, когда вы — это шероховатая хитрая жесткая ядовитая пустынная гремучая змея, а ласковый голос симпатичной девушки спрашивает у вас что-то типа «Как у тебя дела?» Вы не знаете, что ответить. Вы моргаете глазами и молчите.

Лесли села на свое место и открыла первую книгу.

— Какого цвета, как бы ты сказал?

— Хорошо, — сказал я. — Она зеленоватого песочного цвета, грязно-бледно-оливкового. Темные овальные горошины на спине, более темный оливковый цвет внутри горошин, почти белый сразу же вне их. У нее широкая плоская треугольная голова, короткий нос.

Звук листаемых страниц.

— Милый, здесь все какие-то неподходящие кандидатуры! — сказала она. — А *она* большая?

Я улыбнулся. Каждый из нас как-то относится к вопросам пола в настоящее время. Бывает, что изменишь свою точку зрения, если надо, после намека или замечания. Лесли явно намекала.

— Она — не маленькая змея, — сказал я. — Если ее растянуть во всю длину... будет, наверное, четыре фута?

— Ты бы сказал так: *овальные отметины часто переходят в невыразительные поперечные полоски вблизи хвоста?*

— Похоже. Но нет. Черные и белые полосы вокруг хвоста. Узкие черные, широкие белые.

Змея распустила кольца и направилась к зарослям полыни возле дороги. Я завел машину и нажал на газ, чтобы разогнать мотор, и тут она сразу же снова свернулась в кольца, глаза заблестели, хвост задвигался. Я предупредила тебя, и я не шучу! Если хочешь иметь мертвый автомобиль, ты его получишь! Стой там, не шевелись, а то я...

— *Чешуйка рельефная, по двадцать пять рядов*? — спросила Лесли. — *Черные и белые кольца окаймляют хвост*! Посмотри на это: *Тонкие полоски от глаз тянутся назад над уголками рта.*

Видишь эту небольшую полоску возле глаза? — сказала змея. Что еще мне тебе сказать? Только протяни свою руку поближе к ним и медленно назад...

— Точно как ты говоришь! — сказал я. — Это она! Как ее называют?

— Гремучая змея Мохава, — прочла она. — Crotalus scutellatus. Хочешь увидеть ее на картинке?

Змея на фотографии не улыбалась.

Лесли открыла «Справочник натуралиста», стала листать страницы. «Доктор Лоув утверждает, что Мохава обладает «уникальным» ядом с токсическими веществами парализующего действия, для которых еще не разработано эффективных противоядий, и что укус этой змеи намного более опасен, чем укус западной гремучей, с ромбовидным рисунком на спине, с которой ее иногда путают».

Тишина. Поскольку поблизости не было западной гремучей с ромбовидным рисунком на спине, эту змею не с кем было путать.

Мы смотрели друг на друга, Лесли и я.

— Наверное, будет лучше, если мы останемся в кабине, — сказала она.

— У меня нет сильного желания выходить, если это то, что тебя беспокоит.

Да, — зашипела Мохава, гордая и свирепая. — Вы ничего не спешите делать сейчас...

Лесли выглянула снова.

— Что она делает?

— Она говорит мне, что я не спешу ничего делать сейчас.

Через некоторое время змея развернула кольца, посмотрела нам в глаза, ожидая от нас любой уловки. Но уловки не последовало.

Если бы она укусила меня, — думал я, — умер бы я или нет? Конечно, нет. Я бы использовал всю свою психическую защиту, превратил бы яд в воду или шипучий напиток, не говоря уже о возможности изменить систему представлений, которая бытует в мире, о том, что от укусов змей умирают. Я могу сделать это, думал я. Но не нужно проверять свои способности прямо сейчас.

Мы рассматривали змею, восхищаясь ею.

Да, вздохнул я про себя. Я почувствовал тогда обычную бестолковую предсказуемую реакцию: убей ее. Что, если она залезет в трейлер и перекусает нас всех; лучше возьми лопату сейчас и прикончи ее сразу, до того как она сделает это. Это — самая смертельно опасная змея в пустыне, возьми ружье и застрели ее прежде, чем она укусит Лесли!

О, Ричард, как неприятно, что в тебе существует кто-то, думающий так грубо, так жестоко. Убить. Когда ты перейдешь на такой уровень, где нет никакого *страха?*

Я обвиняю себя напрасно! Мысль о том, чтобы ее убить, была случайным испуганным невежественным безумным намеком. Я не отвечаю за этот намек, а только за свои действия, за то, что избрал в конце концов. Мой выбор состоит в том, чтобы ценить эту змею. Она — такое же подлинное и такое же притворное выражение жизни, как и этот человек, который видит себя двуногим, пользующимся техническими средствами, управляющим машиной, полужестоким, обучающимся существом. В этот момент я бы использовал лопату против каждого, кто осмелился бы напасть на нашу смелую гремучую змею Мохава.

— Давай дадим ей послушать немножко музыки по радио. — Лесли щелкнула переключателем, нашла канал с классической музыкой, где как раз передавали что-то в духе Рахманинова, и увеличила громкость настолько, насколько позволял регулятор.

— *Змеи ведь могут слышать не очень хорошо,* — объяснила она.

Через некоторое время гремучая змея смягчилась и расслабилась; на месте защитной стены осталось лишь одно кольцо. По истечении еще нескольких минут она лизнула воздух в нашем направлении последний раз. Хорошо справились. Вы выдержали испытание. Поздравляю. Ваша музыка слишком громкая.

— Вон она уползает, вук! Видишь?

До свидания.

И миссис Г. З. Мохава, мягко выгибаясь, повилась прочь и вскоре исчезла среди полыни.

— Пока! — сказала Лесли и помахала ей, почти что с грустью.

Я отпустил тормоза, вернул машину обратно к трейлеру, высадил своего дорогого пассажира с его книгами о змеях.

— Как ты думаешь, — сказал я, — мы вообразили все, что она нам говорила? А может быть, она была воплощенным духом, который на час принял вид змеи, чтобы узнать, как мы справимся со своим страхом и желанием убивать? Может, это был ангел в шкуре змеи, явившийся нам здесь, на дороге, чтобы проверить нас?

— Я не собираюсь этого отрицать, — сказала Лесли, — только на всякий случай, если это было не так, давай с этого времени будем громко включать музыку, когда выходим из трейлера, чтобы мы не застали ее врасплох, хорошо?

ТРИДЦАТЬ СЕМЬ

Достаточно было измениться нашим мыслям — и мир вокруг нас тоже изменился. Аризона летом стала несколько слишком жарким местом для нас, и пришло время изменить панораму. Может быть, поехать севернее, туда, где холоднее? Как насчет Невады? Перегнать трейлер с планером в Неваду?

Здесь было прохладнее, довольно ощутимо. Вместо 115 градусов снаружи было 110. Вместо малых гор на горизонте — большие.

В трейлере испортился электрический генератор... три дня поиска неисправности, пайки, и он снова заработал. Как только генератор починили, испортились водяные насосы. К счастью, перспектива жизни без воды в центре миллионов квадратных акров песков и выбеленных костей животных помогла нам отремонтировать насосы с помощью перочинного ножика и куска картона.

Вернувшись после шестидесятимильного пробега за водой и почтой, она стояла в кухне и читала вслух письмо из Лос-Анджелеса. Жизнь в пустыне изменила наши взгляды. Мегаполис стал таким нереальным, и теперь нам трудно было вообразить, что он все еще там, что люди по-прежнему живут в городах. Письмо напомнило нам об этом.

«Дорогой Ричард! Мне очень жаль, что я вынужден сообщить тебе о том, что Департамент по налогообложению отклонил твое предложение и требует немедленной выплаты одного миллиона долларов. Как ты знаешь, у него есть право удержания имущества до уплаты долга, которое распространяется на всю твою собственность. Он имеет юридические основания завладеть ею в любое время. Предлагаю тебе встретиться как можно скорее. Искренне твой, Джон Маркворт».

— Почему они отклонили предложение? — спросил я. — Я же предлагал уплатить им всю сумму!

— Кто-то кого-то не так понял, — сказала Лесли. — Будет лучше, если мы съездим и разберемся сами, что к чему.

Мы поехали через пустыню к бензозаправке, где находился платный телефон-автомат, и назначили встречу на девять часов утра на следующий день. Мы забросили в Майерс часть одежды и погнали на большой скорости по пересеченной местности, оказавшись в Лос-Анджелесе к закату.

— Трудности не с твоим предложением, — сказал Маркворт на следующее утро. — Трудности с тем, что ты известен.

— Что? Трудности с чем?

— Тебе будет трудно поверить, и я сам никогда раньше о таком не слышал. Департамент придерживается политики не принимать компромиссные предложения от знаменитостей.

— Что... заставляет их считать меня знаменитостью?

Он повернулся в своем кресле.

— Об этом я тоже спросил. Агент сказал мне, что он вышел в коридор своего офиса и начал спрашивать всех людей подряд, слышали ли они что-нибудь о Ричарде Бахе. Большинство из них слышали.

Мертвая тишина в комнате. Я не мог поверить в то, что услышал.

— Можно, я повторю все сначала, — сказала наконец Лесли. — Департамент по налогообложению; не желает принимать предложение Ричарда; потому что люди; в каком-то коридоре; слышали о нем. *Ты это серьезно?*

Юрист развел руками, не в силах изменить то, что произошло.

— Они согласны лишь на полную одноразовую выплату. Они не принимают выплат в рассрочку от известных людей.

— Если бы он был Барри Бизнесменом, они бы приняли предложение, — сказала она, — но поскольку он — Ричард Бах, они не пойдут на это?

— В точности так, — сказал он.

— Но ведь это дискриминация!

— Вы можете выдвинуть это обвинение в судебном порядке. Вероятно, вы выиграете дело. Но на это уйдет около десяти лет.

— Подождите! Кто босс этого типа? — сказал я. — Ведь должен же быть там кто-то...

— Тип, который занимается твоим делом сейчас, он же и *есть* босс. Это он сочинил Правило о Знаменитостях.

Я посмотрел на Лесли.

— Что нам остается делать сейчас? — обратилась она к Марквορту. — У Ричарда есть деньги, чтобы расплатиться с ними. Мы продали почти все, что у него было, для того, чтобы заплатить наличными! Он мог бы выписать им чек почти на половину этой суммы сегодня же, если бы они приняли его, не забирая то, что остается. Я думаю, он мог бы выплатить задолженность в течение года, особенно если он снова вернется к работе. Но он не сможет продолжить работу над фильмом, он не сможет даже писать, если эти люди набросятся и заберут его книгу прямо со стола...

Мое возмущение породило идею.

— Другой агент, — сказал я. — Наверное, существует какая-то возможность передать дело в руки другого человека?

Он порылся в бумагах на своем столе.

— Давайте посмотрим. Вашим делом уже занимались семь агентов: Булли, Парсейт, Гун, Сэйдайст, Блюцукер, Фрадиквот и Бист. Никто из них не желает брать на себя ответственность, никто не хочет связываться.

Терпение Лесли лопнуло.

— Они *спятили?* Разве им не нужны деньги? Неужели они не понимают, что этот человек пытается *заплатить* им, он не собирается убегать или заключать сделку, чтобы получить доход по тридцать центов на каждый доллар? Он пытается заплатить *им полностью! ЧТО ЗА ГЛУПЫЕ ПРОКЛЯТЫЕ ИДИОТЫ,* — завопила она, слезы отчаяния появились у нее на глазах.

Марквορт оставался таким же спокойным, будто он разыгрывал эту сцену уже много раз.

— Лесли. Лесли? *Лесли!* Слушай. Тебе важно понять вот что. Департамент по налогообложению сколочен из наименее разумных, самых боязливых, злобных, мстительных людей, которые когда-либо скрывались за стенами государственных учреждений.

Я знаю это. Я работал там в течение трех лет. Каждый чиновник по налогам работает сначала на государство, чтобы изучить своего врага. Если ты не поработаешь в департаменте по налогообложению, ты не сможешь быть хорошим юристом в области налогов; ты не сможешь поверить тому, с чем имеешь дело.

Я чувствовал, что бледнею, а он продолжал.

— Если только ДН не думает, что ты собираешься улизнуть из страны, он не отвечает на письма, телефонные звонки, и мы порой не можем связаться с ними в течение месяца. Никто там не желает быть ответственным за дело такого рода, такого масштаба. Сделай ошибку — и о тебе напишут: *Он выселяет сгорбленных старушек из их лачуг, но разрешает Ричарду Баху выплачивать долги в рассрочку!*

— Но почему тогда они не хватают все прямо сейчас? Почему не возьмут все, что у меня есть?

— Это тоже будет ошибкой с их стороны: *Ричард Бах пообещал уплатить полностью, если бы он позволил ему, но он конфисковал всю его собственность, которая оказалась не стоящей и половины того, что можно было бы от него получить...* Разве ты не видишь? Ведь отсутствие решения намного лучше, чем неправильное решение.

— Вот почему мы перепробовали стольких агентов, — сказал он. — Каждый новый агент начинает затягивать рассмотрение этого неприятного вопроса в надежде, что ему дадут другую работу и появится еще один агент до того, как первому придется вплотную заняться работой с ним.

— Но наверняка кто-то вверху, — сказала Лесли, — директор всего заведения, если мы обратимся к нему...

Маркворт кивнул.

— Я встречался с ним раньше. Сначала я долго добирался до него, потом пробился. Он говорит, что не может сделать исключение, и ты должен пройти через все инстанции, как полагается. Он говорит, что мы должны иметь дело с назначенным агентом, а затем со следующим и так далее.

Лесли подходила к проблеме как к шахматной задаче:

— Они не хотят принимать его предложение, но он не может заплатить сразу миллион долларов. Если они конфискуют его имущество, он не сможет работать. Если они не решат этот вопрос, — он тоже не сможет работать, потому что они *могут* конфисковать все завтра и работа пойдет насмарку. Если он не будет работать, он не сможет заработать денег, чтобы уплатить им долг. Мы находимся в преддверии ада уже почти год! Будет ли это продолжаться до конца времен?

Впервые за всю нашу встречу юрист просиял.

— В некотором смысле время работает в пользу Ричарда. Если это дело протянется три года без решения, он получит право оправдать невыплату долга своим банкротством.

Я чувствовал себя присутствующим на Безумном Чаепитии с Сумасшедшим Болванщиком.

— Но если я разорюсь, им ведь тоже не заплатят! Разве они этого не понимают?

— Конечно, понимают. Но думаю, они хотят затянуть время. Думаю, они предпочитают сделать тебя банкротом.

— *Почему?* — спросил я. — Что за ненормальные... они бы получили миллион долларов, если бы дали мне выплатить долги.

Он грустно взглянул на меня.

— Ты по-прежнему забываешь, Ричард. Если ты обанкротишься, это не будет решением ДН, это будет *твоим* решением — *и правительство не будет виновато!* Никому не придется за это отвечать. Никого не будут критиковать. Долг в юридическом порядке будет погашен. До тех пор все будет идти не так уж плохо. Если они не примут решение о конфискации, ты свободен тратить деньги. Почему бы тебе не объехать вокруг света, не пожить в самых фешенебельных гостиницах, не позванивать мне иногда из Парижа, Рима, Токио?

— Три года? — спросила Лесли. — Банкротство? — Она посмотрела на меня с жалостью по поводу нашей судьбы, а затем запротестовала. — Нет! Этого не случится! Мы уладим это дело! — Ее глаза сверкали. — Знаменитость или нет, повышай ставки и вноси новое предложение. Сделай его таким выгодным, чтобы они не могли отклонить его. Ради Бога, найди там одного неслабонервного человека, который согласится пойти навстречу!

Маркворт вздохнул и сказал, что новое предложение не поможет, но согласился попробовать.

Для консультации вызвали бухгалтера и других юристов. Калькуляторы снова пропускали через себя столбцы цифр, снова бумаги шуршали по столу, предлагались и отвергались стратегии действий, и новая встреча была назначена на следующий день. Так мы пытались выработать предложение, которое было бы столь безопасным, чтобы правительство не смогло отказаться от него.

Я смотрел в окно на небо, пока они работали. Как пилот потерпевшего аварию аэроплана, я знал, что падение неизбежно, но не боялся его. Мы пойдем на это; мы начнем все сначала. Было бы большим облегчением, если бы оно случилось.

— Помнишь гремучую змею? — сказала Лесли после того, как заседание было отложено и мы спускались в лифте к стоянке автомобилей.

— Конечно. *Croandelphilis scootamorphulus.* Противоядий не известно, — сказал я. — Конечно, помню. Это была смелая змея.

— Теперь-то, после денька, подобного этому, когда пытаешься справиться с этими улитками из ДН, ты понимаешь, наверное, как здорово сидеть в пустыне и иметь дело с подлинно честной откровенной гремучей змеей.

Мы устремились назад в Неваду измотанными и обнаружили по прибытии к нашему трейлеру в пустыне, что он ограблен: дверь взломана, книжные полки пусты, содержимого выдвижных ящиков нет; все, что мы оставили в нашем маленьком домике на колесах, пропало.

ТРИДЦАТЬ ВОСЕМЬ

Лесли была ошеломлена. Она ходила вокруг и искала наши любимые вещи, с которыми мы жили, — своих дорогих попутчиков. Будто бы они могли внезапно появиться на своих местах. Книги, одежда, деревянные кухонные ложки, которые означали для нее домашний уют, даже ее щетки для волос — все исчезло.

— Не беспокойся, вук, — успокаивал я ее. — Ведь мы потеряли лишь вещи. До тех пор, пока ДН не соберется принять решение, у нас есть много денег, которые можно тратить. Одна поездка в город, и мы купим все это снова.

Она почти не слышала меня, осматривая пустые выдвижные ящики стола.

— Ричард, они забрали даже моток веревки...

Я отчаялся утешать ее:

— А мы думали, что являемся самыми экономными в мире по расходу веревок! Подумай, как счастлив благодаря нам тот... у него теперь целый *моток* веревки! А выжженные деревянные ложки! А тарелки с рисуночками на них!

— Наши тарелки были без рисунков, — сказала она. — Мы ведь покупали их вместе, неужели не помнишь?

— Ладно, мы купим еще тарелок. Как насчет того, чтобы на этот раз обзавестись красивой оранжевой или желтой посудой? И чашки чтобы были побольше, чем те, что были у нас. Мы можем дать себе волю в книжном магазине, да и новую одежду тоже можно приобрести...

— Дело не в вещах, Ричи, дело в смысле вещей. Неужели тебя не задевает то, что незнакомцы вломились в твой дом и забрали какое-то количество смысла из твоей жизни?

— Это задевает только тогда, когда мы позволяем ему, — сказал я. — Сейчас мы уже не можем избежать того, что случилось; оно произошло, и чем скорее мы дадим ему уйти в прошлое, тем лучше. Если бы чувство досады могло что-нибудь изменить, я бы досадовал. Но изменение может наступить только тогда, когда мы выбросим это из головы, купим новые вещи и дадим какому-то времени пройти между нами в будущем и этим днем. Пусть они забрали все, что было в трейлере, ну и что? Ведь мы — это главное, не так ли? Лучше, когда мы счастливы вместе в пустыне, чем когда мы живем отдельно во дворцах, заполненных тарелочками и веревочками!

Она вытерла слезы.

— Да, ты прав, — сказала она. — Мне кажется, я изменяю свое отношение. Я часто говорила, что, если кто-то вломится в мой дом, он может брать все, что хочет, и я никогда не буду ничего предпринимать для защиты своей собственности или себя. Но теперь я скажу так. Меня грабили уже три раза, нас с тобой ограбили сегодня, и я решила, что с меня грабежей достаточно. Если мы будем жить в пустыне и дальше, будет нехорошо, если только ты один будешь защищать нас. Я собираюсь внести свою лепту. Я куплю себе оружие!

Через два дня одним страхом в ее жизни стало меньше. Совершенно неожиданно Лесли, которая не могла выносить одного вида пистолета, стала заряжать огнестрельное оружие с легкостью заправского боевика в дозоре.

Она усердно занималась стрельбой, час за часом; и пустыня звучала как поле последней битвы за Эль-Аламейн. Я подбрасывал консервные банку над зарослями полыни, и она попадала в нее один раз из пяти из пистолета «магнум» 0,357 калибра, — затем три раза из пяти, затем четыре раза из пяти.

Пока она заряжала винчестер, я устанавливал в песке в качестве мишеней ряд пустых ракушек, затем отходил в сторону и наблюдал, как она целится и нажимает на курок. Теперь выстрел едва ли заставлял ее глазом моргнуть, и ее мишени исчезали одна за другой слева направо под аккомпанемент резких свистящих раскатов и сверкающих желтизной струй свинца и песка. Мне было трудно понять, что случилось с ней после этого ограбления.

— Ты хочешь сказать, — начал я, — что если кто-то ворвется в наш трейлер, ты...

— Если кто-то ворвется куда угодно, где есть я, он об этом очень пожалеет! Если они не хотят получить пулю, то пусть знают, что грабить нас — не самое лучшее занятие! — Она рассмеялась, когда увидела выражение моего лица. — Не смотри на меня так! Ты скажешь то же самое, я ведь знаю это.

— Нет, это не так! Я скажу по-другому.

— Что ты имеешь в виду?

— Я скажу, что никто не может умереть. Не Убий — это не приказ, это обещание: Ты Не Сможешь Убить, Даже Если Захочешь, потому что жизнь неуничтожима. Но ты свободна в том, что можешь *верить* в смерть, если тебе так хочется.

Если мы пытаемся ограбить чей-то дом и этот человек ждет нас с заряженным пистолетом, — сказал я, — что ж, мы говорим тем самым этому человеку, что мы устали от веры в жизнь на том, во что мы верим как в нашу планету. Мы просим его оказать нам услугу и переместить наше сознание с этого на другой уровень с помощью пули, которую он выпустит, защищая себя. Вот как я скажу об этом. Разве это не так, как ты думаешь?

Она засмеялась и вставила новую обойму в патронник своего ружья.

— Я не знаю, кто из нас более хладнокровен, Ричард, ты или я.

Затем она задержала дыхание, прицелилась и нажала на спусковой крючок. Еще одна пуля взвизгнула и исчезла в пустыне.

После грабежа, поломки генератора и водяных насосов, после того, как вышел из строя холодильник и лопнула труба подачи распыленного топлива в печь, в результате чего трейлер заполнился взрывоопасной смесью, — после этого пришел пыльный дьявол.

Пыльные дьяволы — это малыши-торнадо в пустыне. Они прогуливаются в летнее время, нюхают песчаные дюны здесь, несколько стеблей полыни там — и забрасывают их на тысячу футов в небеса... пыльные дьяволы могут идти туда, куда они пожелают, и делать то, что им заблагорассудится.

После того как генератор заработал снова, Лесли закончила уборку трейлера, уложила пылесос и выглянула в окошко.

— Вуки, погляди-ка на этого громадного пыльного дьявола!

Я выпрямился из-под нагревателя воды, который отказывался выполнять свои функции.

— А он *действительно* большой, моя дорогая!

— Дай-ка мне фотоаппарат, пожалуйста, я хочу его снять.

— Фотоаппарат украли, — сказал я. — Мне очень жаль.

— На нижней полке есть маленькая новая камера. Быстро, пока он не ушел!

Я подал ей аппарат, и она сделала кадр из окна трейлера.

— Он растет!

— В действительности не растет, — сказал я. — Он кажется нам все больше, потому что приближается.

— Мы попадем в него?

— Лесли, все складывается не в пользу пыльного дьявола, у которого для перемещений в распоряжении вся пустыня Невада, все складывается не в его пользу, если он пожелает столкнуться с этим крохотным трейлером, затерявшимся на этих просторах. У него приблизительно один шанс из нескольких сотен тысяч, что...

И тут мир закачался, солнце исчезло, наш навес рванул вверх за стойки и разразился хлопанием ткани на крыше, дверь трейлера внезапно распахнулась, окна завыли от ветра. Песок и мельчайшая пыль посыпались внутрь как от разорвавшейся мины. Занавески прямо влетели в комнату, трейлер задрожал и начал взлетать. Это очень знакомо — поломка аэроплана без высотной панорамы.

Затем солнце снова замигало, завывание прекратилось, вырванный навес свалился на кучу, покрывая собой часть трейлера.

— ...но, кажется, у него... чтобы столкнуться с нами... приблизительно один шанс из двух!

Лесли была недовольна.

— Я только что закончила уборку, закончила *пылесосить* весь наш трейлер!

Если бы она могла достать своими руками шею этого торнадо, она бы показала ему, где раки зимуют.

Случилось так, что дьявол поработал с трейлером каких-то десять секунд, но за это время ему удалось через перегородки, окна и двери забросить в него сорок фунтов песка. Этой земли хватило бы на несколько квадратных футов — мы могли бы посадить картошку на таком огороде!

— Вуки, — сказала она беспомощно, — у тебя возникает иногда чувство, что нам не следует больше жить здесь? Что для нас настало время двигаться дальше?

Я положил на пол гаечный ключ, который сжимал в течение всего налета, и мое сердце наполнилось теплым согласием.

— Я как раз собирался тебя спросить то же самое. Я так устал жить в маленьком ящичке на колесиках! Это продолжается уже больше года! Может, уже хватит? Может, нам найти дом, настоящий дом где-нибудь, который не сделан из пластика?

Она с удивлением посмотрела на меня.

— Неужели я слышу, как Ричард Бах говорит о том, чтобы поселиться на одном постоянном месте?

— Да.

Она смахнула песок с одной части стула и спокойно села.

— Нет, — сказала она. — Я не хочу вкладывать свою душу в приобретение дома, обустройство всего, чтобы затем стать посреди него и понять, что тебе это надоело и эксперимент не сработал. Если ты еще убежден в том, что нас рано или поздно может охватить скука, мы все еще не готовы для дома, не правда ли?

Я подумал об этом.

— Я не знаю.

Лесли считала, что мы открывали внутренние горизонты, возможности нашего ума; она знала, что мы находимся на пути к открытию радостей, которые ни она, ни я сами не могли бы найти. Была ли она права, или просто надеялась?

Мы были женаты уже больше года, и не важно, была ли у нас свадебная церемония или нет. По-прежнему ли я поклоняюсь своим старым страхам? Неужели я предал биплан и пустился в поиски родной души для того, чтобы учиться бояться? Неужели я никак не изменился в итоге всего, что мы сделали вместе, и *ничему* не научился?

Она сидела неподвижно и думала о своем.

Я вспомнил дни, проведенные во Флориде, когда я всматривался в свою жизнь и видел, что она мертвеет — уйма денег, аэропланов и женщин, но никакого продвижения вперед. Сейчас нет и малой части тех денег, и скоро их может уже не быть вообще. Большая часть аэропланов продана. Есть лишь одна женщина, единственная. И жизнь моя движется плавно, как гоночная лодка, — так сильно я изменился и вырос вместе с ней.

Присутствие друг друга было для нас единственным образованием и развлечением. Наша совместная жизнь разрасталась, как летние облака. Спросите у женщины и мужчины, которые плавают на яхте по океанам, скучно ли им? Как они действительно проводят время? Они улыбнутся. Не хватает часов в году, чтобы сделать то, что нужно!

То же и с нами. Мы восхищались, иногда смеялись до упаду, время от времени пугались, были ласковыми, отчаянными, радостными, исследующими, страстными... но ни секунды не скучали.

Какая бы история из этого получилась! Как много мужчин и женщин проходят по тем же рекам, подвергаясь угрозе со стороны тех же самых жестких стереотипов, тех же самых коварных опасностей, которые нависали над нами! Если идея оправдывает себя, думал я, стоило бы снова взяться за пишущую машинку! Как бы Ричард-из-прошлого хотел узнать ответ на вопрос: «Что случается, когда мы отправляемся на поиски родной души, которой не существует, *и находим ее?*»

— Неправильно говорить «Я не знаю», вук, — сказал я после паузы. — На самом деле я знаю. Я хочу, чтобы мы нашли дом, где мы сможем в спокойствии и тишине долго-долго жить вместе.

Она снова повернулась ко мне.

— Ты считаешь, что это обязательно?

— Да.

Она поднялась со своего стула, села рядом со мной на дюйм пустыни, рассыпанной у нас на полу, и нежно поцеловала меня. После продолжительного молчания она заговорила.

— Ты знаешь уже какое-то конкретное место?

Я кивнул.

— Если ты не будешь сильно возражать, вук, я надеюсь, что мы найдем такое место, где будет намного больше воды и намного меньше песка.

ТРИДЦАТЬ ДЕВЯТЬ

Три месяца ушло на то, чтобы тонуть в потоках каталогов торговцев недвижимостью, географических карт и провинциальных газет; целые недели ушли на полеты и осмотры с высоты из нашего Майерса в поисках идеального места для жизни в городах с названиями типа Сладкий Дом, Счастливый Лагерь и Рододендрон. Но наконец настал день, когда окна трейлера представили нашим взорам панораму не полыни, скал и иссохшейся земли, а усыпанных цветами весенних лугов, крутых холмов, покрытых зелеными лесами, и целой рекой воды.

Это была Долина Малых Яблочных Ворот, Орегон. С высоты нашего холма мы могли видеть на двадцать миль вокруг, и нужно было долго всматриваться, чтобы заметить другие дома. Они были, но спрятались среди деревьев и холмов. Здесь мы почувствовали себя наедине и в блаженном покое; здесь мы построим наш дом.

Сначала маленький домик; одну комнату с мансардой, пока будут продолжаться переговоры с ДН. Позже, когда все проблемы решатся, мы построим здесь рядом настоящий дом, а маленький будем называть домиком для гостей.

Департамент порыкивал про себя, пытаясь разделаться с моим новым предложением, а тем временем месяцы складывались в годы. Такое предложение мог бы сделать ребенок — я ни от чего не отказывался. Я чувствовал себя как турист из другой страны, который не знает местных денег. У меня был счет, по которому я не знал, как платить, а поэтому представил все, что у меня было, и попросил ДН взять все, что ему хочется.

Мое предложение перешло на стол еще одного агента в Лос-Анджелесе, который запросил отчет о текущем финансовом состоянии. Он его получил. Затем мы ничего не слышали в течение месяцев. Дело было передано в другие руки. Новый агент потребовал новый отчет о финансовом положении. Он его получил.

Снова прошли месяцы. Еще отчет, еще отчет. Агенты сменяли друг друга как листки перекидного календаря.

Сидя в трейлере, Лесли грустила после получения очередного требования дать отчет о новом финансовом положении. Я услышал тот же самый тихий голос, который я слышал далеко отсюда, в Мадриде, двумя с половиной годами раньше.

— О, Ричи, если бы только я познакомилась с тобой до того, как ты влип в эту историю! Этого бы не произошло...

— Мы не могли встретиться раньше, — сказал я. — Если бы это случилось еще раньше, ты ведь знаешь, — я бы погубил тебя, или убежал от тебя, или у тебя не хватило бы терпения, ты бы бросила меня, — и было бы за что. Ничего бы не сработало; мне нужно было самому выпутываться из этой истории. Я бы теперь ни за что этого не делал, но ведь сейчас я уже совсем другой человек.

— Спасибо Создателю, — сказала она. — Ну что ж, а сейчас уже есть я. Если мы переживем это, то, обещаю тебе, наше будущее никогда не будет похоже на твое прошлое!

Часы тикали, а ДН не замечал и не заботился о том, что наши жизни поставлены на карту.

Банкротство, сказал юрист. Вполне возможно, причудливая теория Джона Маркворта правильна. Не самое лучшее завершение, думал я, но все же лучше, чем эта мертвая точка, лучше, чем эти вечные повторяющиеся снова и снова запросы.

Мы пытались придумать что-то, но в конце концов ничего не сумели. Банкротство. Такая ужасная вещь. Никогда! Вместо путешествия по Парижу, Риму и Токио мы начали стройку на вершине холма.

На следующий день после того, как мы залили фундамент, делая покупки в бакалейной лавке городка, я обратил внимание на новый магазин, появившийся на улице: «Домашние компьютеры».

Я зашел внутрь.

— Лесли, я знаю, что ты будешь называть меня глупым гусем, — сказал я, когда вернулся назад к трейлеру.

Она была испачкана грязью, потому что закапывала канавки с трубами для подвода воды к солнечным батареям на вершине холма, взрыхляла почву своим ручным культиватором «Бобкэт», создавая огород, и щедро отдавала свою заботу и любовь этому месту, где мы наконец решили поселиться.

Такая красивая, думал я, будто целый отдел гримеров накладывал пыль аккуратными полосками, чтобы подчеркнуть черты ее лица. Она не обращала внимания. Она как раз собиралась принять душ.

— Я знаю, что ехал в город, чтобы купить для нас хлеба, — сказал я, — а еще молока, салата и помидоров, если я найду хорошие помидоры. Но знаешь, что я купил вместо них?

Она села, прежде чем начать говорить.

— О, только не это, Ричард. Ты ведь не собираешься мне сказать, что купил... волшебный горшочек?

— Подарок для моей любимой! — сказал я.

— Помилуй, Ричард! Что ты купил? Ведь у нас нет *места*! Может, еще не поздно вернуть назад?

— Мы вернем его, если он тебе не понравится. Но он тебе понравится, ты полюбишь его. Я предрекаю: *твой* ум и *эта* машина...

— Ты купил машину? В бакалее? Она большая?

— Это в каком-то смысле продукт. Это — «Эппл» («Яблоко»).

— Ричард, твой замысел очень приятен мне, но уверен ли ты, что мне нужно... яблоко... сейчас?

— Как только ты покажешься из душа, вук, ты увидишь чудо, прямо здесь в трейлере. Я обещаю тебе.

— Нам еще очень много нужно сделать, и к тому же не хватает пространства. Оно большое? Но я больше ничего не сказал, и она, наконец рассмеявшись, ушла в душ.

Я втащил ящики через узкую прихожую, убрал печатную машинку с откидного столика, положил книги на пол, затем вынул компьютер из пенопластовой упаковки и поставил его на месте машинки. Я перенес тостер и миксер в хозяйственный шкаф, чтобы освободить место для принтера на кухонном столе. Через пару минут два дисковода были подключены, и экран дисплея бледно засиял.

Я вставил диск с программой обработки слов и включил компьютер. Дисковод зажужжал, в течение минуты издавал негромкие звуки, как при вздохах, а затем смолк. Я напечатал сообщение и вывел его за пределы видимых строк на экране, так что один лишь маленький квадратик света остался на мигающем экране.

Она вернулась из ванной свежая и чистая, с волосами, завернутыми для сушки на голове в полотенце.

— Ну, Ричи, я не могу больше терпеть! Где оно? Я сдернул с компьютера посудное полотенце.

— А вот!

— Ричард? — сказала она. — Что это?

— Твой самый персональный... *компьютер*!

Она взглянула на меня без слов.

— Садись здесь, — посоветовал я, — а затем нажми клавишу, обозначенную «Control», и одновременно с ней нажми «В». Это называют «Control-B».

— Так? — спросила она.

Светящийся квадрат исчез, и на его месте на экране возникли слова:

Доброе утро, Лесли!
Я — твой новый компьютер.
Я рад этой возможности познакомиться с тобой
и помогать тебе.
Я тебе понравлюсь, вот увидишь.
Твой новый
Эппл.
Может быть, ты попробуешь написать что-нибудь в следующих за этой строках?

— Разве он не прелесть, — сказала она.

Она попробовала набрать предложение: *Сейчас пришло время всем хорошим людям начи*

— Я ошиблась.

— Переведи курсор на место, где ошибка, а затем нажми вот эту клавишу со стрелкой влево.

Она сделала это, и ошибка исчезла.

— А можно его что-нибудь попросить сделать?

— Он сам научит тебя. Нажми на «Escape» дважды и на «М» несколько раз, а затем сделай то, что будет написано на экране...

Это были мои последние слова, которые я сказал Лесли за следующие десять часов. Она, как в трансе, сидела перед экраном и изучала систему команд. Затем она стала набирать на компьютере файлы с разнообразной информацией: график постройки дома, списки идей, деловую переписку.

Компьютер не требовал бумаги до того, пока текст не набит и не готов к печати. Деревьям не нужно было умирать, чтобы стать бумагой, которую потом выбрасывают из-за опечаток.

— Вуки, — сказала она после полуночи, — извини меня. Я была неправа.

— Все в порядке, — сказал я. — В чем ты была неправа?

— Я думала, что ты — глупый гусенок, который купил как раз то, что нам нужно, большую электронную игрушку, и она займет весь трейлер, а мы останемся под дождем. Я не сказала тебе этого, потому что это был твой искренний подарок. Я *ошиблась!* Этот компьютер такой... — Она взглянула на меня, затем поискала его на экране и навела на него курсор: — *...организованный*! Он изменит нашу жизнь!

Она была так очарована возможностями компьютера, что больше чем по разу в каждый из последовавших дней я должен был очень вежливо спрашивать, можно ли мне тоже посидеть несколько минут перед экраном. Я тоже хотел учиться.

— Бедный мой, — говорила она с отсутствующим видом, набирая что-то на клавиатуре. — Конечно, ты хочешь учиться. Через несколько минуточек...

Минуточки обращались часами, днями; я не мог ее оторвать. Вскоре я вновь побывал в эппловском магазине и приволок на буксире второй компьютер. Для него нам пришлось установить разборный чертежный столик в самом свободном углу трейлера, превратив его тем самым в самый заваленный.

Компьютеры были очень увлекательны, но это не все. Они стали также нашим компасом в лесу идей, расписаний и стратегий, которые требовали к себе внимания. Впридачу к этому они могли выдавать финансовые отчеты быстрее, чем ДН успевал моргнуть глазом; нажимая одну клавишу, мы могли похоронить их в кипе бумаг.

Ко времени окончания строительства нашего маленького домика мы оба стали приличными экспертами в общении с нашими небольшими смышлеными машинками. Мы приспособили их для наших персональных нужд: выключатели установлены в точности там, где нужно, дополнительные платы с оперативной памятью вставлены, налажена связь по проводам с телефонной линией для получения доступа к гигантским компьютерам на расстоянии.

Через неделю после нашего переезда в новый дом компьютеры работали по шесть часов в день, стоя рядом друг с другом на столе в углу нашей спальни, который мы превратили в офис.

Наш лексикон тоже изменился.

— Моя новая примочка повисла, вуки! — И она показала мне экран, заполненный вереницами замерзших муравьев. — С тобой так часто бывает?

Я понимающе кивнул.

— Да. Это что-то с диском или с драйвером, — сказал я. — Ведь у тебя 80-символьная клавиатура. Перезагрузись, если можешь, и попробуй войти с моего дисковода. Если с моего сработает, тогда, значит, виновата не твоя клавиатура, а твой диск. Может быть, упала скорость вращения твоего дисковода и твой диск заедает в нем. Надеюсь, что это не так, но мы починим его в любом случае.

— Дело не в диске, ведь я бы тогда получила ошибку на вводе, — сказала она, нахмурившись. — Мне нужно внимательно разобраться и найти причину, из-за которой вылетает вся программа и мой компьютер зависает. Вот смотри, я нажимаю, например...

Вдруг мы услышали с улицы невозможный звук, шуршание шин по гравию. По нашему крутому подъему на холм, вопреки пяти предупреждающим знакам — *Проезда нет. Любой ценой держись подальше отсюда, говорят тебе!* — поднимался автомобиль.

Из него вышла женщина с пачкой бумаг в руках. Она осмелилась вторгнуться в наше драгоценное уединение.

Я вскочил из-за моего компьютера, выбежал на улицу и встретил ее в пяти шагах от дома.

— Доброе утро, — сказала она вежливо с приятным британским акцентом. — Я надеюсь, я вас не сильно побеспокоила...

— Побеспокоили, — рявкнул я. — Неужели вы не заметили **знаков?** Знаков *Проезда нет*?!

Она замерла, как лань, глядящая в упор в дуло охотничьего ружья.

— Я хотела лишь сказать вам — *они собираются срубить все деревья, которые больше никогда не вырастут!* — И она устремилась подальше от опасности назад к своей машине.

Лесли выбежала из дома, чтобы задержать ее.

— Они... кто они? — спросила она, — Кто собирается рубить деревья?

— Правительство, — сказала леди, поглядывая нервно на меня через плечо Лесли. — Комитет по земельным ресурсам. Это незаконно, но они сделают это, потому что никто не останавливает их!

— Заходите, — сказала ей Лесли, кивнув мне без слов: *Свои, Кинг!* — как будто я был семейной сторожевой собакой, — пожалуйста, заходите, и давайте поговорим об этом.

Вот так, с поднятой шерстью на загривке, я начал заниматься общественной деятельностью — хотя я и сопротивлялся этому началу приблизительно с того времени, когда научился ходить.

СОРОК

Дениз Финдлейсан оставила нам пачку документов, развеивающийся шлейф пыли на дороге и тяжелое чувство подавленности. Не достаточно ли для меня моих собственных хлопот с правительством, чтобы мне теперь беспокоиться, как бы оно не уничтожило саму местность, окружающую нас?

Я обложился подушками на кровати и прочел первые несколько страниц. Сообщения о масштабах заготовки лесоматериалов местными властями. Я вздохнул и сказал:

— Все это выглядит очень официально, вуки; кажется, мы выбрали плохое место для постройки дома. Как ты относишься к тому, чтобы продать его и двинуться дальше на север, в Айдахо, например, или Монтану?

— А разве не в Айдахо они занимаются добычей полезных ископаемых открытым способом? — сказала она, почти не отрываясь от документов, которые держала в руках. — И разве не в Монтане находятся урановые рудники и радиоактивные полевые цветочки?

— Вижу, что ты хочешь мне что-то сказать, — ответил я. — Почему бы нам не развернуть наши карты прямо здесь, на кровати, и не посмотреть на все то, о чем мы сейчас говорим?

Она отложила страницу с государственным петитом.

— Давай не будем убегать до тех пор, пока обстоятельства не вынудят нас окончательно. Узнаем прежде всего, что здесь происходит. Ты когда-нибудь вступал в борьбу с несправедливостью?

— Никогда! Ты ведь знаешь. Я не верю в несправедливость. Мы сами создаем для себя все события, все... разве ты не согласна с этим?

— Возможно, — сказала она. — Зачем же тогда ты создал эту проблему? Ты считаешь, что для того, чтобы правительство вырубило лес на следующий день после того, как мы отсюда уедем?

Для того, чтобы было от чего убегать? Или для того, чтобы чему-то научиться?

Если любимая очень сообразительна, думал я, это радость, но иногда она колется.

— И чему же следует учиться?

— Если мы захотим этого, мы можем изменять события, — сказала она, — ведь какими могущественными мы можем быть вместе, как много хорошего можем мы сделать.

Я загрустил. Она была готова умереть для того, чтобы изменить обстоятельства, закончить войну, исправить ошибки, которые она замечала в окружающем мире. И то, что она решила изменить, менялось.

— Разве ты не исчерпала еще свою социальную активность? Разве ты не говорила уже раньше: «Никогда впредь!»?

— Это было, — сказала она. — Думаю, что я уплатила все долги обществу на следующие десять жизней вперед, и после кампании с КВСТ я поклялась держаться подальше от этих мероприятий до конца дней этой. Но бывают моменты, когда...

Я чувствовал, что она не хочет говорить то, что собиралась сказать, и что она ищет слова, чтобы выразить никогда-не-выразимое.

— Я могу поделиться с тобой тем, чему я научилась, — сказала она, — а не тем, что я *знаю*. Если ты хочешь узнать, можешь ли ты делать добро, вместо того чтобы отступать, я бы на твоем месте вышла из уединения. Я ничуть не сомневаюсь: если мы захотим предотвратить вырубку правительством леса, который больше не вырастет, мы сможем это сделать. Если вырубка незаконна, мы добьемся своего. Если законна, мы всегда успеем уехать в Айдахо.

Ничего не было для меня более неинтересным, чем убеждать правительство в необходимости изменить его решение. Люди попусту тратят свои жизни, пытаясь сделать это. Если мы в конце концов победим, это будет победа над бюрократией, которая в этом случае не сделает того, что она с самого начала и не должна была пытаться делать. Нет ли более утомительного занятия, чем удерживать чиновников в пределах закона?

— Прежде чем мы уедем, — сказал я, — можно было бы быстро убедиться в том, что они делают все правильно. Пустим в дело наши компьютеры. Но уверяю тебя, мой маленький олененок, мы не заставим правительство Соединенных Штатов изменить его собственные законы!

Была ее улыбка ласковой или горькой?

— Я уверена, — сказала она.

После обеда в этот день наши компьютеры в лесу со скоростью света посылали мерцающие вопросы компьютеру в Огайо, который мгновенно переправлял их компьютеру в Сан-Франциско, который засыпал ответами наши экраны: *федеральное законодательство запрещает продажу и вырубку невосстанавливающихся лесных насаждений, находящихся на землях общественного пользования.* Вслед за этим приводились сведения о восьмидесяти двух связанных с этим судебных делах. Неужели, переехав в беззащитные леса южного Орегона, нам довелось попасть сюда в последнюю минуту перед началом безжалостного насилия и убийств?

Я взглянул на Лесли и согласился с ее безмолвным выводом. Не было никакой возможности не обратить внимания на преступление, которое вот-вот должно было свершиться.

— Когда у тебя появится минутка, — сказал я на следующий день, когда мы работали за нашими сияющими экранами. Это была условная фраза у нас, когда мы работали с компьютерами: просьба обратить внимание и в то же время слова: «Пожалуйста, не отвечай сейчас, если одно ошибочное нажатие клавиши погубит всю твою сегодняшнюю работу».

Через некоторое время она оторвала глаза от экрана.

— Да!

— Не кажется ли тебе, что сам лес позвал нас сюда? — сказал я. — Может быть, он на ментальном уровне взывал о помощи? И феи деревьев, духи растений и эльфы диких животных построили вместе сотню совпадений, чтобы мы остановились здесь и вступили в борьбу за них?

— Это очень поэтично, — сказала она. — Возможно, так оно и есть. — Она повернулась и продолжила работу.

Через час я снова не вытерпел:

— Когда у тебя появится минутка...

Через несколько секунд дисковод ее компьютера зажужжал, сохраняя данные.

— Да!

— Как они могут сделать это? — сказал я. — Ведь КЗР уничтожает ту же самую землю, которую он, согласно закону, должен защищать! Это похоже на... медвежонка Смоуки, который убивает деревья!

— Обещаю, что скоро ты выучишь одно, вуки, — сказала она. — Что у правительства почти отсутствует способность предвидеть будущее и почти бесконечные возможности делать глупости, применять силу и разрушать. Не совсем бесконечные возможности, но почти. Это «почти» проявляется, когда люди становятся достаточно решительными, чтобы противостоять.

— Я не хочу этого выучивать, — сказал я. — Пожалуйста, послушай, я хочу научиться видеть, что правительство дальновидно и прекрасно и что граждане не должны тратить свое личное время на защиту себя от избранных ими политических лидеров.

— Не правда ли, мы хотим ... — сказала она, далеко опережая меня своей мыслью. Затем она вернулась опять ко мне. — Это будет нелегко сделать. Это не просто лесок вон там, это большие деньги, большая власть.

Она положила федеральный документ мне на стол.

— КЗР получает солидные доходы от компаний по продаже лесоматериалов. Комитету платят за то, что он *продает,* а не за то, что он сохраняет. Поэтому не думай, что мы сходим к местному директору, укажем ему на нарушение закона и он скажет нам: «Конечно, мы виноваты и больше не будем *этого* делать!» Это будет длительная, упорная борьба. По шестнадцать часов в день и семь дней в неделю — вот чего потребует победа. Но давай не начинать действовать, если мы не намереваемся победить. Если хочешь выйти из игры, давай сделаем это сейчас.

— В любом случае мы не можем проиграть, — сказал я, вставляя новую дискету с данными в дисковод своей машины. — До тех пор, пока ДН может наброситься и отобрать первую копию любой рукописи из моего компьютера, не имеет смысла писать. Но я же могу написать целый вагон протестов против вырубки леса! Правительство не конфискует то, что я напишу... мы будем посылать *это* прямо ему. *Столкновение Комитетов* — вот как я сейчас это вижу. Прежде чем ДН решится отобрать мои деньги, я расходую их на борьбу с КЗР!

Она засмеялась.

— Иногда я верю тебе. Возможно, действительно не существует несправедливости.

Наши приоритеты изменились. Наша работа остановилась, когда мы усердно принялись за изучение материалов. На нашем рабочем столе, на кухонном столе и на кровати были свалены тысячи страниц данных о лесных ресурсах, системе вырубки-восстановления насаждений, эрозии почв, восстановлении почв, сохранении грунтовых вод, изменениях в климате, угрозе исчезновения видов, социоэкономических аспектах лесной промышленности в их связи с преимуществами от анадромного разведения рыбы на прилегающих к лесу участках, защите прибрежных зон водоемов, коэффициентах теплопроводности гранитных почв и законах, законах, законах. Книги законов. Национальная программа по защите окружающей среды, федеральная земельная политика и Закон об использовании земельных ресурсов, Постановление о защите исчезающих видов растений и животных, НАТЛП (Национальная ассоциация торговцев лошадиными подковами), ФАКЗВ (Федеральная администрация по контролю за загрязнением воды), АД (Автомобильная ассоциация), СЧВ (Стандарты на чистоту воды), Постановление N516 М ДП (Департамента по промышленности). Законы выпрыгивали со страниц и через наши пальцы попадали в компьютеры; записывались с помощью электронов, кодов и ссылок на ячейки памяти, заполняли дискету за дискетой, которые дублировались в сетевых банках данных на случай, если с нами или с домом, где мы работали, что-то произойдет.

Когда мы собрали достаточно убедительной информации, мы начали встречаться с соседями. Присоединившись к Дениз Финдлейсан и Чанту Томасу, которые сражались в одиночку до того, как мы пришли на помощь, все вместе мы стали требовать содействия от других.

Большинство жителей долины не хотели впутываться... и как хорошо я понимал их позицию!

— Никому никогда не удавалось остановить правительственную лесоторговлю, — говорили они. — Ничто не может остановить КЗР от заготовки лесоматериалов там, где он захочет их заготавливать.

Но когда они узнавали то, что узнали мы, что превращение лесов в пустыни противозаконно, мы обнаружили себя среди членов движения за сохранение леса, которых насчитывалось более семисот человек. Наше домашнее укрытие на природе стало штаб-квартирой, а наш маленький пригорок — муравейником, куда наши союзники приходили и откуда уходили в любое время суток, чтобы получать и давать данные для компьютеров.

Я познакомился с Лесли, которой раньше никогда не видел: полная сосредоточенность на сегодняшних делах; никаких улыбок, никаких личных вопросов; однонаправленная полная концентрация ума.

Снова и снова она говорила нам:

— Эмоциональные воззвания не помогут: «Пожалуйста, не рубите прелестных деревьев, не надо портить ландшафт, не давайте животным гибнуть». Все это ничего не значит для Комитета по земельным ресурсам. Но и не угрожайте тоже: «Мы защитим деревья броней, мы застрелим вас, если вы попытаетесь убить лес». Это приведет к тому, что они будут заготавливать лес под защитой Армии. Единственное, что может остановить правительство, — это юридические действия. Когда мы будем знать законы лучше, чем они, когда они поймут, что мы подадим в суд и выиграем дело, когда мы докажем, что они нарушают федеральное постановление, — только тогда рубка леса прекратится.

Мы пытались вести переговоры с КЗР.

— Не надейтесь на понимание с их стороны, — сказала она. — Ждите от них оговорок, уловок, обещаний типа мы-не-будем-этого-больше-делать. Но диалог с ними нам следует поддерживать. — Она была права в каждом своем слове.

— Лесли, я не могу поверить в эти слова! Ты читала их? Директор медфордского КЗР сидел и разговаривал с нами! Все это записано, слушай:

Ричард: Вы хотите сказать, что вам нужно убедиться в массовости протеста против вырубки, или же для вас совсем не важно, что говорят люди?

Директор: Если вы спрашиваете это у меня лично, я отвечаю, что скорее всего число людей не играет роли.

Ричард: А если бы там было *сорок тысяч* подписей, если бы все население Медфорда, штат Орегон, запротестовало против продажи леса, это бы тоже ничего не значило?

Директор: Для меня — ничего.

Ричард: Если бы возражения выдвигали специалисты по лесному хозяйству, вы бы прислушались к ним?

Директор: Нет. Меня не волнуют выкрики из толпы.

Ричард: Нам бы хотелось узнать, что заставляет вас с такой уверенностью продолжать свое дело, не обращая внимания на общественный протест?

Директор: Ведь это же наша работа.

Ричард: Изменилось ли что-либо в продаже леса в связи с недовольством людей?

Директор: Нет. Никогда.

Она почти не мигая смотрела на дисплей своего компьютера.

— Хорошо. Запиши это под названием *Недостаточно правильные убеждения*. На диск номер двадцать два, после файла *Торговля нарушает Национальный закон о защите окружающей среды*.

Редко когда у нее возникала злоба на наших недоброжелателей. Она собирала такие свидетельства в файлах как документы для передачи дела в суд.

— А что, если бы мы были медиумами, — сказал я ей однажды, — и точно знали, как и когда директор закончит свою жизнь? Если бы мы знали, что ему осталось жить два дня — а послезавтра несколько тонн колод скатится с грузовика и раздавит его? Отразилось бы это на том, как мы сейчас думаем о нем?

— Нет, — сказала она.

Те деньги, которые ДН не согласился принять, пошли на публикацию брошюр по специальным вопросам: «Предварительный обзор качества воды речек Грауз и Мьюл, а также ручьев, протекающих в ущельях Уотерз и Хэнли, которые являются притоками реки Малых Яблочных Ворот, относящейся к бассейну реки Бивер в округе Джексон, штат Орегон», «Отчет о предполагаемых последствиях действий, намеченных в плане по заготовке лесоматериалов в промышленной зоне реки Грауз, в связи с их опасностью для животных и растений леса и водоемов», «Экономический обзор продажи леса из зоны реки Грауз». И еще восемь трудов с такими же бросающимися в глаза заглавиями.

Бывало, мы стояли на нашем небольшом холме и смотрели на лес. Он бессмертен, как горы, думали мы раньше. Теперь мы видели, что это — уязвимая семья растений и животных, которые живут вместе согласованно и гармонично, находясь под угрозой лезвия бензопилы на грани исчезновения вследствие нелепой вырубки.

— Держитесь, деревья! — кричали мы лесу. — Держитесь! И не беспокойтесь! Мы обещаем, что остановим их.

Иной раз, когда нам приходилось туго, мы просто бросали беглый взгляд в окно, отводя глаза от наших компьютеров.

— Мы делаем все, что в наших силах, деревья, — бормотали мы.

Эпплы стали для нас тем, чем кольты являются для боевиков. КЗР дает общественности тридцать дней для того, чтобы опротестовать каждый новый проект по заготовке леса, а затем колеса начинают вращаться и лес погибает. Он ожидает получить от двух до десяти страниц возмущенных заявлений от граждан, умоляющих о снисхождении к окружающей среде.

От нас — от нашей организации и ее персональных компьютеров — они получили шестьсот страниц фактических материалов, подтвержденных с самых разных сторон. Это были сведения о подобных делах и примеры восторжествовавшего правосудия — всего три тома. Копии были отправлены сенаторам, представителям президента и печатным изданиям.

Постоянная, поглощающая все время борьба продолжалась двенадцать месяцев. Это был поединок с Комитетом по земельным ресурсам.

Все мои аэропланы были проданы. Впервые за всю мою взрослую жизнь проходили недели, а потом месяцы, в течение которых я ни разу не летал на аэроплане, ни разу не отрывался от земли. Вместо того чтобы взирать на все сверху из красивых, свободных самолетов, я поднимал глаза вверх, чтобы посмотреть на них, вспоминая, как много для меня когда-то значило — летать. Вот как себя чувствует земное пресмыкающееся! Бр-р-р!

Вдруг однажды в среду в подтверждение упрямой уверенности Лесли и к моему величайшему удивлению правительство прекратило заготавливать лес.

— Продажа лесоматериалов связана с такими серьезными нарушениями юридических основ деятельностью КЗР, что ее нельзя допустить в законном порядке, — прокомментировал в прессе орегонский представитель государственного директора КЗР. — Для того чтобы наши действия соответствовали всем постановлениям, мы можем лишь прекратить заготовку и отказать всем заказчикам.

Местный директор КЗР не погиб в результате падения колод. Он и его ближайший менеджер были переведены из нашего штата на другие административные должности.

Празднование нашей победы выразилось в двух предложениях.

— Пожалуйста, не забывай этого, — сказала мне Лесли, тогда как ее компьютер остывал впервые за все время с начала нашей кампании. — Правительственная пропаганда говорит: «Ты не можешь протестовать против государственных учреждений». Но когда люди решаются на борьбу с государственными учреждениями, всего лишь несколько маленьких людей против чего-то огромного, которое поступает неправильно, ничто — ничто! — не может помешать им победить!

Затем она упала на кровать и проспала три дня.

СОРОК ОДИН

Где-то в середине нашей схватки с КЗР часы ДН пробили полночь, но их никто не услышал. Департамент по налогообложению затягивал принятие решения около четырех лет, и прошел уже год с тех пор, как я получил законную возможность отказаться от выплаты долга в миллион долларов в связи с банкротством.

Пока длилась битва с КЗР, мы не могли найти свободного времени, чтобы рассмотреть возможность согласия на мое банкротство; когда она закончилась, мы едва ли могли думать о чем-то другом.

— Это будет не очень весело, маленький вук, — сказал я, мужественно решаясь на четвертую попытку испечь лимонный пирог по рецепту моей матери. — Все будет потеряно. Мне придется начать все с нуля.

Она накрывала стол для обеда.

— Нет, тебе не придется, — сказала она. — Законы о банкротстве говорят, что тебе разрешается оставить себе «инструменты, необходимые для твоего ремесла». И есть еще крайний минимум средств, который ты можешь взять себе для того, чтобы не умереть от голода слишком скоро.

— Серьезно? Можно содержать дом? Жилище? — Я раскатал тесто тонким слоем, поместил его на противень и призвал на помощь фею хрустящей корочки.

— Дом содержать нельзя. Даже трейлер.

— Мы можем пойти жить среди деревьев.

— Это будет не так уж плохо. Мэри Кинозвезда имеет сбережения, не забывай; и *она* не разорится. Но что ты скажешь о правах на свои книги! Ведь ты же потеряешь их! Что ты скажешь, если кто-то купит права и распорядится ими по своему усмотрению, если он снимет дешевые фильмы по твоим прекрасным книгам?

Я поставил противень с пирогом в печь.

— Я переживу это.

— Ты не ответил на мой вопрос, — сказала она. — Но можешь не отвечать. Что бы ты ни сказал, я знаю как ты себя чувствуешь. Нам придется быть очень бережливыми, экономить каждый цент и думать о том, как выкупить права.

Перспектива потери авторских прав на книги преследовала нас обоих подобно необходимости продать своих детей с аукциона тому, кто даст самую высокую цену. И они будут потеряны, и аукцион состоится, если я соглашусь на банкротство.

— Если я пойду на это, правительство получит по тридцать или сорок центов вместо каждого доллара, который я ему должен и мог бы уплатить полностью. КЗР пытался затевать незаконную торговлю лесом и потерпел неудачу, которая влетела правительству в копеечку. Если это случилось с нами, вуки, если мы просто наблюдаем свою крохотную часть происходящего, сколько миллионов они выбрасывают везде в других местах? Как правительство может быть таким процветающим и делать так много ошибок?

— Я удивлялась этому тоже, — сказала она, — и думала об этом. В конце концов я пришла к единственному возможному ответу.

— И каков же он?

— Практика, — сказала она. — Неустанная, безжалостная практика.

Мы полетели в Лос-Анджелес и встретились с юристами и счетоводами на последнем оборонительном рубеже наших попыток прийти к согласию.

— Я сожалею, — сказал Джон Маркворт, — но мы не можем получить доступ к их компьютеру. Ни один человек нам не отвечает на письма и на телефонные звонки. Компьютер время от времени посылает сообщения. Не так давно мы получили информацию, что дело ведет новый агент, миссис Фомпир. Она двенадцатая. Держу пари, что она собирается запросить у нас отчет о финансовом состоянии. Все ясно, думал я. Они вынуждают меня пойти на банкротство. И все же я уверен, что несправедливости нет; я знаю, что наши жизни даются нам для обучения и развлечений. Мы создаем себе проблемы, чтобы проверить на них свои силы... если бы у меня не было этих проблем, появились бы другие — такие же настоятельные проблемы. Никто не может учиться в школе без контрольных вопросов. Но эти вопросы часто имеют неожиданные ответы, а иногда бывает и так, что можно дать только один, чрезвычайно категоричный ответ.

Один из консультантов нахмурился.

— Я работал в ДН в Вашингтоне тогда, когда Конгресс принимал голосованием закон о погашении путем банкротства задолженности при невыплате федеральных налогов, которым вы хотите воспользоваться, — сказал он. — ДН очень не нравился этот законопроект, и когда он вступил в юридическую силу как закон, мы поклялись, что, если кто-то попытается воспользоваться им, мы сделаем так, что он пожалеет об этом!

— Но если это закон, — сказала Лесли, — как они могут помешать людям пользоваться...

Он покачал головой.

— Я просто честно предупреждаю вас. Есть закон или его нет, а ДН не даст вам покоя; они будут досаждать вам всеми возможными способами.

— Но ведь они *хотят,* чтобы я стал банкротом, — сказал я, — поэтому какие у них могут быть возражения!

— Возможно, это так.

Я посмотрел на Лесли, на ее уставшее лицо.

— К чертям ДН, — сказал я.

Она кивнула.

— Достаточно четырех потерянных лет. Давай снова вернем себе наши жизни.

К юристу, который оформляет документы при банкротстве, я принес список всего, что имел: дом, джип с трейлером, банковские счета, компьютер, одежду, легковой автомобиль и авторские права на все книги, которые я написал. Я потеряю все это.

Юрист прочитал список молча, а затем сказал:

— Суд не будет интересоваться тем, сколько у него пар носков, Лесли.

— В моей книге о банкротстве сказано включить в список все, — ответила она.

— Носки можно было не перечислять, — сказал он.

Оказавшись в преддверии ада, благодаря тучным циклопам из ДН с одной стороны и отбивая атаки пилильщиков из КЗР с другой, мы боролись то с одним монстром, то с двумя сразу в течение четырех лет без перерыва.

Никаких приключений, книг, постановок, кинокартин, телевидения, никакой продуктивной деятельности — ничего из жизни, которой мы жили до того, как сражение с правительством стало нашим основным занятием.

И во всем этом, несмотря на то что это были самые напряженные и трудные времена из всех, которые мы когда-либо переживали — и это было самое странное — ...мы становились все более счастливы, живя вместе.

После испытания с ограблением трейлера мы неторопливо жили в маленьком домике, который мы построили на холме. Ни разу не разлучались на большее время, нежели было необходимо для того, чтобы съездить в город за продуктами.

Я знал, что она это знает, но ловил себя на том, что снова и снова говорю ей, что люблю ее. Мы ходили под руку как влюбленные по городским тротуарам, гуляли, взявшись за руки, в лесу. Поверил ли бы я в прежние годы, что буду несчастным, если буду идти, не прикасаясь к ней?

Было похоже на то, что наш брак сработал вопреки ожидаемому — вместо того чтобы стать холоднее и отдаленнее друг от друга, мы сближались и наши отношения становились все более теплыми.

— Ты предрекал скуку, — иногда серьезно произносила она.

— А где наша взаимная потеря уважения? — настаивал я.

— Скоро уже воцарится тоска, — говорили мы друг другу.

То, что раньше вызывало у нас благоговейный страх, стало темой для бесхитростных шуток, которые вызывали у нас веселый смех.

С каждым днем мы узнавали друг друга лучше, и наш восторг и радость от совместной жизни тоже возрастали.

Мы фактически жили совместно уже четыре года со времени начала нашего эксперимента, принадлежа исключительно лишь друг другу, когда рискнули предположить, что мы и есть родные души.

Юридически, тем не менее, мы были холостяком и незамужней женщиной. Никакого законного брака, пока не разберетесь с ДН, предупредил нас Маркворт. Не вступайте в брак, пожалуйста. Пусть Лесли не впутывается в это дело, в противном случае ее посадят на мель вместе с тобой.

Когда банкротство было оформлено, мое дело в ДН закончилось, и мы получили наконец возможность заключить законный брак.

Контору по заключению браков я вычислил по телефонному справочнику между «Ботаническим садом» и «Бюро заказов», и это событие стало на повестку дня в нашем списке «Что нужно сделать в субботу в Лос-Анджелесе»:

9:00 *Упаковаться и все проверить.*

10:00 *Аптека — светозащитные очки; записные книжки, карандаши.*

10:30 *Свадьба.*

В убогой комнатке мы отвечали на вопросы, которые задавала служащая. Когда она услышала имя Лесли, она подозрительно взглянула на нее.

— Лесли Пэрриш. Это знакомое имя. Кто вы?

— Никто, — сказала Лесли.

Леди снова прищурилась, пожала плечами и стала впечатывать имя в бланк.

К каретке ее ручной печатной машинки была приколота надпись: *Христиане не совершенны, им просто прощают.* К стене был прибит еще один плакатик: ЗДЕСЬ МОЖНО КУРИТЬ. Контора была насквозь прокурена, пепел валялся на столе и на полу.

Я взглянул на Лесли, затем быстро перевел глаза на потолок и вздохнул. В телефонном справочнике, сказал я ей без слов, не было предупреждения, что здесь окажется гадко.

— Вот, у нас есть простые свидетельства о браке, — сказала служащая, — по три доллара. Есть специальные с золотыми буквами — по шесть. Или же есть еще роскошные с золотыми буквами и сверкающим покрытием на них. Эти по двенадцать долларов. Какие вы хотите? — Образцы были пришпилены к рыхлой доске объявлений.

Мы посмотрели друг на друга и вместо того, чтобы покатиться со смеху, важно покивали головой. Вот где нами совершался юридически важный шаг.

Мы произнесли одновременно одно и то же слово: *простое.*

— Простое нам подойдет, — сказал я.

Женщина не обратила внимания. Она вставила скромное свидетельство в печатную машинку, постучала по клавишам, подписала его, крикнула, приглашая войти из коридора свидетелей, и повернулась к нам.

— Теперь если вы оба распишетесь вот здесь...

Мы расписались.

— Фотограф обойдется в пятнадцать долларов...

— Это мы пропустим, — сказал я. — Нам не нужны фотографы.

— Церковный взнос — пятнадцать долларов...

— Мы бы также обошлись без церемонии. Не нужно никакой.

— Без церемонии? — Она вопросительно уставилась на нас, но мы не ответили, и она пожала плечами. — О'кей. Я объявляю вас мужем и женой.

Она вполголоса складывала цифры.

— За свидетелей... окружной сбор... стоимость регистрации... всего тридцать восемь долларов, мистер Бах. А вот конверт для пожертвований, которые вы захотите сделать.

Лесли достала из кошелька наличные, тридцать восемь долларов и пять долларов для конверта. Она подала их мне, а я передал их служащей конторы. Подписи закончились, со свидетельством в руках мы с женой вышли оттуда как можно быстрее.

Сидя в машине среди городского транспорта, мы надели друг другу обручальные кольца и открыли окна, чтобы из нашей одежды выветрился дым.

Затем в течение первых полутора минут нашей жизни в законном браке мы смеялись.

Ее первыми словами в качестве моей законной супруги были:

— Да, ты явно умеешь вскружить голову девушке!

— Давай взглянем на дело так, миссис Пэрриш-Бах, — сказал я. — Это все было запоминающимся, не правда ли? Неужели мы скоро забудем день нашей свадьбы?

— К несчастью, не скоро, — засмеялась она. — О, Ричард, ты — самый романтичный...

— За сорок три доллара романтики не купишь, моя козочка. Романтика — это когда ты получаешь роскошное свидетельство; а за сверкающее покрытие на буквах нужно дополнительно платить. Но ты ведь знаешь, нам нужно считать копейки.

Ведя машину, я повернулся к Лесли на секунду и сказал

— Ты чувствуешь какие-то изменения сейчас? Ты чувствуешь себя более замужем, чем раньше?

— Нет. А ты?

— Чуть-чуть. Что-то изменилось. Минуту назад в этом прокуренном домике мы сделали то, что наше общество считает Подлинной Вещью. Все, что мы делали до этого, не играло никакой роли, это были просто наши совместные радости и горести. *Подписать бумагу* — вот что важно. Возможно, теперь я чувствую, что одной областью, куда правительство могло бы сунуть свой нос, стало меньше. И знаешь, что мне кажется? Чем более я обучаюсь, вук, тем меньше мне нравится правительство. Или это только наше такое?

— Присоединяйся к толпе, дорогой мой. Бывало, у меня выступали слезы на глазах, когда я видела государственный флаг, так я любила свою страну. Я была счастлива, что живу здесь, я думала, я не должна лишь пользоваться этим, я должна тоже что-то делать — участвовать в выборах, поддерживать демократические процессы!

Я многому научилась и постепенно начала понимать, что вещи не совсем похожи на то, что мы о них узнаем внешне: американцы — не всегда самые лучшие ребята; наше правительство не всегда поддерживает свободу и справедливость!

Война во Вьетнаме подогрела меня, и, чем больше я занималась, я просто не могла поверить, что Соединенные Штаты выступают против выборов в чужой стране потому, что мы знаем, что результат будет не в нашу пользу; Америка поддерживает марионеточного диктатора; американский президент публично заявляет, что мы ведем войну не потому, что добиваемся справедливости во Вьетнаме, а потому, что хотим получить его *олово и вольфрам!* Я свободна протестовать, думала я. Поэтому я присоединилась к мирной манифестации, законной ненасильственной демонстрации протеста. Мы не были безумцами, мы не были грабителями, которые сбрасывали зажигательные бомбы, мы были самыми честными людьми Лос-Анджелеса: юристами, врачами, родителями, учителями, бизнесменами.

Полиция преследовала нас, будто мы были бешеными собаками, до крови избивая нас дубинками. Я видела, как они били матерей, которые держали на руках младенцев, я видела, как они вышибли дубинками человека из инвалидной коляски и как кровь текла по тротуару! И это Город Лос-Анджелес!

Этого не может быть, продолжала думать я! Мы — *американцы,* и нас атакует *наша собственная полиция!* Я убежала, когда они начали бить меня, и я не знаю, что там происходило дальше. Какие-то друзья взяли меня к себе домой.

«Хорошо, что меня не было там, — подумал я. — Моя несдержанность так хорошо спрятана во мне, но я бы там озверел от ярости».

— Когда я видела фотографию в газете, где полиция расправляется с толпой, я обычно думала, что они сделали нечто ужасное и заслужили такое обращение, — продолжала она. — В тот вечер я поняла, что даже в нашей стране для того, чтобы провиниться, достаточно не согласиться с правительством. Они хотели войны, а мы нет. Поэтому они нас поколотили!

Я сидел в напряжении и дрожал, это ощущалось в руках, которые управляли машиной.

— Вы представляли серьезную опасность для них, — сказал я, — тысячи законопослушных граждан, говорящих «нет» войне.

— Война. Мы расходуем *так много денег* для того, чтобы убивать и разрушать! Мы оправдываем это тем, что называем это обороноспособностью, запугивая другие народы и вызывая ненависть у жителей тех стран, которые мы не любим. Когда они хотят, чтобы у них было лучшее правительство, мы не поддерживаем их, а когда они слишком слабы, мы порабощаем их. Самоопределение у нас, а не у них.

Разве это хороший пример? Многое ли мы делаем из сострадания или понимания других людей? Сколько мы расходуем на мир?

— Половину того, что идет на войну? — спросил я.

— Если бы так! Нам мешает наш лицемерный склад ума, который говорит: «Бог заботится о нашей стране». Она является препятствием для согласия во всем мире. Она натравливает людей друг на друга! «Бог заботится о нашей стране», «закон на страже порядка» — вот откуда разгон демонстраций в Городе века.

Если бы в мире была какая-то другая страна, куда бы я могла уехать, думала я раньше, я бы все равно не уехала. И какой бы она ни была бандитской, руководимой страхом, — это лучшая страна из всех, что я знаю. Я решила остаться и попытаться помочь ей расти.

И ты ее по-прежнему любишь, — хотел было сказать я.

— Знаешь, чего мне больше всего не хватает? — спросила она.

— Чего?

— Смотреть на флаг и гордиться им.

Она пересела в машине на сиденье рядом со мной и решила переменить тему разговора.

— Теперь, когда мы отбросили с нашего пути правительство, о чем ты еще хочешь поговорить в день своей свадьбы, мистер Бах?

— О чем угодно, — сказал я. — Я хочу быть с тобой. — Но какая-то часть меня никогда не забудет. Они *избивали дубинками* эту прелестную женщину, *когда она убегала прочь!*

Регистрация брака стала еще одним крупным шагом в сторону от того человека, которым я был раньше. Ричард, ненавидевший обязательства, был теперь обязанным по закону. Тот, кто презирал брачные узы, теперь юридически вступил в брак.

Я примерял к себе эти ярлыки, которые четыре года назад показались бы мне колючим воротником или шляпой, испачканной пеплом. Ты теперь *муж*, Ричард. Ты *женат*. Ты проведешь остаток своих дней только с одной женщиной, вот этой, которая рядом с тобой. Ты не сможешь больше жить так, как тебе захочется. Ты потерял свою независимость. Ты потерял свою свободу. Ты вступил в Законный Брак. Как чувствуешь себя теперь?

Каждый из этих фактов раньше был бы язвой в моей душе, острием стальной стрелы, которое прямо пробивает все мои доспехи. Начиная с этого дня, все они стали реальностью моей жизни, и я чувствовал, будто отбиваюсь от сливочного мороженого.

Мы съездили в дом моих родителей в пригороде, где я жил с самых ранних лет до того дня, когда сбежал, чтобы научиться летать. Я сбавил скорость и припарковал машину на обочине дороги, которая была знакома *мне-из-прошлого* с того времени, как он вообще мог что-либо помнить.

Вот те же самые темно-зеленые облака листвы эвкалиптов над головой; а вот лужайка, которую я когда-то косил в том возрасте, когда это едва возможно. Вот гараж с плоской крышей, с которой я направил на луну свой первый домашний телескоп; вот плющ, вьющийся по забору вокруг двора; а вот та же самая гладкая белая деревянная калитка, в которой просверлены дырки для глаз собаки, которая умерла давным-давно.

— Вот это сюрприз будет для них! — И Лесли протянула вперед руку, касаясь пальцами калитки.

В этот момент я замер, и время остановилось. Ее рука на фоне дерева и новое кольцо, блистающее золотом. Его вид пронзил мой ум до самых глубин и развеял тридцать лет в мгновение ока.

Мальчик тогда уже знал! Мальчик, который стоял когда-то рядом с этой калиткой, знал, что в будущем сюда придет женщина, для любви к которой он родился. В этот момент я стоял возле белого дерева калитки во *времени*, а не калитки в *пространстве*. Как при вспышке молнии, я увидел его, стоящего в темной глубине прошлого и внимающего с открытым ртом видению Лесли в ярких лучах солнца. Мальчик уже знал!

Моя жена толчком открыла калитку и побежала навстречу объятиям моего отца и мачехи.

Через мгновенье мальчик стал прозрачным и исчез. Он унес с собой исполненные удивления глаза и все еще полуоткрытый рот.

Не забывай! — кричал я без слов через десятилетия. *Никогда не забывай этот миг!*

СОРОК ДВА

Когда мы раздевались в этот вечер в номере гостиницы, я рассказал ей о калитке и о том, как ее легчайшее прикосновение потрясло мою жизнь много лет назад. Она слушала, аккуратно разглаживая свою блузку на вешалке.

— Почему ты мне не рассказал этого раньше? — спросила она. — Чего ты боялся?

Я положил на время свою рубашку на стул, чуть не забыв о том, чтобы быть таким же аккуратным, как она, и потянулся за вешалкой.

— Я боялся измениться, конечно. Я защищал свое привычное, почти безупречное положение.

— Это твои доспехи? — спросила она.

— Да, конечно, это защита.

— Защита. Почти каждый мужчина, которого я знала, погребен под защитным слоем, — сказала она. — Вот почему даже самые красивые из них так чертовски непривлекательны!

— Они отталкивали тебя от себя. И я когда-то отталкивал тоже.

— Ты нет, — сказала она, а когда я напомнил ей факты, она заметила: — Ты почти оттолкнул меня. Но я знала, что то холодное существо, которое я вижу, — это не ты.

Я увлек ее за собой в постель, дышал ее золотыми волосами.

— Какое прелестное тело! Ты так... невероятно прекрасна; и ты — моя *жена!* Как это может быть одновременно?

Я очень нежно поцеловал уголок ее рта.

— Прощай, моя гипотеза!

— Прощай?

— У меня была в ходу гипотеза, почти теория, до того как ты прекратила мои поиски. Вот она: *красивые женщины почти равнодушны к сексу.*

Она засмеялась от удивления.

— О, Ричард, ты шутишь! Правда?

— Правда. — Меня охватили противоположные желания. Я собрался рассказать ей, но в то же время я хотел продолжать ощущать ее прикосновение. Всему свое время, думал я, всему свое время.

— Знаешь, что неверно в твоей гипотезе? — спросила она.

— Думаю, что в ней все верно. Но есть исключения, и ты — спасибо Творцу — одно из них. А в общем случае дело обстоит так: красивые женщины устают оттого, что их рассматривают в качестве сексуальных объектов. В то же время они знают, что их достоинства этим исчерпываются, поэтому их переключатели срабатывают на выключение.

— Занятно, но неправильно, — сказала она.

— Почему?

— Детская наивность. Переверни наоборот. Согласно моей теории, Ричард, привлекательные мужчины почти равнодушны к сексу.

— Чепуха! Что ты хочешь этим сказать?

— Слушай: «Я защищена от привлекательных мужчин как крепость, я холодна к ним, я не подпускаю их к себе ближе, чем на расстояние вытянутой руки, не отвожу им никакой роли в моей жизни, и после этого всего начинает почему-то казаться, что они не получают такого *удовольствия* от секса, как мне бы хотелось...»

— Неудивительно, — сказал я и при виде разлетающихся обломков моего разгромленного предположения понял, что она имеет в виду.

— Неудивительно! Если бы ты не была так холодна к ним, вукнесс, если бы ты чуть-чуть открылась, дала им понять, как ты себя чувствуешь, что ты думаешь, — ведь в конце концов ни один из нас, по-настоящему привлекательных мужчин, не хочет, чтобы к нему относились как к секс-машине! Вот и получается, что, если женщина дает нам почувствовать чуть-чуть человеческого тепла, выходит совсем другая история!

Она переместила свое тело очень близко к моему.

— Класс? — сказала она. — И какова мораль этой басни, Ричард?

— *Там, где отсутствует душевная близость, идеального секса быть не может*, — сказал я. — Такова мораль, учитель?

— Каким мудрым философом ты становишься!

— И если кто-то постигает это, и если он находит того, кем восторгается, кого любит, уважает и искал всю свою жизнь, разве не может оказаться, что он находит тем самым самую уютную постель для себя? И даже если тот, кого он нашел, оказывается прекрасной женщиной, не может ли оказаться, что она будет уделять очень много внимания сексуальному общению с ним и будет наслаждаться радостями физической близости в той же мере, что и он сам?

— Вполне возможно, что в той же мере, — засмеялась она. — А может быть, даже больше!

— Учитель! — воскликнул я — **Не может быть!**

— Если бы ты мог побыть женщиной, ты бы многому удивился.

Мы — молодожены — касались друг друга и разговаривали в течение всей ночи, так что разрушающиеся стены, закаты империй, столкновения с правительством и банкротство — все это просто утратило всякий смысл. Это была одна ночь из многих, поднимающаяся из прошлого, возвышающаяся над настоящим и устремляющаяся в мерцающее будущее.

«Что самое важное в любой выбранной нами жизни? — думал я. — Может ли все быть таким простым и сводиться к близости с тем, кого мы любим?»

За исключением тех часов, когда мы ссорились друг с другом в пустыне или умирали от усталости, сидя за компьютерами, все, что мы делали, было окружено слабо сияющей аурой эротичности. Короткий быстрый взгляд, едва заметная улыбка, легкое прикосновение — все это доставляло нам радость на протяжении всего дня.

Одной из причин, по которой я годами раньше стремился завязать новые отношения, была моя нелюбовь к продолжению встреч, когда утонченная эротическая аура развеивалась. Я восхищался, что в отношениях с этой женщиной электризующий эффект не прекращался. Постепенно моя жена становилась все более прекрасной, выглядела все более привлекательной и нежной.

— Все это субъективно, не так ли? — спросил я, теряясь в плавных очертаниях и золотистом сиянии.

— Да, это так, — ответила она, зная, о чем я думаю. Наша телепатия не была основана на методах, она случалась спонтанно, и каждый из нас нередко знал, что на уме у другого.

— Кто-то другой посмотрел бы на нас и отметил, что мы не изменились, — сказала она, — что мы те же самые, что и раньше. Но в тебе есть что-то, что кажется мне все более и более привлекательным!

Так и есть, думал я. Если бы мы друг для друга не менялись, нам с *вами* давно стало бы скучно!

— Мы уже закончили наше вступление? — спросил я. — Или так будет продолжаться всегда?

— Помнишь, что в твоей книге сказала Чайка? Может быть, ты сейчас находишься как раз там же: «Теперь ты готов к тому, чтобы лететь вверх и начать познавать смысл добра и любви».

— Он не говорил этого. Это было сказано ему.

Она улыбнулась.

— А сейчас это было сказано тебе.

СОРОК ТРИ

Согласно решению суда, который признал мое банкротство, нам на некоторое время разрешили остаться в нашем маленьком домике на правах временно-ответственных за него, пока мы не найдем себе другое место для жизни. Какое-то другое более дешевое место подальше на север. Затем наступило время покинуть Долину Малых Яблочных Ворот.

Мы вместе ходили по дому и двору, прощаясь. До свидания, стол и протест против лесоторговли. До свидания, кровать под открытым небом, где мы смотрели на звезды, прежде чем уснуть. До свидания, камин, камни для которого мы таскали сами один за другим. До свидания, теплый маленький домик. До свидания, сад, который Лесли мечтала превратить в цветочный мир, когда она взрыхляла, вскапывала, сажала и полола. До свидания, леса и животные, которых мы любили и за спасение которых боролись. До свидания, говорили мы.

Когда пришло время отправляться, она спрятала лицо на моей груди и ее храбрость изошла слезами.

— Наш сад! — рыдала она. — Я люблю наш сад! И я люблю наш маленький домик, и наши растения, и нашу семью оленей, и солнце, поднимающееся ввысь над лесом...

Она плакала так, что, казалось, ничто ее не может утешить. Я обнял ее и гладил ее волосы.

— Не страшно, вуки, — бормотал я. — Все в порядке. Это — всего лишь дом. А домашний уют — это мы. Где бы мы ни были... когда-нибудь мы построим другой дом, еще лучше, чем этот, а вокруг будет твой сад с фруктовыми деревьями, огородами, цветами и еще многим, о чем мы здесь и не мечтали. И мы снова будем жить среди полевых растений, и новая пара оленей поселится рядом с нами. Место, куда мы направляемся, будет даже более прекрасным, я обещаю тебе!

— Но, Ричи, я люблю *это* место!

Ее рыдания становились все тише и тише, а затем я помог ей сесть в машину, и мы уехали. Долина, где мы жили, скрылась из вида позади нас.

Я не плакал, потому что у нас был негласный договор — только один из нас может на время выбыть из строя, мы не можем одновременно уставать, болеть, ранить себя, быть убитыми горем, ожидающими решениями суда. Я вел машину в тишине, и Лесли плакала до тех пор, пока наконец не уснула на моем плече.

Вот мы и свободны, думал я, направляясь в северные штаты. Мы можем начать все сначала и не с нуля. Мы можем начать все сначала, зная все то, чему мы научились на пути! Принципы любви и поддержки, взаимопомощи и исцеления помогали нам постоянно, даже сейчас.

Банкротство, потеря прав на книги — все это может показаться незаслуженной катастрофой, Ричард, но разве мы не знаем ничего более глубокого, чем то, что на поверхности, ведь правда? Настало время прочно обосноваться в том, что есть, вопреки тому, что кажется.

Чистая грифельная доска, ничто не связывает, ничто не держит — это просто подаренный мне шанс доказать могущество моего Духовного Мира, которому я так доверяю! Есть нерушимый Космический закон, думал я. *Жизнь никогда не покидает жизнь.*

Выход из руин богатства подобен вылету из темницы на легком воздушном шаре. Грубые темные стены больше не окружали нас; самые трудные и суровые годы, время испытаний и проверок, подошли к концу. Но в этих стенах выросло нечто золотое и радужное, что так долго искал странник... Я нашел человека, который значил для меня больше, чем кто-либо другой во всем мире. Беспокойный поиск, который длился десятилетиями, наконец увенчался успехом.

В этот момент, прямо здесь, где орегонские холмы исчезают в сумерках, любой хороший писатель прошептал бы:

«Конец»

СОРОК ЧЕТЫРЕ

Мы переехали дальше на север и начали жить в доме, снятом на деньги Мэри Кинозвезды, которые Лесли теперь настоятельно предлагала считать нашими общими деньгами. Как непривычно чувствовать, что у тебя нет ни одной собственной монеты!

Она была в такой же мере бережливой и предусмотрительной, в какой я был когда-то расточительным. Расчетливость и экономность — эти качества никогда не присутствовали в моем списке качеств родной души. Но от вселенной можно было ожидать такого предвидения: кто-то один из магической пары должен восполнять то, чего может не хватать другому.

С самого первого момента, когда на меня свалились большие доходы, мне очень не хватало непритязательной обстановки. Если человек не готов заранее к такому переходу, неожиданное благополучие окружает его многообразной запутанной паутиной вещей, хитросплетение которых перегружено изощренными усложненностями. Простота, как ртуть, исчезает сразу же, как только ее начинают выдавливать.

Теперь же простота застенчиво постучала по косяку, там, где раньше была дверь. «Привет, Ричард! Я никак не могла заметить, что твои деньги сплыли. Посмотри-ка на это небо теперь! И на эти облака! Взгляни, как красиво Лесли сажает цветы, даже если это не ее сад! А разве не прекрасно наблюдать, как твоя жена снова начала работать с компьютером?»

Все это было прекрасно. В теплые дни Лесли одевала самую простую одежду — белые парусиновые брюки и легкую блузку — и садилась работать рядом со мной в нашем маленьком кабинете. Какое тонкое это было удовольствие — повернуться к ней и спросить, как правильно пишется слово «совмистимый»! Как я люблю простоту!

Не все неприятности закончились, однако. Наступило наконец время, когда поверенный в делах моего банкротства, которому было поручено распродать все мое бывшее имущество, прислал нам извещение, что он объявил о продаже моих авторских прав на книги. Все семь из них теперь можно было купить. Как и всякий другой человек, мы могли бы участвовать в покупке, если бы пожелали.

Мы поменялись ролями. Я стал осмотрительным, а Лесли после месяцев ожидания внезапно была готова раскошелиться.

— Давай не будем предлагать большую сумму, — сказал я. — Три книги в последнее время не публиковались. Кто даст за них много денег?

— Не знаю, — сказала она. — Я не хочу рисковать. Мне кажется, что мы должны предложить все, что у нас есть, до последнего цента.

Я замер.

— Все до последнего цента? А как же мы будем платить за жилье, как мы будем жить?

— Мои родители сказали, что одолжат нам деньги, — сказала она, — до тех пор, пока мы сами не поднимемся на ноги. — Лесли была исполнена решимости.

— Давай, пожалуйста, не будем одалживать денег. Я могу теперь вернуться к работе. Кажется, уже можно писать новую книгу.

Она улыбнулась.

— Я тоже так считаю. А помнишь, как ты сказал, что твоя миссия закончена? Помнишь, как ты говорил мне, что можешь умереть в любой момент, потому что написал уже все то, для чего пришел?

— Я был глупым гусем. Мне тогда не было зачем дальше жить.

— А теперь есть?

— Да.

— В таком случае не забывай об этом, — сказала она. — Ведь если ты умрешь, будет два трупа! Я не собираюсь оставаться здесь, когда ты уйдешь.

— Ладно, но ведь два трупа будет еще раньше, если ты потратишь все деньги на старые авторские права и не с чем будет сходить за продуктами!

— Переживем. Мы ведь не можем позволить всем нашим книгам уйти, так и не пытаясь спасти их.

Около полуночи мы пришли к компромиссу. Мы предложим все, что у нас есть, до последнего цента, и одолжим денег на жизнь у родителей Лесли. На следующее утро, прежде чем я успел убедить ее в том, что это слишком много, она послала заявку поверенному.

Поверенный разослал другим претендентам вопрос: *Дадите ли вы за авторские права больше?*

В доме, который мы снимали, воцарилась такая осязаемая тревога, что, казалось, ее можно было рубить топором.

Через неделю зазвонил телефон.

Она не дыша побежала вверх по лестнице.

— *Вуки!* — закричала она. — Они у нас! *Они у нас!* Книги снова наши!

Я сжал ее в своих объятиях. Мы визжали, кричали, прыгали и смеялись. Я не знал, что возвращение домой наших бумажных детей будет значить так много для меня.

— А сколько дал самый богатый претендент? — сказал я.

Она сонно посмотрела на меня.

— Претендентов больше не было? Никто даже не послал заявку? Вообще?

— Никто.

— Не было даже заявок! Ура!

— Не ура, — сказала она.

— Почему?

— Ты был прав! Нам не следовало предлагать такую большую сумму. Я промотала наши деньги на продукты на следующие сто лет!

Я снова обнял ее.

— Совсем нет, маленький вук. Твое предложение оказалось таким устрашающим, что никто другой даже не рискнул послать заявку. Вот и случилось! Если бы ты предложила меньше, они бы тоже вступили в борьбу и дали бы на десять центов больше, чем ты!

Она засияла так же, как и странное свечение над нашим будущим.

СОРОК ПЯТЬ

В те месяцы авиация переживала революцию понижения цен на небольшие самолеты, и первый же рассказ, который я написал, принес нам денег ровно столько, чтобы купить себе чего-нибудь поесть и приобрести сверхлегкий аэроплан — летающую машину фирмы, называемой *Птеродактиль, Ltd.* Как только я услышал это название, фирма мне понравилась, и оказалось, что она производит самые лучшие сверхлегкие аппараты для моих целей: снова взлетать с сенокосов и пастбищ, смотреть из воздуха вниз на облака, и все это просто для удовольствия.

Как приятно снова работать своими руками, собирая аэроплан! Алюминиевый корпус и стальные тросы, болты, заклепки и ткань, мотор размером с четвертую часть старого киннеровского двигателя моего Флита. Я справился с работой за месяц, читая инструкцию страница за страницей и следуя фотографиям и чертежам, которые я получил с завода вместе с упаковкой.

— Какая милая машина! — сказала Лесли, когда увидела впервые фотографию Птеродактиля.

Она сказала это снова, большими буквами, когда наш герой стоял готовый на траве. Это была увеличенная копия детской модели аэроплана, красующаяся, как стрекоза из шелка и металла на широком листе кувшинки.

Это же просто, думал я, почему этот самолет не был спроектирован сорок лет назад? Но какая разница? Он создан сейчас как раз вовремя и предназначен для людей, стесненных в средствах, но жаждущих снова оторваться от земли.

С большим уважением к незнакомой вещице и после многих испытаний поворотных устройств во время десятисекундных полетов у самой поверхности одолженного пастбища я в конце концов выжал газ до упора, и мой мощный воздушный змей пошел вверх, оставляя траву внизу и играя на солнце яркими красками, как Ангел Полета, возвращающийся домой. Директор фирмы

«Птеродактиль» подарил мне снегозащитный костюм, который очень здорово гармонировал с аэропланом, — летать в это время года в открытой кабине было довольно прохладно.

Ну и воздух же на высоте! Ветер и затишье, горы и долины, трава и земля снова окружали меня; дождь и сладкий ледяной воздух вновь пронизывали меня, как в былые времена! Я перестал отсчитывать часы, проведенные в воздухе, на отметке 8 000, и типы аэропланов, в которых летал, на числе 125. Но в этом я получал такое чистое удовольствие от парения в воздухе, какое мне было недоступно ни в одном из всех тех самолетов, в которых я поднимался в небо когда-либо раньше.

Этот аэроплан требовал соблюдения особых мер предосторожности — в нем ни в коем случае нельзя было, например, летать в плохую погоду. Но в спокойный день ничто не могло сравниться с восторгом пребывания в воздухе. Когда полеты на этот день заканчивались, Птеродактиль складывал крылья, проскальзывал в длинный чехол, который размещался на крыше автомобиля, и ехал домой, чтобы переночевать во дворе.

Одно в нем было неправильно — аэроплан мог взять с собой только одного человека, и я не мог поделиться полетом с Лесли.

— Не беда, — говорила она. — Я тоже там, в небе, когда ты летишь. Я могу даже посмотреть оттуда вниз и увидеть себя, когда я машу тебе с земли!

Она садилась в закругленную кабину, заводила мотор, прятала свои волосы в защитный шлем и для развлечения каталась по пастбищу в маленьком самолетике, обещая научиться летать в нем, когда у нее будет достаточно времени. Наверное, благодаря приятному возбуждению, которое владело мной в течение первого месяца возобновившихся полетов, однажды вскоре после этого ночью мне приснился самый необычный сон.

На Птеродактиле, в котором вместо одного было два места, я пролетел высоко над туманным серебристым мостиком и приземлился на холме, покрытом зеленой травой, возле громадного места для собраний — аудитории под открытым небом. Войдя внутрь, все еще одетый в свой яркий комбинезон, я сел и ждал, упираясь подбородком себе в колени. Мне никогда раньше не снилось, подумал я, что я прихожу раньше туда, где что-то еще не вполне готово. Через минуту или две я услышал звук у себя за спиной.

Я обернулся и сразу узнал его. Он узнал меня. Это был я-из-прошлого, выглядевший несчастным. Это был я-пять-лет-назад, закованный в скорлупу своих желаний, которые стали броней, и пытающийся понять, куда он попал.

Почему-то было приятно увидеть этого человека, и меня охватил порыв любви к нему. Но мне сразу же стало жаль его, он был одиноким на грани отчаяния, и это было заметно. Он так много хотел спросить, но так мало отваживался понять. Я встал и улыбнулся ему, вспоминая это время в прошлом. Он боялся встреч за пределами обычного времени, но никогда не опаздывал.

— Привет, Ричард, — сказал я как можно развязнее. — Ты не просто пунктуален, ты пришел раньше, не так ли?

Он чувствовал себя не в своей тарелке, сомневаясь, кто я. Если ты не уверен, думал я, почему бы тебе не спросить?

Я вышел с ним наружу, зная, что он будет чувствовать себя более по-домашнему возле аэроплана.

У меня были все ответы на его вопросы, я мог указать ему причину его страданий и одиночества, мог объяснить ему все его ошибки. Однако эти ключи, которые творили волшебство в моих руках, были для его рук подобны раскаленному докрасна железу. Что мне оставалось сказать?

Я показал ему самолет, рассказал об управлении им. Забавно, подумал я. О полетах рассказывает ему тот, кто сам годами уже не летал ни на чем, кроме сверхлегких машин. Возможно, он одинок, но несомненно, что он — намного лучше управляет аэропланом, чем я.

Когда он уселся на свое место, я крикнул «От винта!» и завел мотор. Это произошло так спокойно и так не похоже на то, что было раньше, что на мгновенье он забыл, зачем решил встретиться со мной, забыл, что аэроплан — это декорация, а не цель нашего сновидения.

— Готов? — спросил я, направляясь на взлет.

— Пошел!

Как мне описать его жизнь? Игра, думал я. Парень переживает соблазнительную эпопею внезапного приобретения денег и наблюдает последствия того, что происходит с невинным ее героем и его друзьями, когда все это раздувается вокруг него, а его мир разваливается на куски. Однако в эту минуту он, как ребенок с игрушкой, ведь он так сильно любит аэропланы. Как легко быть сострадательным, думал я, когда ты видишь, что неприятности не у кого-нибудь другого, а у тебя.

На высоте тысяча футов я отпустил рычаги управления.

— Теперь твоя очередь.

Он летал с легкостью, осторожно и мягко в машине, всей прелести которой даже не мог себе вообразить.

Я знал, что эти события во сне — как бы мое шоу и что он ждет, чтобы я что-то рассказал ему. И все же этот человек был так уверен в том, что понял все, что мог когда-либо понять! Я чувствовал, что в нем будто скрыта сжатая пружина, которая отталкивает от него все знания, которые освободили бы его.

— Давай выключим мотор? — спросил он против ветра.

В ответ я прикоснулся к кнопке глушения на рычаге газа. Пропеллер завращался медленнее, остановился, и мы стали планеристами.

Урокам управления аэропланом он не оказывал сопротивления.

— Какой отличный маленький самолет! — воскликнул он. — Как бы мне достать такой?

Несколько минут полета — и он был готов побежать и купить Птеродактиль. У него было для этого достаточно денег; он мог приобрести сотню Птеродактилей, если не принимать во внимание то, что в его время это было невозможно, не было даже чертежа на бумаге.

Купить этот аэроплан не было никакой возможности, и это было хорошим поводом для того, чтобы я мог начать разговор о его сопротивлении изменениям.

Я попросил его сказать мне все, что он знает об этом аэроплане и об этом парне, который сидит в нем в снегозащитном костюме. Я не был удивлен, когда он ответил на этот вопрос. Он знал, и только ждал, пока его спросят.

Через некоторое время по ходу нашего полета я сказал ему прямо, что знаю ответы на все его вопросы и что не сомневаюсь в том, что он не будет слушать их.

— Ты **уверен***, что я не буду слушать? — спросил он.*

— Неужто будешь?

— Кому же мне доверять больше, чем **тебе?**

Лесли*, — подумал я, но он бы рассмеялся в ответ и не понял бы меня.*

— Вот то, чему ты пришел сюда научиться. Это то, что ты сделаешь, — сказал я ему. — Ответ, который ты ищешь, состоит в том, чтобы отказаться от своей Свободы и Независимости и жениться на Лесли Пэрриш. При этом ты получишь совсем другую свободу, которая так прекрасна, что ты даже не можешь себе вообразить...

Он не слышал ничего, что я сказал после слов «жениться на Лесли»; он едва не вывалился из кабины — так он был удивлен.

Какой долгий путь предстоит ему пройти, думал я, тогда как он глотал воздух и переводил дыхание. И он пройдет его всего лишь за пять лет. Упрямый, замкнутый сукин сын, но в общем мне нравился этот парень. Он справится с трудностями, и все будет хорошо, думал я... или нет? Может быть, это голос того, кто разбился на планере, или того, кто сбежал в Монтану? Предстоит ли ему в будущем потерпеть неудачу?

Его одиночество, которое было так хорошо защищено, стало моей надеждой. Когда я говорил о Лесли, он внимательно слушал и даже соглашался и принимал некоторые истины о своем будущем. Знание о ней может сделать его выживание более вероятным, думал я, даже если он забудет слова и сцены. Я повернул самолет на север.

Она ждала нас, когда мы приземлились. Она была одета по-домашнему, как в будние дни. Один взгляд на нее заставил его вздрогнуть; ее вид испарил тонну железа его брони меньше чем за секунду. Какой силой наделена **красота***!*

Она хотела сказать ему что-то наедине, поэтому я зашевелился во сне, отстранился и проснулся годами позже после того, как он проснется после того же самого **сна**.

Вскоре после того, как я открыл глаза, история начала таять, рассеиваться, как пар в воздухе. Мимолетный сон, думал я. Как счастлив я, что вижу так много мимолетных снов! Но в этом было что-то особенное, хотя... что это было? Я вложил деньги в нешлифованные алмазы, так кажется. И летел куда-то с коробкой алмазов, семян или чего-то еще, а они выпали из самолета? Это был сон о вкладывании денег. Какая-то часть моего подсознания все еще считает, что у меня есть деньги? Возможно, она знает что-то, чего не знаю я.

В ночном блокноте я записал: *Почему бы не пользоваться снами по собственному желанию для путешествий, исследований и обучения всему тому, чему мы желаем научиться?*

Я лежал спокойно, наблюдая, как Лесли спит, а утренняя заря начинает сиять на ее золотистых волосах, рассыпавшихся по ее подушке. Какое-то время она была полностью неподвижна — *а что, если она умерла?* Она дышит так легонько, что я не могу заметить этого. *А дышит ли она?* **Не** *дышит!*

Я знал, что придумываю, но какое я испытал облегчение, какую неожиданную радость, когда она в этот момент, не просыпаясь, чуть-чуть зашевелилась и улыбнулась самой незаметной из своих улыбок во сне!

Я прожил жизнь в поисках этой женщины, думал я. Я говорил себе, что мое призвание в том, чтобы быть вместе с ней снова.

Я ошибался. Найти ее не было целью моей жизни, это было начало начал. Только когда я нашел ее, моя жизнь приобрела смысл.

И вот вопрос: «А что теперь? Что вы вдвоем собираетесь изучать в мире любви?» Я так сильно изменился, думал я, и это лишь самые первые шаги.

Подлинные истории любви не заканчиваются никогда. Единственная возможность узнать, что случается в «жили-долго-и-счастливо-потом» с идеальным супругом, состоит в том, чтобы прожить ее самому. Вначале, конечно, завязывается роман, и главную роль в нем играет эротический восторг влюбленности.

А что потом?

Затем дни и месяцы непрекращающихся разговоров, радость встречи после стольких столетий жизни вдали друг от друга. Что ты делал тогда? Что ты подумал? Чему ты научился? Как ты изменился?

А что потом?

Каковы твои самые сокровенные надежды, мечты, желания, твои самые настоятельные если-только, которые должны осуществиться? Каковы твои самые до невозможности прекрасные представления об этой жизни, какие только ты можешь себе вообразить? А вот мои, и они соответствуют друг другу как солнце и луна в нашем небе, и вместе мы сможем воплотить их в жизнь!

А что потом?

Как много всего можно познать вместе! Как много всего можно передать друг другу! Иностранные языки и искусство перевоплощения; поэзия, драматургия и программирование компьютера; физика и метафизика; парапсихология, география, приготовление пищи, история, изобразительное искусство, экономика, резьба по дереву, музыка и ее происхождение; самолеты, корабли и история парусного мореходства; политическая деятельность и геология; смелость и домашний уют, и полевые растения, и лесные животные: умирание и смерть; археология, палеонтология, астрономия и космология; гнев и раскаяние; писательство, металлургия, прицельная стрельба, фотографирование и защита от солнца; уход за лошадьми, инвестирование, книгопечатание, щедрость и благодарность, винд-серфинг и дружба с детьми; старение, уход за землей, борьба против войны, духовное и психическое исцеление; культурный обмен и кинорежиссура; солнечные батареи, микроскопы и переменный ток; как играть, спорить, пользоваться косметикой, удивлять, восхищать, одеваться и плакать; как играть на пианино, флейте и гитаре; как видеть скрытый смысл, вспоминать другие жизни, прошлое и будущее; как получать ответы на любые вопросы, исследовать и изучать; как собирать данные, анализировать и делать выводы; как служить и помогать, читать лекции и быть слушателем; как смотреть и касаться, путешествовать во времени и встречать себя в других измерениях; как создавать миры из мечты и жить в них, изменяясь.

Лесли улыбнулась во сне.

А что потом? — думал я. А потом еще больше, все время больше и больше постигать тому, кто любит жизнь. Учиться, заниматься, отдавать приобретенное другим любителям жизни и напоминать им, что мы не одиноки.

А что потом, когда мы прожили наши мечты до конца, когда мы устали от времени?

А потом... Жизнь *есть!*

Помнишь? Помни, что *Я ЕСТЬ! И ТЫ ЕСТЬ! И ЛЮБОВЬ! ЭТО ВСЕ, — И ЭТО САМОЕ ГЛАВНОЕ!*

Это и есть то-что-потом!

Вот почему истории любви не кончаются! Они не кончаются потому, что не кончается любовь!

В то утро, совершенно внезапно на протяжении ста секунд я знал как просто соединяется Все-Что-Есть. Я схватил блокнот, который лежал подле кровати, и выплеснул эти секунды на бумагу большими возбужденными черными буквами, которые, казалось, можно было прочесть на ощупь:

Единственная реальность — Жизнь!

Жизнь дает сознанию возможность выбирать неформу или одну из бесконечного разнообразия триллионов форм — любую, которую оно может себе вообразить.

Моя рука дрожала и металась, слова быстро высыпались на голубые линейки бумаги.

Сознание может забыть себя, если оно захочет этого. Оно может изобрести пределы, творить вымысел, оно может представить себе, что существуют галактики, вселенные и вселенные вселенных, черные дыры и белые дыры, большие взрывы и стабильные состояния, солнца и планеты, астральные и физи-

ческие пространства. Все, что оно воображает, оно видит: войну и мир, болезни и здоровье, жестокость и доброту.

Сознание может в пространстве трех измерений принять форму официантки, которая станет пророком и увидит Бога; оно может быть маргариткой, заклинателем духов, бипланом на лужайке; оно может быть авиатором, который только что проснулся и любуется улыбкой своей спящей жены; оно может быть котенком Долли, который вот-вот запрыгнет на кровать, чтобы попросить — мяу! — свой сегодняшний завтрак.

И в любой момент, когда оно этого пожелает, оно может вспомнить, кто оно, оно может вспомнить реальность, оно может вспомнить Любовь. В этот миг все меняется...

Долли припала к земле, как пуховой шарик, наполовину прикрыла голубые свои глаза серо-коричневой шерстью, прыгнула и перебила ниточку букв, которая тянулась за моей ручкой как мышиный хвостик, ударом оттолкнув руку от страницы.

— Долли, нет! — прошептал я сердито.

Ты не дал мне позавтракать! Я съем твою ручку...

— Долли, ну уйди! Брысь!

Ручки не даешь? — сверкнула она глазами. Тогда я съем твою РУКУ!

— *Долли!*

— Что у вас здесь происходит? — сказала Лесли, проснувшаяся от нашей возни, и пошевелила пальцами под одеялом. Не прошла и сотая доля секунды, как маленькое создание кубарем кинулось в атаку — иголочки зубов, двадцать маленьких когтей тут же были брошены на поединок с новым врагом котят.

— Котёнище Долли намекает нам, что пора начинать новый день, — вздохнул я, наблюдая сражение в самом разгаре.

Почти все из того, что я понял без слов, успело обезопасить себя с помощью чернил.

— Ты уже проснулся, вук? — сказал я. — Мне в голову только что пришла великолепнейшая идея, и если ты не спишь, я хочу рассказать тебе...

— Расскажи. — Она затолкала подушку себе под голову, избежав полного разгрома со стороны Долли чисто случайно, потому что Ангел Другой Котенок, ничего не подозревая, вошел в комнату. В тот же миг у Долли появилась новая цель для выслеживания и налета.

Я начал читать из блокнота то, что только что записал туда, — предложения, перескакивающие одно через другое, как газели через высокие заборы. Через минуту я закончил и взглянул на нее, отрывая глаза от бумаги.

— Много лет назад я пытался написать письмо себе в прошлом под названием «Вещи, которые теперь мне скажет любой, но которых я не знал, когда был тобой». Если бы только мы могли передать ЭТО тем детям, которыми мы были!

— Разве не забавно было бы сидеть на тучке, — сказала она, — и наблюдать, как они находят нашу записную книжку со всем, чему мы научились?

— Это, наверное, было бы грустно, — ответил я.

— Почему грустно?

— Ведь должно было случиться еще так много событий, прежде чем они могли бы встретиться. И эта встреча была бы не той, что теперь или пять лет назад...

— Давай скажем им! — воскликнула она. — Запиши в своей книжечке: *А теперь, Дик, ты должен позвонить Лесли Марии Пэрриш, которая только что выехала из Лос-Анджелеса по контракту с кинокомпанией «Мисс XX век». Вот ее телефонный номер: си-рествью 6-29-93...*

— Ну и что? — сказал я. — Я скажу, чтобы он обратился к ней со словами: *Это звонит твоя родная душа, слышишь?* Лесли тогда была уже звездой! Мужчины видели ее в фильмах и влюблялись в нее! Как ты думаешь, она пригласила бы на ленч этого мальчишку, который собирался убегать из колледжа, не закончив и первого курса?

— Да, если бы ей хватило сообразительности, она бы убралась поскорее из Голливуда!

Я вздохнул.

— Это не сработает ни в коем случае. Ему нужно сначала поступить в армию и летать на боевых самолетах, жениться и развестись, а потом только уже постепенно разбираться, кем он становится и что он знает. Ей тоже нужно вступить в брак и покончить с ним, самостоятельно учиться бизнесу, политике и способности постоять за себя.

— Давай тогда напишем ей письмо, — предложила она. — «Дорогая Лесли, тебе позвонит Дик Бах, он — твоя родная душа, поэтому хорошо веди себя с ним, люби его всегда...»

— Всегда, вук? Всегда — это значит, что...

Я взглянул на нее, едва ли начав говорить, и замер от проблеска понимания.

Картины забытых снов, фрагменты жизней, затерявшихся в прошлом и будущем, засияли как цветные слайды перед моими глазами, щелк, щелк, щелк...

Женщина, которая находится сейчас на кровати рядом со мной, та, к которой я могу прямо сейчас протянуть руку, чьего лица я могу коснуться, — это она погибла вместе со мной в резне в колониальной Пенсильвании. *Это та же самая женщина.* Она — то дорогое мне смертное существо, к которой я устремлялся десятки раз, следуя невидимому повелению, и которая была повелителем для меня. Она — это ива, чьи ветви переплелись с моими; показывая клыки, бесчисленное число раз вступает в кровавую грызню с волками, спасая от них своих детенышей; она — это чайка, которая повела меня за собой в небо; она — светящийся призрак на дороге в Александрию; она — серебряное воплощение Беллатрикской Пятерки; инженер космического корабля, которого я буду любить в своем отдаленном будущем; богиня цветов из моего удаленного прошлого.

...Щелк, щелк, еще раз щелк: картины, картины, снова картины.

Почему я так очарован и испытываю такую радость лишь от ее поворота мысли, лишь от очертания ее лица или груди, лишь от веселого света в ее глазах, когда она смеется?

Потому что эти уникальные очертания и сияние, Ричард, *мы несем с собой* из жизни в жизнь. Это наши *отличительные знаки*, скрытые в глубине нашего сознания под всем тем, во что мы верим, и, ничего не зная о них, мы *вспоминаем их*, когда встречаемся снова!

Она посмотрела с тревогой на мое лицо.

— Что с тобой, Ричард? Что с тобой?

— Все в порядке, — сказал я, словно пораженный ударом молнии. — Со мной все в порядке, я чувствую себя хорошо...

Я схватился за бумагу и начал быстро писать слова. Ну и утро!

Снова и снова и снова мы тянемся друг к другу, потому что нам есть чему научиться вместе — это могут быть тяжелые уроки, а могут быть и счастливые.

Как я могу это знать, почему я так непоколебимо убежден, что смерть не разлучает нас с теми, кого мы любим?

Потому что ты, кого я люблю сегодня... потому что она и я умирали уже миллионы раз до этого, и вот мы снова в эту секунду, в эту минуту, в этой жизни снова вместе! Смерть не более разлучает нас, чем жизнь! Глубоко внутри души каждый из нас знает вечные законы, и один из них состоит в том, что мы всегда будем возвращаться в объятия того, кого мы любим, независимо от того, расстаемся ли мы в конце дня или в конце жизни.

— Подожди минутку, вук. Я должен это записать...

Единственное, что не заканчивается, — это любовь!

Слова вырывались так быстро, что чернила едва поспевали за ними.

Перед возникновением вселенной... До Большого Взрыва были мы!

До всех Больших Взрывов во все времена и после того, как эхо последнего из них затихнет, есть мы. Мы танцуем во всех феноменах, отражениях, везде, мы — причина пространства, творцы времени.

Мы — МОСТ ЧЕРЕЗ ВЕЧНОСТЬ, возвышающийся над морем времени, где мы радуемся приключениям, забавляемся живыми тайнами, выбираем себе катастрофы, триумфы, свершения, невообразимые происшествия, проверяя себя снова и снова, обучаясь любви, любви и ЛЮБВИ!

Я оторвал ручку от бумаги, сел не дыша на кровати и посмотрел на свою жену.

— Ты — живешь! — воскликнул я.

Ее глаза сверкали.

— Мы — живем вместе.

Некоторое время царило молчание, пока она не заговорила вновь:

— Я прекратила искать тебя, — сказала она. — Я была счастлива, живя в одиночестве в Лос-Анджелесе со своим садом и музыкой, делами и друзьями. Мне нравилось жить одной. Я думала, что так будет до конца моей жизни.

— А я бы благополучно удавился в своей свободе, — сказал я. — Это было бы не так уж плохо, это было бы лучшим из всего, что каждый из нас когда-либо знал. Как мы могли ощущать отсутствие того, чего никогда не имели?

— Но ведь мы ощущали его, Ричи! Когда ты был одинок, разве не было иногда таких мгновений, когда независимо от того, есть ли рядом другие, ты чувствовал такую печаль, что мог бы заплакать, будто ты — единственный человек во всем мире?

Она протянула руку и коснулась моего лица.

— Ты когда-нибудь чувствовал, — спросила она, — что тебе не хватает того, кого ты никогда не встречал?

СОРОК ШЕСТЬ

Мы долго не ложились спать. Лесли была погружена в чтение *«Книги о пассивном использовании солнечной энергии: расширенное издание для профессионалов»* на трехсотой с чем-то странице.

Я закрыл *«Историю револьверов Кольта»*, положил ее на стопку, которая называлась «Прочитано», и взял верхнюю книгу из кучи «Что-читать-дальше».

Как наши книги хорошо характеризуют нас, думал я. Возле кровати со стороны Лесли лежало: *Полное собрание стихов э. э. каммингса, Глобальный отчет для президента о перспективах развития до 2000 года, От беспорядка к бережливости, Биография Авраама Линкольна, написанная Карлом Сэндбергом, Единороги, которых я знаю, Это мгновение вечности, Неурожайные годы, Барышников работает, 2081 американский кинорежиссер.*

С моей стороны: *Мастера танца в стиле ву-ли, Рассказы Рэя Брэдбери, Одиссея авиатора, Заговор под водой, Интерпретация квантовой механики с точки зрения теории о множественных вселенных, Съедобные дикорастущие растения Запада, Использование дополнительных обтекателей для стабилизации полета аэропланов.* Когда я хочу быстро понять человека, мне достаточно лишь взглянуть на его книжную полку.

Перемена мною книги застала ее как раз в конце вычислений.

— Ну и как там мистер Кольт? — сказала она, передвигаясь со своими чертежами солнечных батарей поближе к свету.

— У него дела идут хорошо. Ты знаешь, что без револьверов Кольта в этой стране на сегодняшний день насчитывалось бы сорок шесть, а не пятьдесят штатов?

— Мы украли четыре штата, угрожая им дулом пистолета?

— Это полнейшая чепуха, Лесли. Не украли. Одни защитили, другие освободили. И не мы. Ты и я не имеем к этому никакого отношения. Но больше чем сто лет назад, для людей, которые жили тогда, кольт был грозным оружием. Это — многозарядный револьвер, который стреляет быстрее, чем любая винтовка, и точнее, чем большинство других видов оружия. Я всегда хотел иметь морской кольт-1851. Глупо, правда? Образцы стоят очень дорого, но Кольт производит точные копии.

— Что ты будешь делать с такой вещью?

Она не стремилась выглядеть соблазнительной в этот момент, но даже зимняя длинная ночная рубашка не могла скрыть прелестного очертания ее тела. Когда я перерасту свое бесхитростное очарование видом того тела, в котором ей посчастливилось родиться? Никогда, думал я.

— С какой вещью? — спросил я отсутствующе.

— Животное, — заворчала она. — Что ты будешь делать со старым пистолетом?

— А, с кольтом? Сколько я себя помню, у меня к нему какое-то странное отношение. Когда я понимаю, что у меня его нет, я чувствую себя как бы раздетым, уязвимым. Это старая привычка быть не дальше чем на расстоянии вытянутой руки от него, но я никогда даже не прикасался ни к одному кольту. Разве это не странно?

— Если ты хочешь купить его, мы можем начать копить деньги. Если это так важно для тебя.

Как часто нас уводят обратно в прошлое вещи или детали предметов, старые машины, дома, местности, которые мы без всякой причины страстно любим или жутко ненавидим. Жил ли когда-либо человек, у которого не было магнетического притяжения к другим местам или приятного домашнего ощущения по отношению к другим временам? Я знал, что один человек из моих прошлых воплощений сжимал рукоятку медно-голубого железного патентованного револьвера «кольт». Было бы забавно узнать когда-нибудь, кем был этот человек.

— Я думаю, не надо, вуки. Просто глупая мысль.

— А что ты теперь будешь читать? — сказала она, поворачивая свою книгу боком, чтобы рассмотреть следующий чертеж.

— Она называется *Жизнь в смерти*. Выглядит как довольно систематическое исследование, интервью с людьми, которые были при смерти. Они рассказывают, что они чувствовали, что видели. А как движется твоя книга?

Большой белый длинношерстный персидский кот Ангел, весивший шесть фунтов, вскочил на кровать. Он тяжело, будто в нем было шесть тонн, направился к Лесли и, мурлыча от удовольствия, растянулся на раскрытой перед ней книге.

— Прекрасно. Эта глава особенно интересна. Она говорит: мур-мур-мур-ГЛАЗА-НОС-ГЛАЗА-МУР-мур, когти и хвост. Ангел, слушай, мои слова *Ты мне мешаешь* значат для тебя что-нибудь? А слова *Ты улегся на мою книгу*?

Кот своим сонным взглядом ответил ей «нет» и замурлыкал еще громче.

Лесли переместила пушистого зверя себе на плечо, и мы читали некоторое время молча.

— Спокойной ночи, маленький вук, — сказал я, выключая свою ночную лампу. — Я буду ждать тебя на углу бульвара Облаков и улочки Спокойного Сна...

— Я задержусь ненадолго, милый, — сказала она. — Спокойной ночи.

Я помял подушку и свернулся калачиком, собираясь уснуть. В течение некоторого времени я пытался научиться видеть сновидения по заказу, но успех был минимальным. Сегодня я слишком устал, чтобы заниматься этим. Я сразу же провалился в сон.

Это был легкий воздушный стеклянный дом, находящийся на возвышении среди зеленых лесов, покрывавших остров. Везде красовались цветы — целый фейерверк красок в комнатах, вокруг дома и дальше, там, где нисходящий склон переходил в ровные луга. Аэроплан-амфибия стоял на траве, отражая восходящее солнце. Вдали за глубокими водами виднелись другие острова. Их цвет менялся от ярко-зеленых на переднем плане до туманно-голубых на горизонте. Деревья были не только снаружи дома, но и внутри. Вьющиеся растения окаймляли большое квадратное отверстие в крыше, через которое дом заполняли солнечный свет и свежий воздух. Кресла и диван покрыты мяг-

12 – 4169

кой лимонного цвета тканью. Легкодоступные полки книг. Звучит великолепный «Концерт для симфонического оркестра» Бартока. Все это казалось нам нашим домом благодаря музыке и растениям, аэроплану и открытой, как с воздуха, панораме. Это было как раз то, что мы мечтали когда-то построить для себя.

— Добро пожаловать, Ричард и Лесли! Это все создали вы!

Нас встретили двое знакомых людей. Они смеялись и весело обнимали нас.

Мы забываем днем, а во сне мы помним все сны прошлых лет. Мужчина был тем же, кто в первый раз летал со мной на Птеродактиле; он был со мной, но через десять или двадцать лет и выглядел помолодевшим... Женщина была той Лесли, что встретила нас возле аэроплана, и ее красота была озарена пониманием.

— Садитесь, пожалуйста, — сказала она. — У нас не очень много времени.

Мужчина подал нам на передвижном деревянном столике теплый напиток.

— Итак, это — наше будущее, — сказала Лесли. — Вы хорошо потрудились!

— Это одно из ваших возможных будущих, — сказала другая Лесли, — и потрудились над ним именно вы.

— Вы указали нам путь. — сказал мужчина. — Вы открыли перед нами возможности, которых у нас не было бы без вас.

— А ведь мы особо не старались, правда, вук? — сказал я, улыбаясь своей жене.

— Нет, мы старались, — ответила она, — и немало.

— Мы можем отблагодарить вас только тем, что пригласили вас в этот дом, — сказал Ричард-из-будуще-го. — Твой проект, Лесли. Отлично зарекомендовал себя.

— Почти отлично, — добавила его жена. — Фотоэлементы работают даже лучше, чем ты ожидаешь. Но у меня есть некоторые соображения по поводу теплоносителя...

Две Лесли были готовы начать основательно обсуждать технические аспекты производства солнечных батарей и теплоизоляции, когда я понял, что...

— Извините, пожалуйста, — сказал я, — но мы ведь находимся в сновидении! Каждый из нас, не правда ли? Или это не сон?

— Верно, — сказал будущий Ричард. — Сегодня нам впервые удалось связаться с вами. Мы занимались время от времени этим в течение многих лет — и вот, кажется, нам удалось!

Я удивился.

— Вы занимались этим годами и только теперь впервые связались с нами?

— Вы поймете это, когда сами сможете вступать в контакт. Долгое время вы будете лишь встречаться с людьми, которых никогда не видели, — собой в будущем, собой в параллельном мире, друзьями, которые умерли. Вы будете еще долго учиться, прежде чем сможете учить сами. У вас уйдет на это обучение двадцать лет. Через двадцать лет занятий вы легко сможете давать советы своим собеседникам во сне, когда вы этого пожелаете. Потом вы обратитесь с благодарностью к своим предшественникам.

— Предшественникам? — спросила Лесли. — Это мы — предшественники?

— Извини меня, — сказал он. — Ты неправильно выбираешь слова. Ваше будущее — это наше прошлое. Но верно и то, что наше будущее — это ваше прошлое. Как только вы освободитесь от суеверий, связанных с временем, и позанимаетесь немного путешествиями во сне, вы все поймете. До тех пор, пока мы верим во время как последовательность событий, мы видим становление, а не бытие. Вне времени все мы — одно.

— Как приятно, что это несложно, — сказала Лесли.

Мне пришлось вмешаться.

— Простите. Эта новая книга. Вы ведь знаете меня и названия моих книг. Когда я его найду? Будет ли вообще эта книга когда-либо написана и напечатано, потому что как я ни стараюсь... как мне найти название?

У будущего Ричарда было не слишком много терпения, чтобы выслушивать мои жалобы.

— Этот сон не для того, чтобы дать тебе название. Да, ты найдешь его: да, книга будет напечатана.

— Это все, что я хотел узнать, — сказал я. А затем снова кротко спросил: — Каким будет название?

— Этот сон для того, чтобы донести до вас нечто другое, — сказал он. — У нас здесь... давайте назовем это письмом... от нас, ушедших далеко вперед в будущее. Ведь была же у вас идея связаться с молодыми Диком и Лесли, когда они только начинали самостоятельную жизнь. Теперь мы все больше становимся кем-то, похожим на писателей, передающих сведения из будущего.

Все, что вы думаете о себе в прошлом, доходит до вас в то время. Это очень слабые, подсознательные влияния, но они меняют людей, и им не нужно больше переживать такие тяжелые времена, какие выпали нам в нашей жизни. Бывают, конечно, трудности, но есть небольшая надежда на то, что обучение любви не будет одной из них.

— Вот наше письмо, — сказала Лесли-из-будущего, — в нем сказано: «Все, что вы знаете, истинно!» — Она начала исчезать, вся окружающая обстановка заколебалась. — Это еще не все, слушайте: «Никогда не сомневайтесь в том, что вы знаете». То было не просто красивое название книги. Помните, что мы — мосты ...

Затем сон переменился, проплыли какие-то чемоданы, заполненные сдобными булочками, погоня на автомобилях, пароход с колесами.

Я не разбудил Лесли, но записал в ночной полутьме у себя в блокноте, который лежал рядом с подушкой, все, что еще помнил о том, что случилось до появления булочек.

Когда она проснулась на следующее утро, я сказал:

— Давай я расскажу тебе о сне, который тебе приснился.

— О каком таком сне?

— О сне, в котором мы с тобой встретили себя в доме, который ты спроектировала.

— Ричард! — воскликнула она. — Я помню! Давай я расскажу! Это было великолепное место с оленем на лужайке и озерцом, в котором отражалось цветочное поле, похожее на то, что было у нас в Орегоне. Значит, солнечный дом по моему проекту будет построен! Там внутри была музыка, книги и деревья... так просторно и много света! День был погожим, вокруг все так красочно, а Долли и Ангел смотрели на нас и снова засыпали, продолжая урчать. Вот толстые *старые* коты! Я видела нашу новую книгу на полке!

— Да? Неужели? И как она называлась? Говори же!

Она пожала плечами, стараясь вспомнить.

— Вуки, мне так жаль! Выскочило...

— Ну, ладно. Не переживай, — сказал я. — Это я из любопытства. Забавный сон, что скажешь?

— В названии было что-то о вечности.

СОРОК СЕМЬ

Я закончил чтение *Воспоминаний о Смерти* в следующий вечер после того, как она начала *Жизнь после жизни,* и чем больше я думал о книге, тем больше я ощущал необходимость поговорить с ней.

— Когда у тебя появится минутка, — сказал я. — Длинная минутка.

Она дочитала до конца раздела и завернула бумажную суперобложку, чтобы отметить страницу.

— Да, — сказала она.

— Не кажется ли тебе неправильным, — спросил я, — что чаще всего умирание сопровождается у многих неприятным беспокойством и суетой? Ведь Смерть угрожает нам как раз тогда, когда мы нашли того единственного человека в мире, которого любим и с которым не желаем разлучаться даже на один день. А Она приходит и говорит: «Мне все равно, я собираюсь оторвать вас друг от друга».

— Иногда мне тоже кажется, что здесь что-то не то, — ответила она.

— Почему люди должны умирать таким образом? Почему мы даем свое согласие на такую неконтролируемую смерть?

— Наверное, потому, что единственная другая возможность — это самоубийство, — ответила она.

— Ага! — воскликнул я. — Действительно ли самоубийство — *единственная* другая возможность? А может быть, существует лучший способ уйти из жизни, чем этот обычай, распространенный на нашей планете, — умирать не по своей воле и не знать до последней минуты, когда придет твоя смерть.

— Можно, я угадаю? — предложила она. — Ты собираешься выдвинуть какой-то план? Но тогда тебе прежде всего следует знать, что до тех пор, пока ты здесь, мне не представляется таким уж большим несчастьем не знать о смерти до последней минуты.

— Выслушай меня внимательно. Ведь это так хорошо соответствует твоей любви к порядку. Почему вместо того, чтобы умирать неожиданно для себя, люди не доживают до такого времени, когда они могут рассудить так: «Сделано! Мы сделали все, что должны были претворить в жизнь. Не осталось больше вершин, на которые мы бы не поднялись, ничего такого, чему нам бы хотелось научиться. Мы прожили прекрасную, полную жизнь»? А затем, почему бы им без всяких болезней не сесть просто так вдвоем под деревом или под звездным небом и не уйти из своих тел, никогда не возвращаясь назад?

— Как в книгах, которые ты читаешь, — сказала она. — Прекрасная идея! Но ведь мы не... мы не делаем так, потому что мы не знаем, как это делать.

— Лесли! — воскликнул я, подогреваемый своим планом. — *Я знаю как!*

— Только не сейчас, пожалуйста, — сказала она. — Нам предстоит еще построить собственный дом, и к тому же здесь живут кошки и еноты, о которых нужно заботиться, и молоко в холодильнике скиснет, и на письма нужно ответить. У нас еще много дел.

— Хорошо. Не сейчас. Но меня поражает, когда я читаю о переживаниях на грани смерти, что они очень похожи, судя по книжкам о путешествиях в астральном теле, на переживания тех, кто покидает физическое тело. Умирание — это не более чем уход из тела на астральный уровень навсегда. Но ведь можно *научиться* выходить из физического тела!

— Погоди минуточку, — сказала она. — Ты намекаешь, что мы выберем красивый закат солнца, уйдем из тел и никогда не вернемся назад?

— Когда-нибудь.

Она искоса посмотрела на меня.

— Насколько ты серьезен?

— На сто процентов. Подумай! Разве это не лучше, чем попасть под автомобиль? Разве это не лучше, чем оказаться в разлуке на день или два, а может быть, на сто или двести лет?

— Мне нравится все, что против разлуки, — сказала она. — Я тоже говорю вполне серьезно: если тебя не станет, я больше не хочу здесь жить.

— Я знаю, — сказал я. — Поэтому нам остается лишь научиться путешествовать вне тела, как последователи духовных учений или волки, например.

— Волки?

— Я вычитал это в книге о волках. Люди из какого-то зоопарка поймали в ловушку пару волков, самца и самку. Причем ловушка была безвредным, гуманным приспособлением, и они ничуть не были ранены. Их посадили в большую клетку в кузове грузовика и повезли в зоопарк. Когда они туда приехали и заглянули в клетку, оказалось, что оба волка... мертвы. Никакой болезни, повреждений, ничего. Они следовали своей воле жить и умереть вместе. Медицина не смогла объяснить это. Они просто ушли.

— Это правда?

— Книга о волках была не художественной. Я бы тоже сделал так на их месте, а ты? Разве ты не согласна, что это цивилизованный, разумный способ покинуть планету? Если вся Земля, все пространство-время — лишь сон, почему бы не проснуться спокойно и счастливо где-то в другом мире вместо того, чтобы вопить, что мы не хотим уходить отсюда?

— Ты действительно считаешь, что мы можем сделать это? — спросила она. Это очень гармонировало с ее склонностью к порядку во всем.

Не успела она закончить свой вопрос, как я уже вернулся на кровать с добрым десятком книг с наших полок. *Теория и практика выхода на астральный уровень, Путешествие вне тела, Великое приключение, Практическое руководство по выходу в астральные миры, Ум за пределами тела.* Под их тяжестью на матрасе образовался неглубокий кратер.

— Эти люди говорят, что всему этому можно научиться. Это нелегко и требует продолжительных занятий, но это возможно. Вопрос: стоит ли над этим поработать?

Она нахмурилась.

— Прямо сейчас, я думаю, не стоит. Но если бы оказалось, что ты должен завтра умереть, я бы ужасно пожалела, что не занималась этим.

— Давай согласимся на компромисс. Будем изучать выход из тела, но отложим на долгое время все, что касается ухода из тела навсегда. Мы оба уже бывали вне тела раньше, поэтому мы знаем, что это вполне в наших силах. Теперь мы должны научиться делать это по собственному желанию и совместно. Не думаю, что это будет так уж трудно.

Я ошибался. Это все-таки *было* очень трудно. Сложность была в том, чтобы уснуть, не засыпая, не теряя осознание себя, когда покидаешь тело. Это легко воображать себе, когда бодрствуешь днем. Но остаться сознательным, когда пелена сонливости, более тяжелая, чем свинец, увлекает тебя вниз, — это не простая задача.

Каждый вечер мы читали книжки об астральных путешествиях и обещали встретиться в воздухе над нашими спящими телами, чтобы лишь взглянуть мельком друг на друга, но помнить об этом, когда проснемся. Все безуспешно. Истекали недели. Месяцы. Это стало уже привычкой, которая владела нами еще долго после того, как все книги были прочитаны.

— Не забывай, что нужно помнить... — повторяли мы, выключая свет.

А затем засыпали, давая себе установку встретиться над изголовьем кровати. Она уходила в Пенсильванию, а я зависал над крышей пагоды в Пекине. Или я вращался в калейдоскопических картинах будущего, а она давала концерты в девятнадцатом веке.

Прошло пять месяцев с начала наших занятий, и однажды я проснулся, когда было, должно быть, часа три утра.

Я попытался повернуть голову на подушке, изменить положение тела, но вдруг понял, что не могу этого сделать, потому что она лежала внизу на кровати — а я парил в воздухе, лежа на спине на высоте трех футов над кроватью.

Бодрствующее сознание, как днем. Парение. Комната была по всему объему заполнена серебристо-серым светом. Я бы сказал, что это было лунное сияние, но луны не было видно. Вот стены, стойка стереоаппаратуры; вот кровать, книги, сложенные аккуратно с ее стороны и сваленные в кучу с моей. А там спят наши тела!

Всплеск чистого удивления озарил меня, подобно голубому свету в ночной тьме, а потом я испытал порыв радости. Там внизу было мое тело; эта странная вещь на кровати была мной, который глубоко спал с закрытыми глазами! Не совсем мной, конечно... я был тем, кто смотрел вниз.

Все, о чем я думал в эту первую ночь, было как бы подчеркнуто и заканчивалось восклицательным знаком!

Получается! это так просто. Это... свобода! УРРРА!

Книги говорили правду. Достаточно мне было только подумать о перемещении, и я поплыл, скользя по воздуху, как санки по льду. Я не мог с уверенностью сказать, что не обладал телом, но в то же время я был и без него. У меня было ощущение тела — неопределенного, расплывчатого, как у призрака. После всех наших безуспешных целенаправленных занятий как это могло оказаться таким простым? И при полном сознании. По сравнению с этим ярким, проницательным, острым, как бритва, восприятием жизни обычное бодрствующее сознание казалось сомнамбулизмом!

Я повернулся в воздухе и взглянул вниз. Тончайшая нить сияющего света тянулась от меня к моему спящему телу. Это та связь, о которой мы читали, та серебряная струна, которая соединяет живую душу с телом. Они утверждают, что достаточно разорвать эту струну — и ты распрощаешься с земной жизнью.

В этот момент струящаяся аура забрезжила позади меня, замедлила полет, покружилась над лежащей на кровати Лесли и вошла в ее тело. Через секунду она зашевелилась и перевернулась под одеялом. Ее рука прикоснулась к моему плечу. Я почувствовал, будто меня куда-то втягивает: я низвергнулся вниз и проснулся от прикосновения.

Мои глаза мгновенно открылись в комнате, в которой было темно, как в полночь. Вокруг царила такая тьма, что не имело значения, открыты или закрыты глаза. Я потянулся к выключателю лампы у изголовья. Сердце громко стучало.

— Вуки! — сказал я. — Милая, ты не спишь?

— М-м-м. Я здесь. Что случилось?

— Ничего не случилось! — спокойно произнес я. — Работает! У нас получилось!

— Что получилось?

— Мы выходили из тел!

— О, Ричи, неужели? Я не помню...

— Не помнишь? Что последнее ты помнишь до того, как я тебя разбудил?

Она отвела золотистые волосы от своих глаз и сонно улыбнулась.

— Я летала. Чудный сон. Летала над полями...

— Значит, это верно! Мы помним наши ночные выходы из тела как полеты во сне!

— Откуда ты знаешь, что я выходила из тела?

— *Я видел тебя!*

Это ее окончательно пробудило. Я рассказал ей все, что произошло, все, что я видел.

— Но слово «видел» не может описать восприятие вне тела, вук. Это не более *видение,* чем *знание*. Знание всех деталей, которые более отчетливы, чем видимое глазами. — Я выключил свет. — В комнате так же темно, как и сейчас, но я могу видеть все. Стерео, полки, кровать, тебя и себя... — В темноте разговор о *видении* был очень впечатляющим.

Она включила свой свет, села на кровати и нахмурилась.

— Я ничего не помню!

— Ты подлетела ко мне как радужный НЛО, зависла в воздухе и как бы влилась в свое тело. Затем ты зашевелилась и коснулась меня. Раз! И я сразу же проснулся. Если бы ты не разбудила меня в этот момент, я бы ничего не запомнил.

Прошел еще месяц, прежде чем это случилось вновь, и на этот раз все было почти наоборот. Она ждала до утра, чтобы рассказать мне.

— Со мной случилось то же, что и с тобой, вук! Я чувствовала себя как облачко в небе, легкой, как воздух. И счастливой! Я обернулась, посмотрела вниз на кровать, а там спали мы с тобой и *Амбер,* наша дорогая маленькая кошечка Амбер, свернувшаяся калачиком у меня на плече, как она обычно спит! Я сказала: «Амбер!» — и она подняла глазки и посмотрела на меня как ни в чем не бывало. Затем она встала и пошла мне навстречу, и на этом все кончилось — я проснулась в постели.

— Ты чувствовала необходимость оставаться в комнате?

— Нет, что ты! Я могла отправиться куда угодно в этой вселенной, куда только мне захотелось бы, и могла увидеть любого другого человека. Это было так, будто у меня волшебное тело...

Электрокамин тихо потрескивал в комнате.

— Мы сможем сделать это! — воскликнула она, взволнованная как я в тот раз. — Мы уже умеем!

— Через месяц, — сказал я, — мы наверное сможем еще раз выйти из тела!

Но это случилось в следующую ночь.

На этот раз я проснулся над кроватью, сидя в воздухе, и мое внимание сразу же было привлечено к парящему светящемуся облачку, которое очаровательно сияло серебряно-золотистым цветом лишь в двух футах от меня. Это была совершенная живая любовь.

О, моя любовь! — подумал я. Лесли, которую я видел раньше глазами, — это меньше чем самая крохотная частичка той сущности, которой она в действительности является! Она — тело в теле, жизнь внутри жизни; развертывающаяся, распускающаяся, расстилающаяся... узнаю ли ее когда-нибудь всю?

Слова были не нужны — я знал все то, что она хотела мне сказать.

— Ты спал, а я была здесь и выманила тебя сюда, Ричи. Я говорила: «Пожалуйста, выйди, выйди...» — и ты вышел...

— Здравствуй, милая! Здравствуй!

Я потянулся к ней, и, когда наши светящиеся очертания соприкоснулись, возникло ощущение, которое у нас было, когда мы держали друг друга за руку, только намного более интимное, нежное и радостное.

— Выше, — мысленно сказал я ей, — давай не спеша попытаемся подняться вверх..

Как два воздушных шара, заполненных теплым воздухом, мы поднялись вместе сквозь потолок, будто это был прохладный воздух.

Крыша дома уходила вниз под нами, а с нею грубая деревянная кровельная дранка, покрытая опавшими сосновыми иголками, кирпичные дымоходы, телевизионная антенна, указывающая в сторону цивилизации. Внизу на клумбах и на газонах спали цветы.

Когда мы поднялись выше деревьев и поплыли осторожно дальше над водой, над нами засияло звездное небо, подернутое редкими полупрозрачными перистыми облаками. Поле зрения не небезгранично, южный ветер дул со скоростью около двух узлов. Ощущения температуры не было.

Если это и есть жизнь, думал я, то она бесконечно прекраснее, чем все то, что я себе когда-либо...

— Да, — услышал я мысли Лесли, — да...

— Запечатлей это в той своей благоговейной памяти, — сказал я ей. — Ты не забудешь об этом, когда мы проснемся!..

— И ты тоже...

Как начинающие пилоты, впервые поднявшиеся в небо, мы медленно плыли вместе, не делая резких движений. У нас не было ни малейшего страха перед высотой — как два облака, которые не боятся упасть, две рыбы, которые не боятся утонуть. Каковыми бы ни были эти наши тела, они были невесомы и прозрачны. Мы могли бы пройти и сквозь железо, и через толщу солнца, если бы пожелали этого.

— Ты видишь? Струны?

Когда она сказала это, я вспомнил и посмотрел. Две сверкающие паутинки тянулись от нас к нашему дому.

— Мы — духи, летающие подобно воздушным змеям на привязи, — подумал я. — Ты готова возвращаться?

— С удовольствием, но только не спеша.

— Мы можем и не возвращаться обратно...

— Но ведь мы хотим вернуться, Ричи.

С удовольствием и не спеша мы поплыли над водой обратно к дому и попали в спальню, пройдя через западную стену.

Мы остановились возле книжной полки.

— Вон там! — подумала она. — Видишь? Это Амбер!

Пушистое светящееся очертание поплыло в сторону Лесли.

— Привет, Амбер! Привет, маленький Амбер! Все было проникнуто этим настроением приветствия, чувством любви, которое исходило от светящейся ауры. Я отделился от них и медленно поплыл по комнате. А что, если мы захотим разговаривать с кем-то? Если Лесли пожелает увидеть своего брата, который умер, когда ему было девятнадцать, если я захочу поговорить со своей матерью или отцом, который ушел из жизни совсем недавно, что случится тогда?

Каково бы ни было это состояние существования вне физического тела, вопросы здесь приходят вместе с ответами. Если мы желаем поговорить с ними, мы можем это сделать. Мы можем быть со всеми, с кем мы так или иначе связаны и кто хочет быть с нами.

Я обернулся и посмотрел на них, женщину и кошку. Теперь я впервые заметил серебряную нить, тянущуюся от кошки. Она проходила во тьме прямо к корзине на полу, где находился спящий белый комочек пуха. И тут случилось такое, что если бы у меня было сердце, то оно бы замерло и пропустило удар.

— Лесли! Амбер... Амбер — это Ангел Т. Кот!..

В этот момент как будто сработал какой-то механизм, о существовании которого мы ничего не знали, и наша другая кошка, Долли вскочила в спальню из коридора и на полной скорости с разбега прыгнула, как четырехколесный автомобиль, на нашу кровать.

В следующий миг мы, потревоженные кошкой, внезапно проснулись, все забыв.

— ДОЛЛИ! — закричал я, и она соскочила с кровати и пулей выбежала снова в коридор. Она любила так играть с нами.

— Извини, вук, — сказал я. — Жаль, что разбудил тебя.

Она включила свет.

— Как ты понял, что это была Долли? — сонно спросила она.

— Это была она. Я видел ее.

— В темноте? Ты в темноте увидел Долли, коричневую с черным кошку, которая на полной скорости вбежала сюда?

Мы оба одновременно вспомнили.

— Мы выходили из тела, правда? — спросила она. — О, вуки, мы были вместе и парили в облаках!

Я схватил свой блокнот и нащупал ручку.

— Быстро, прямо сейчас. Рассказывай мне все, что ты помнишь.

Начиная с этого дня занятия становились все менее трудными, и каждый успех открывал путь для следующего.

После первого года практики мы могли встречаться за пределами тела по нескольку раз в месяц. Вместе с этим росла догадка, что мы являемся пришельцами на этой планете. И вот настало время, когда мы могли, просматривая по телевизору программу вечерних новостей, с пониманием обмениваться улыбками, как заинтересованные наблюдатели.

Благодаря нашим занятиям, смерть и трагедии, которые мы видели по пятому каналу, не казались нам больше смертью и трагедиями. Это были лишь приходы и уходы, приключения духов с бесконечными возможностями.

Из программы леденящих душу ужасов вечерние новости превратились для нас в передачу о других жизнях, об испытаниях, через которые можно пройти, о возможностях успехов в социальной сфере, дерзаниях и брошенных на землю перчатках.

— Добрый вечер, Америка! Я — Нэнси Ведущая-программуновостей. Вот наш сегодняшний список ужасов, случившихся по всему миру. Духовные первооткрыватели, все, кто желает совершенствоваться путем оказания помощи, слушайте внимательно! Сегодня на Ближнем Востоке... — И она начинает читать, надеясь, что совершенствующиеся включили телевизор.

— А теперь у нас на очереди перечень Неудач Правительства! Кто из вас там, перед голубым экраном, получает удовольствие от предотвращения бюрократических катастроф? После короткой рекламной паузы мы откроем лукошко с Особенно Серьезными Проблемами. Если у вас имеются в распоряжении их решения, обязательно посмотрите нашу передачу до конца.

Мы надеялись посредством практики выходов на астральные уровни научиться быть хозяевами, а не рабами нашего физического тела и его возможной смерти. Мы не могли тогда предположить, что эти занятия повлекут за собой изменение наших жизненных взглядов во всех других отношениях. Когда мы из рабов становимся хозяевами, как мы используем нашу новую силу?

* * *

В один из вечеров я закончил свои писания на этот день и заполнял едой и маленькими кусочками зефира посуду наших кошек и енота Рэйчел, прежде чем отправиться в ночные приключения. Лесли подошла и наблюдала за моими действиями. Она пораньше закончила свою работу с компьютером для того, чтобы разузнать, что творится в мире.

— Ты увидела в программе новостей места, где нужна наша помощь? — спросил я.

— Прекращение эпидемий, прекращение войны, как всегда. Космические станции; возможно, защита окружающей среды, — это обязательно; и эти киты, которые находятся в опасности.

Посуда с едой выглядела восхитительно, когда я прищурил глаза, как енот.

— Ты положил слишком много зефира, — сказала она и забрала сверху несколько кусочков. — Мы кормим Рэйчел, а не Поросенка.

— Я решил, что сегодня несколько дополнительных кусочков пойдут ей на пользу. Чем больше зефира она съест, тем меньше у нее будет желания поедать маленьких птичек или кого-то еще.

Не говоря ни слова, Лесли положила взятый зефир обратно и пошла стелить для нас постель.

Я вынес на улицу пищу для енота и устроился рядом со своей женой в гостиной.

— Самое перспективное, я думаю, — это индивидуальное совершенствование, — сказал я. — Мы с тобой учились... и можем теперь что-то *контролировать!*

— Мы можем теперь выскакивать из тела на другие уровни, ты ведь заметил это? — сказала она лукаво. — Может быть, мы уже полностью готовы для того, чтобы распрощаться с нашей маленькой планеткой?

— Еще не совсем готовы, — сказал я. — Достаточно уже того, что мы теперь знаем о своей *способности* покинуть ее, когда захотим. Возможно, мы и пришельцы на Земле, вуки, но мы обладаем здесь преимуществами! Годы обучения понадобились нам, чтобы научиться, пользоваться телом, достижениями цивилизации, идеями, языком. Мы научились изменять вещи. Но мы еще не готовы выбросить все это. Я рад, что не убил себя когда-то в прошлом, до того, как нашел тебя.

Она с удивлением взглянула на меня.

— Ты знал тогда, что пытаешься покончить с жизнью?

— Мне кажется, что сознательно я не отдавал себе отчета в этом. Но в то же время я не думаю, что все мои промахи были случайны. Одиночество было для меня такой проблемой тогда, что я был бы не против умереть. Это было бы моим новым приключением.

— Интересно, как себя чувствует тот, — сказала она, — кто покончил с собой, а потом понял, что его родная душа все еще живет на земле и ждет его?

Ее слова повисли в воздухе. Может быть, я тогда приблизился к такому исходу ближе, чем подозревал об этом? Мы сидели вместе на кушетке в снятом нами доме, а на улице сгущались сумерки.

— Б-р-р! — сказал я. — Какая жуткая мысль!

Самоубийство, как и всякое убийство, совсем не творческий поступок! Каждый, кто отчаялся настолько, что может совершить самоубийство, — думал я, обладает достаточным запасом настойчивости, чтобы подойти к проблеме творчески и решить ее: подхватиться в полночь, незаконно проникнуть на борт судна, идущего в Новую Зеландию, и начать все сначала — жить так, как он всегда хотел. Однако люди боятся бросить вызов судьбе.

Я нашел ее руку во тьме.

— Какая ужасная мысль! — воскликнул я. — Вот я, только что совершивший самоубийство, покидаю свое мертвое тело и вдруг понимаю, но уже поздно... Я бы встретился с тобой случайно по пути из Лос-Анджелеса в Новую Зеландию, если бы только что не покончил с собой! «О, зачем?! — сказал бы я себе тогда. — *Каким я был глупым!*»

— Бедный покойный глупыш, — сказала она. — Но ведь ты мог в любой момент начать другую жизнь.

— Конечно, мог бы. И был бы на сорок лет моложе тебя.

— С какого года мы начинали отсчет возраста? — засмеялась она, слушая мои выступления против новых дней рождения.

— Дело даже не в возрасте, а в том, что мы бы принадлежали тогда к разным поколениям. Ты бы занималась чем-то, связанным с демонстрациями против войны или племенами африканских негров, а я бы сидел и слушал тебя с недоумением и спрашивал: «Что?!» Да и к тому же с еще одной жизнью связано столько неудобств! Ты можешь себе вообразить, как ты снова становишься младенцем? Учишься... ходить? А переходной возраст? Поразительно, как мы вообще выжили в юности. А теперь представь, что снова будешь восемнадцатилетней, двадцатичетырехлетней. Я не собираюсь больше допускать такие жертвы, по крайней мере в ближайшие тысячу лет; а еще лучше совсем никогда. Благодарю за такую перспективу, но я бы скорее стал арктическим тюленем.

— И я бы стала тюленем вместе с тобой, — сказала она. — Но если это наша последняя земная жизнь на ближайшие столетия, нам следует сделать в ней все, что в наших силах. Что значат для нас сейчас все наши другие жизни? Или все то, что мы сделали в этой, — работа в Голливуде, жизнь в трейлере, борьба за спасение леса — что все это будет значить через тысячу лет, что это дало нам сейчас, кроме всего, чему мы попутно научились? Мы уже знаем почти все! Мне кажется, что в этой жизни нам повезло. Давай больше не будем рождаться тюленями. — Она поежилась от холода. — Ты предпочитаешь одеяло или камин?

Я думал о том, что она сказала мне.

— И то, и другое, — пробормотал я. — Ты хочешь, чтобы я организовал?

— Нет. Мне только нужны спички...

Пламя от разгорающихся в камине дров придавало теплый блеск ее глазам и волосам.

— Вот что, — сказала она, — если бы ты мог сделать все, что захочешь, что бы ты сделал?

— Я уже МОГУ сделать все, что захочу.

— И что бы ты сделал? — настаивала она, располагаясь возле меня и не отрывая глаз от пламени.

— Я бы рассказал обо всем, чему научился. — Мои собственные слова вызвали у меня удивление. Ведь это так непривычно, думал я. Не искать больше ответы, а давать их другим! А почему бы и нет, если мы нашли свою любовь, если мы наконец поняли, как работает вселенная? Или поделиться тем, что мы думаем о ней.

Она перевела взгляд с огня на мои глаза.

— То, чему мы научились, — это все, что останется после нас. Ты хочешь дать это другим? — Она снова посмотрела на огонь и улыбнулась, проверяя меня. — Не забывай, что ты — человек, который написал, что все известное нам может оказаться неправдой.

— Может оказаться, — согласился я. — Ведь когда мы слышим чьи-то ответы, мы слушаем на самом деле не его, не так ли? Мы слушаем себя, когда он говорит; мы сами решаем, что это — истинно, то — глупо, а это — снова верно. При этом получаешь удовольствие от слов других людей. А удовольствие от собственных слов получаешь тогда, когда говоришь как можно меньше неправды.

— Ты снова думаешь о том, чтобы читать лекции, — сказала она.

— Возможно. А ты выйдешь на сцену со мной, чтобы мы вместе сказали о том, что нашли? Не побоишься говорить о трудных временах или о прекрасном? Обратиться к тем, кто ищет, как мы когда-то искали, и дать им надежду, что счастливая совместная жизнь в действительности возможна? Как я хочу, чтобы мы могли услышать это много лет назад!

Она спокойно отвечала:

— Не думаю, что буду на сцене вместе с тобой. Я могу все подготовить, все организовать для тебя, но я не хочу выступать перед людьми.

Что-то было не так.

— Ты не хочешь? Но ведь существуют вещи, которые мы можем говорить лишь вместе, и ни один из нас не способен сказать о них в одиночку. Я не смогу рассказать обо всем, через что ты прошла, так, как это сделаешь ты. Мы можем обратиться к людям только вместе!

— Мне так не кажется, — сказала она.

— Почему?

— Ричи, когда я выступала против войны, люди относились ко мне так враждебно, что я боялась стоять перед ними. Мне приходилось делать это, но я пообещала себе, что, когда я закончу с этим, я никогда больше не буду говорить со сцены. Никогда. Ни под каким предлогом. Поэтому мне кажется, что я не смогу сделать это.

— Это неразумно с твоей стороны, — сказал я ей. — Война закончена! Теперь мы будем говорить не о войне, мы будем говорить о любви!

Ее глаза наполнились слезами.

— О, Ричи! — сказала она. — Тогда я тоже говорила о любви!

СОРОК ВОСЕМЬ

— Где вы берете ваши безумные идеи? — спросил джентльмен из двадцатых рядов. Это был первый вопрос во втором часу лекции.

По двум тысячам человек в Городской Аудитории пробежал тихий смех... это вызвало любопытство не только у него.

Лесли непринужденно сидела со спокойным и доброжелательным видом на высоком кресле на сцене рядом со мной. За мгновение до этого я подошел с дистанционным микрофоном ближе к свету прожекторов на краю сцены, чтобы выбрать одну среди поднятых рук, не забывая повторить вопрос для тех, кто находился на галерке, тем самым давая себе время подумать над ответом.

— Где я беру безумные идеи? — повторил я. Через полсекунды ответ материализовался, затем появились нужные слова, чтобы высказать его.

— Там же, где и благоразумные, — сказал я. — Идеи приносят фея сна, фея прогулки, а когда я становлюсь безнадежно мокрым и не могу делать заметки, их подсказывает мне фея мытья под душем. Я всегда просил у них: *«Пожалуйста, давайте мне идеи, которые бы не противоречили моей интуиции»*.

Я знаю интуитивно, например, что мы рождены для светлой жизни, а не для слепой смерти. Я знаю, что мы не заперты на нашей планете и не отделены от других измерений пространства и времени. Мы не обречены бесконечно кружиться среди миллионов хороших и плохих изменяющихся сиюминутных обстоятельств. Идея о том, что мы — лишь физические существа, пришла к нам из лабораторий, где простейшие бактерии беспомощно плавают в колбах в питательном растворе. Эта идея противоречит моей интуиции, она топчется по ней, как человек в футбольных бутсах по газону.

Еще больше мне не нравится идея о том, что мы сотворены ревнивым Богом, который соткал нас из пыли и поставил перед выбором между поклонением и молитвами и вечными адскими муками. Ни одна фея сна никогда не приносила мне таких идей. Само представление о *сотворении* мне кажется неверным.

И в то же время я не могу найти такого места, где бы были ответы на мои вопросы, или такого человека, который бы предоставил мне их. Я получаю ответы лишь от своего внутреннего Я — того внутреннего Я, которому раньше я боялся доверять. Когда-то я должен был плавать как кит, набирая в рот для фильтрации огромные количества морской воды, и выбирать из того, что писали, думали и говорили другие, крохи знания размером с планктон, которые согласовались с тем, во что я хотел верить. Все, что объясняло хоть как-нибудь уже известное мне интуитивно, было истинным, то есть тем, чего я искал.

От одного автора я не мог взять даже малейшей крупицы, как много бы я ни читал его книги. У другого я не понял ничего, кроме этого: «Мы — не то, чем мы кажемся». Ура! Я чувствовал интуицией, что это ИСТИННО! Все остальное в книге могло быть морской водой, но кит отфильтровал это утверждение.

Мало-помалу, думал я, мы восстанавливаем сознательное понимание того, что мы уже знаем от рождения: истинно все то, во что желает верить наше высшее внутреннее Я. Однако наш сознательный ум не находит покоя, пока не сможет объяснить это с помощью слов.

Прежде чем я стал догадываться об этом, уже несколько десятилетий назад у меня была способность получать ответы на все свои мысленные вопросы.

Я быстро взглянул на Лесли, и она кивнула мне в ответ, напоминая о своем присутствии.

— Какой был вопрос? — спросил я. — А! Где я беру свои безумные идеи? Ответ: у феи снов, у феи прогулок, у феи мытья под душем. Феи книг. А в последние несколько лет — у своей жены. Если теперь у меня возникают вопросы, я задаю их ей, и она отвечает мне. Если же у вас еще нет родной души, я бы посоветовал всем найти ее как можно скорее. Следующий вопрос.

Мы можем так много рассказать людям, думал я, но в нашем распоряжении лишь один день в каждом городе, который приглашает нас приехать и выступить. Даже восемь часов — и то мало. Как могут некоторые лекторы сказать людям все необходимое за один час? Мы за первый час успели лишь в общих словах очертить наши взгляды на мир.

— Женщина вон там, в задних рядах справа...

— У меня вопрос к Лесли. Как мы можем узнать, что тот, кого мы встретили, — родная душа?

Моя жена с ужасом бросила на меня взгляд, который длился долю секунды, и подняла свой микрофон.

— Как мы можем узнать, что тот, кого мы встретили, — родная душа? — повторила она вопрос так спокойно, будто делала это уже много раз. — Я не знала, когда встретила. Это было в марте. «*Вверх?*» — спросила я. «*Да»,* — ответил он. Ни один из нас тогда не знал, что эти слова будут значить для тех людей, которыми мы являемся сейчас.

Через четыре года мы познакомились и сразу же стали лучшими друзьями. Чем больше я узнавала о нем, тем больше он вызывал у меня восхищения и тем чаще я думала: «*Какой он удивительный человек!*»

Вот ключ. Ищите такого любовника, который бы становился лучше с каждым днем, восторг от которого был бы все более ярким, а доверие к которому росло бы вопреки невзгодам.

Я поняла, что сокровенная близость и радость возможны для меня только с этим одним мужчиной. Я раньше думала, что такая близость и счастье были моими особенными требованиями, качествами лишь моей родной души. Но сейчас мне кажется, что каждый может так же, но отчаивается найти для себя их воплощение в человеке и поэтому довольствуется малым. Как мы можем требовать близости и радости, если самое лучшее из всего, что нам известно, — это мимолетный любовник и поверхностное счастье?

Однако глубоко в наших сердцах мы знаем, что мимолетный любовник не согреет, а поверхностное счастье перерастет в беспричинную грусть и навязчивые мысли: «Действительно ли в моей жизни есть любовь? Можно ли жить как-то иначе? И вообще, почему я оказался здесь?» Сердцем мы знаем, что должно быть что-то большее, и стремимся к тому, чего еще не нашли.

Часто бывает так, что один из супругов тянется вверх, тогда как другой тормозит развитие. Один идет вперед, а другой делает все для того, чтобы на каждые два шага в избранном направлении приходилось три шага назад. Лучше учиться счастью в одиночестве, думала я, любить своих друзей и свою кошку, лучше ждать родную душу, которая все не приходит, чем согласиться на жалкий компромисс.

Родная душа — это тот, у кого есть ключи от наших замков и к чьим замкам подходят наши ключи. Когда мы чувствуем себя настолько в безопасности, что можем открыть наши замки, тогда наши самые подлинные «я» выходят навстречу друг другу и мы можем быть полностью и искренне теми, кто мы есть. Тогда нас любят такими, какими мы есть, а не такими, какими мы стараемся быть. Каждый открывает лучшие стороны другого. И невзирая на все то, что заставляет нас страдать, с этим человеком мы чувствуем благополучие как в раю. Родная душа — это тот, кто разделяет наши глубочайшие устремления, избранное нами направление движения. Если мы вдвоем подобно воздушным шарикам движемся вверх, очень велика вероятность того, что мы нашли друг в друге нужного человека. Родная душа — это тот, благодаря кому вы начинаете жить подлинной жизнью.

К ее удивлению, толпа заглушила ее голос аплодисментами. Я почти было поверил ее словам о том, что она будет очень плохо выглядеть на сцене. Это было не так.

— Ваши мнения совпадают с его мнениями? — спросил следующий человек из аудитории. — Бывают ли у вас разногласия?

— Бывают ли у нас разногласия? — повторила она. — Очень редко. Чаще наоборот, он включает погромче радио, и я обнаруживаю, что он — единственный из известных мне людей, кто обожает слушать мелодии, исполняемые на волынке. Он — единственный, кроме меня, кто может слово в слово пропеть со мной песенку «Одинок я, одинок» из истории *Tubby the Tuba,* которую помнит еще с детских лет.

— Было время, — сказала она, — когда мы занимались такими разными вещами... Я была активистом движения против войны, а Ричард — пилотом ВВС. У меня был один мужчина, у Ричарда этой одной женщиной были многие. Он много ошибался, но сейчас он, конечно, изменился.

В конечном счете не имеет значения, соглашаемся мы или нет, или кто из нас прав. Важно то, что происходит между нами... всегда ли мы меняемся, растем ли мы и любим ли друг друга еще сильнее. Вот что имеет значение.

— Можно ли вставить словечко? — спросил я.

— Пожалуйста.

— Вещи, окружающие нас, — дома, работа, машины — все это обрамление, декорации для нашей любви. Вещи, которые принадлежат нам, наши жилища, события наших жизней — это пустые декорации. Как легко погнаться за обрамлением и забыть об алмазе! Единственное, что имеет значение в конце нашего пребывания на земле, — это то, как сильно мы любили, *каким было качество нашей любви.*

Во время первого перерыва большинство слушателей поднялись и стали потягиваться, некоторые подошли к нам с книгами и попросили автографы. Другие встретились и начали разговаривать между собой без формального знакомства возле сцены, в месте, которое мы отвели для них.

Когда люди снова расходились по местам перед началом пятого часа нашей беседы, я коснулся плеча Лесли.

— Как самочувствие, маленький вук? С тобой все в порядке?

— Да, — ответила она. — Я никогда не думала, что будет так! Это прекрасно!

— Ты так сообразительна! — сказал я. — Так рассудительна и симпатична. Ты могла бы очаровать любого мужчину из зала.

Она пожала мою руку.

— Благодарю, но я выбираю этого. Кажется, пора начинать снова?

Я кивнул и включил микрофон.

— Мы готовы, — сказал я. — Давайте продолжим. Задавайте любые вопросы, которые когда-либо возникали в умах людей, начиная с самой зари человеческой цивилизации. Мы обещаем, что ответим на них к вашему полному удовлетворению!

Очень многое из того, о чем мы говорили, звучало необычно, но ничто не было неискренним... Мы были похожи на двух физиков-теоретиков, которые вышли на сцену, чтобы сказать о том, что если человек путешествует со скоростью, близкой к скорости света, то он становится моложе тех, кто остался на земле. Или о том, что свойства пространства на расстоянии одной мили от солнца отличаются от свойств пространства на таком же расстоянии от земли, потому что возле солнца пространство сильнее искривлено.

Это невероятные идеи, которые могут быть восприняты только с улыбкой, но тем не менее они истинны. Интересно, чем больше привлекает физика высоких энергий — своей правильностью или необычностью?

— Прошу вас, мадам, — сказал я, обращаясь к женщине, которая стояла на середине аудитории, ожидая с любопытством, куда она отправится с нами на этот раз.

— Вы собираетесь когда-нибудь умереть?

Легкий вопрос, мы ответим на него по очереди.

В этот день мы плавали по морю вопросов, увлекаемые ветром знания, который изменил и обучил нас.

Почему у нас появляются проблемы?

Может ли смерть разлучить нас? И поскольку вы, конечно, скажете, что она не может разлучить, скажите, пожалуйста, как нам поговорить с друзьями, которых нет в живых?

Правда ли, что в действительности зла не существует?

Как вы себя чувствуете, женившись на актрисе?

Приняли ли вы Господа Иисуса Христа в качестве своего Личного Спасителя?

Зачем нужно государство?

Вы когда-нибудь болеете?

Кто летает на НЛО?

Отличается ли ваша любовь сейчас от той, которая было год назад?

Сколько у вас денег?

Действительно ли Голливуд очарователен?

Если я жил раньше, почему я об этом забыл?

Так ли она удивительна, как ты говоришь? Что вам не нравится друг в друге?

Вы уже перестали изменяться?

Вы можете знать свое будущее?

Зачем вы все это говорите?

Как тебе удалось стать кинозвездой?

Изменяли ли вы когда-нибудь свое прошлое?

Почему музыка так сильно действует на нас?

Пожалуйста, покажите какой-нибудь парапсихологический опыт.

Почему вы так убеждены, что все бессмертны?

Как узнать, нужно ли в данном случае вступать в брак?

Сколько других людей видят мир так, как вы?

Куда нам пойти, чтобы встретить того, кого нам следует любить?

Все путешествия этого дня, казалось, длились одно мгновенье, будто мы сами перемещались в пространстве со скоростью света.

Вскоре наступило время, когда мы захлопнули за собой дверь номера гостиницы и упали вместе на кровать.

— Не так уж плохо, — сказал я. — Хороший денек. Ты устала?

— Нет! — сказала она. — Там была такая хорошая атмосфера, столько силы, столько любви. Радость приходит и охватывает всех нас!

— Давай на следующий раз попробуем видеть ауру, — сказал я. — Говорят, что во время теплых массовых встреч аудитория и сцена окружена со всех сторон золотистым сиянием. Каждый будто наэлектризован.

Я посмотрел на ее блузку.

— Можно прикоснуться?

Она удивленно покосилась на меня.

— Что ты имеешь в виду?

— Это обычай курсантов летного училища. Никогда не прикасайся к другому человеку без разрешения.

— Едва ли тебе нужно разрешение, мистер Бах.

— Я лишь подумал, что, прежде чем сорвать с тебя одежду, я должен быть вежливым и спросить.

— Животное, — сказала она. — Когда мужчина спрашивал, остались ли еще драконы, мне следовало указать на тебя.

Я покатался на спине по кровати, взглянул на бесцветный потолок и закрыл глаза.

— Я — дракон. Но я и ангел тоже, не забывай этого. У каждого из нас есть своя тайна, свои приключения, правда? Мы одновременно идем вместе миллионами путей через время. Что мы *делаем* во все другие времена? Я не знаю. Но у меня есть одна очень странная уверенность, дорогая, — сказал я, — я уверен, что то, что мы делаем сейчас...

— ...связано светящимися узами, — продолжала она, — с тем, что мы делали тогда!

Я вздрогнул и как бы проснулся, когда она закончила мою мысль.

Она лежала на боку на постели, и ее голубые как море глаза пристально смотрели в мои. Она понимала меня и знала еще так много всего.

Я обратился так нежно, как только мог, к жизни, которая сияла и танцевала в этих глазах:

— Здравствуй, тайна, — прошептал я.

— Здравствуй, приключение.

— Куда мы уйдем отсюда? — спросил я, исполненный нашего общего могущества. — Как мы будем изменять этот мир?

— Я видела наш дом сегодня, — ответила она. — Когда женщина спросила, знаем ли мы будущее. Помнишь наш сон? И тот дом во сне? Я видела леса на острове, и луга тоже. Я видела то место, где мы построим дом, в котором мы были во сне.

Один уголок ее рта едва заметно приподнялся от улыбки.

— Как ты думаешь, они — эти сотни других нас, рассеянных везде по пространству-времени, — не будут против? Учитывая все то, через что мы прошли, — сказала она, — как ты думаешь, они не будут возражать, если мы сначала построим дом, а *потом* изменим мир?

СОРОК ДЕВЯТЬ

Небольшой экскаватор работал на вершине холма, и когда я вышел на поляну, он подкатил навстречу мне. Его стальной ковш был наполовину заполнен черноземом для сада.

— Привет, милый! — воскликнула Лесли, перекрикивая шум мотора. По рабочим дням она носила тяжелую белую спецодежду, и ее волосы выбивались из-под желтой каски тракториста. Руки прятались в тяжелых кожаных перчатках, которые управляли рычагами машины.

Она была мастерским экскаваторщиком в эти дни и с радостью работала над постройкой дома, который был уже так давно готов в ее уме.

Она заглушила мотор.

— Как дела у моего дорогого кузнеца слов?

— Хорошо, — сказал я. — Прямо не знаю, что читатели подумают об этой книге. Они, наверное, скажут, что она слишком затянута и слишком заполнена любовными приключениями, чтобы быть по праву моей. Но мне она нравится. И сегодня я придумал заглавие!

Она сдвинула каску на затылок и прикоснулась ко лбу внешней стороной перчатки.

— Наконец-то! И как оно звучит?

— Оно уже содержится в самой книге, оно там было уже давно. Если ты тоже найдешь его, тогда мы так ее и назовем, хорошо?

— Можно мне уже сейчас прочесть сразу всю рукопись?

— Да. Еще одна главка — и дело сделано.

— Только одна глава! — сказала она. — Ну, поздравляю!

Я посмотрел вниз с пригорка на луга и вдаль над водой, на острова, плывущие на горизонте.

— Чудное место, правда?

— Просто рай! Тебе следует взглянуть на дом, — сказала она. — Первая очередь солнечных батарей уже заработала сегодня. Прыгай сюда, я отвезу тебя наверх и покажу тебе все!

Я стал в ковш с черноземом. Она включила стартер.

Мотор ожил, и в какое-то мгновение я мог поклясться, что неожиданный рев был звуком моего старого биплана, который завелся на поле. Когда я прищурил глаза, я разглядел

... мираж, призрак прошедших лет, движущийся по полю. Ричард-бродяга завел мотор Флита в последний раз, устроился в своей кабине, нажал на газ и вот-вот должен был вылететь на поиски своей половинки. Биплан ринулся вперед.

Что бы я сделал, если бы я увидел ее сейчас, — думал он, если бы я увидел ее сейчас, идущей по скошенному лугу и машущей мне, чтобы я подождал?

Повинуясь бессмысленному порыву, он обернулся и посмотрел.

Солнце ярко освещало поле. По траве к аэроплану с развевающимися за спиной золотистыми волосами бежала женщина, бежала самая красивая в мире... Лесли Пэрриш! Как она...?

Он сразу же заглушил мотор, ослепленный тем, что увидел ее.

— Лесли! Это ты?

— Ричард! — воскликнула она. — Взлетаешь? — Она остановилась перевести дух возле самой кабины. — Ричард... у тебя найдется немножко времени, чтобы полетать со мной?

— Ты... — сказал он, тоже задохнувшись, — ...ты на самом деле?..

Я повернулся к своей жене, так же пораженный тем, что увидел, как и пилот.

Испачканная грязью, но великолепная, она улыбнулась мне. В глазах у нее сияли слезы.

— Ричи, у них есть шанс! — крикнула она. — *Пожелай им любви!*